10
18

12, AVENUE D'ITALIE. PARIS XIIIe

Sur l'auteur

Né en 1954, Jon Krakauer a grandi dans l'Oregon. Collaborateur du magazine américain *Outside*, il a publié de nombreux articles dans les plus grands mensuels comme *National Geographic* et *Rolling Stone*. En 1996, le magazine *Outside* l'envoie sur l'Everest pour participer à une expédition. Le drame dont il est alors témoin (onze alpinistes pris dans une tempête) lui inspire un livre bouleversant, *Tragédie à l'Everest* (Presses de la Cité, 1998), devenu aujourd'hui un best-seller.

JON KRAKAUER

INTO THE WILD

Voyage au bout de la solitude

Traduit de l'anglais (États-Unis)
par Christian Molinier

Édition enrichie d'une postface inédite

10
18

PRESSES DE LA CITÉ

Du même auteur
aux Éditions 10/18

▶ INTO THE WILD, nº 4109
TRAGÉDIE À L'EVEREST, nº 4382

Titre original :
Into the Wild

ISBN : 978-2-264-04830-1
Dépôt légal : novembre 2008

Pour Linda

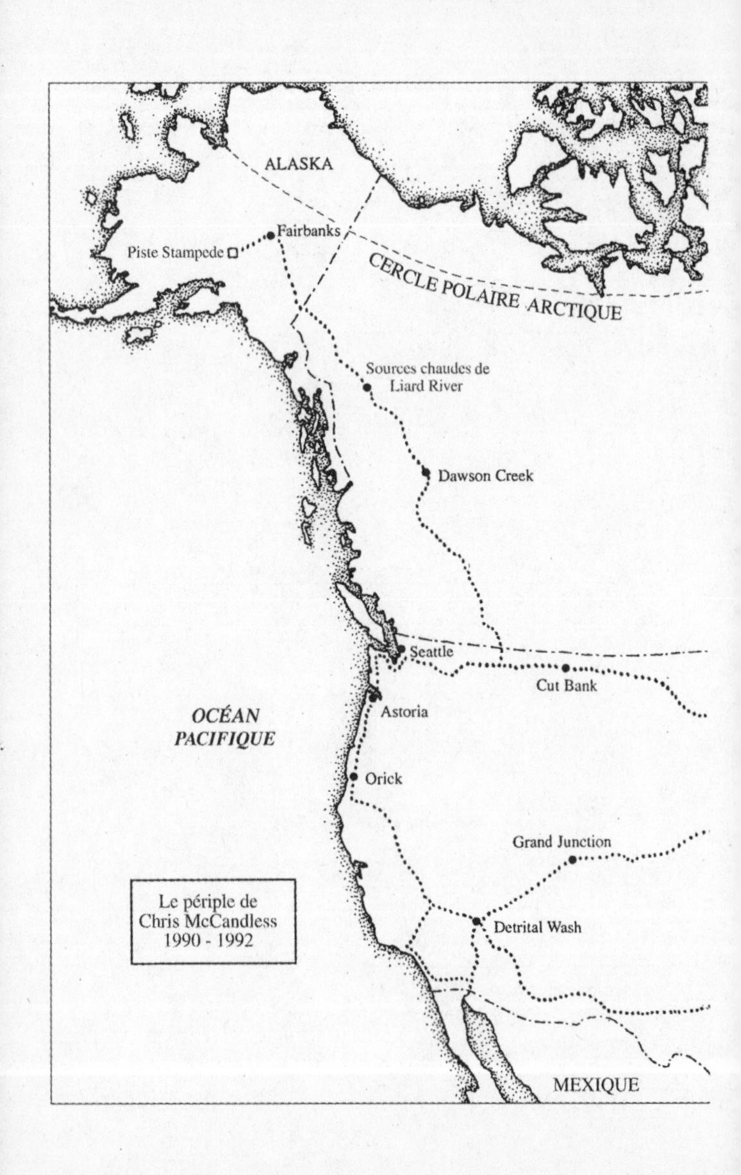
ALASKA
Fairbanks
Piste Stampede
CERCLE POLAIRE ARCTIQUE
Sources chaudes de
Liard River
Dawson Creek
Seattle
Cut Bank
Astoria
OCÉAN
PACIFIQUE
Orick
Grand Junction
Detrital Wash
Le périple de
Chris McCandless
1990 - 1992
MEXIQUE

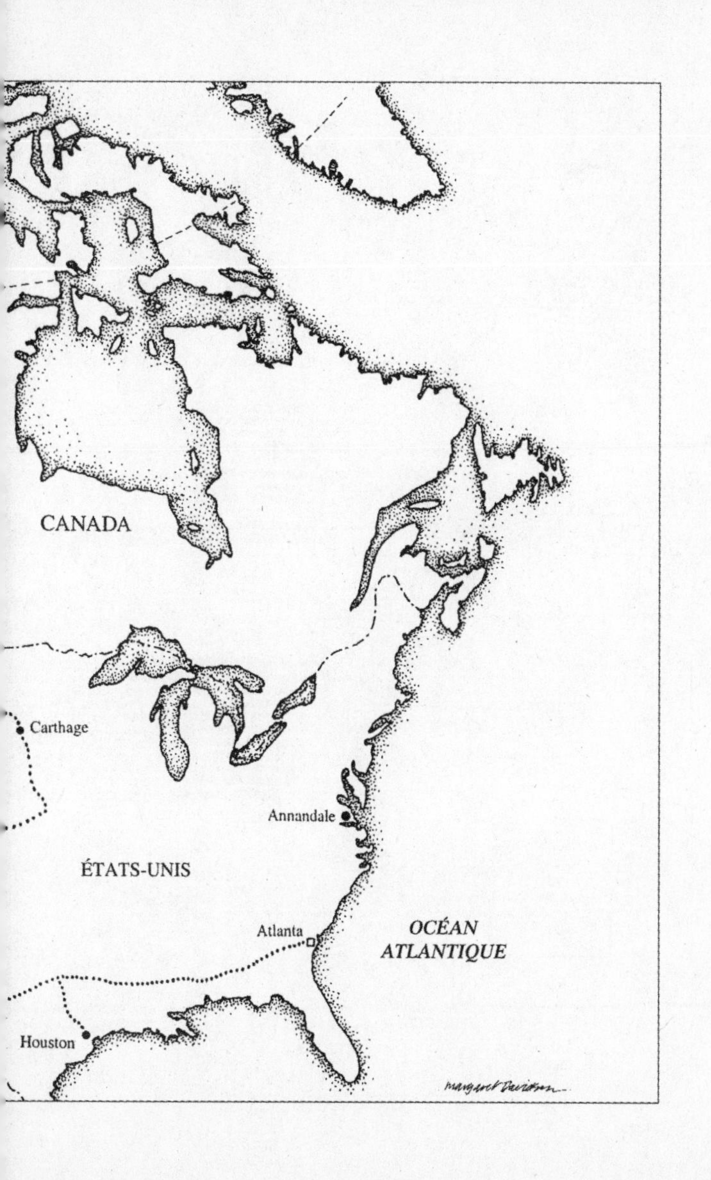
CANADA
Carthage
Annandale
ÉTATS-UNIS
Atlanta
OCÉAN
ATLANTIQUE
Houston

Avant-propos de l'auteur

En avril 1992, un jeune homme issu d'une famille aisée de la côte Est se rendit en auto-stop en Alaska et entreprit une randonnée dans une région inhabitée au nord du mont McKinley. Quatre mois plus tard, un groupe de chasseurs d'élans trouva son corps décomposé.

Peu de temps après cette macabre découverte, le magazine *Outside* me demanda d'enquêter sur les circonstances troublantes de la mort de ce garçon. On apprit qu'il s'appelait Christopher Johnson McCandless. Élevé dans un faubourg cossu de Washington, il y avait fait d'excellentes études et s'était révélé un sportif accompli.

Au cours de l'été 1990, tout de suite après l'obtention de son diplôme de fin d'études, avec mention, à l'université Emory, son entourage le perdit de vue. Il changea de nom, fit don de ses 24 000 dollars d'économies à une œuvre humanitaire, abandonna sa voiture et presque tout ce qu'il possédait et brûla les billets de banque qu'il avait dans son portefeuille. Puis il vécut une nouvelle vie, logeant chez des marginaux dépenaillés et parcourant l'Amérique du Nord à la recherche de l'expérience pure, transcendante. Sa famille ignorait complètement ce qu'il était devenu, jusqu'à ce qu'on retrouve ses restes en Alaska.

C'est à partir de cette trame assez mince que j'écrivis un article de quelques pages qui fut publié en janvier 1993. Mais mon intérêt pour McCandless perdura bien après que le numéro d'*Outside* eut été remplacé par d'autres sur les présentoirs des kiosques. Sa mort par dénutrition me hantait, et aussi une parenté vague, dérangeante, entre sa vie et la mienne. Ne voulant pas abandonner McCandless, je passai plus d'un an à retrouver la piste compliquée qui conduisait à sa mort dans la taïga. Je traquai les détails de ses pérégrinations avec un souci qui confinait à l'obsession. En essayant de comprendre McCandless, j'en vins à aborder d'autres sujets, plus généraux : l'attirance que la nature exerce sur l'imagination des Américains, le goût du risque de certains jeunes gens, les liens complexes et pesants entre père et fils. C'est cette enquête, avec ses méandres, qui a donné naissance à ce livre.

Je ne prétends pas être un biographe impartial. L'étrange aventure de McCandless éveille en moi un écho qui rend impossible une relation détachée de cette tragédie. Cependant, dans la plus grande partie du livre, j'ai essayé – avec succès, je pense – de m'effacer devant mon sujet. Mais le lecteur doit savoir que, par endroits, j'interromps l'histoire de McCandless pour évoquer certains épisodes de ma propre jeunesse dans le but de jeter un éclairage latéral sur l'énigme que constitue ce jeune homme.

C'était quelqu'un de très entier, dont l'idéalisme inné s'accordait mal avec la vie moderne. Pendant longtemps, il s'était passionné pour l'œuvre de Tolstoï et il admirait particulièrement la façon dont le grand écrivain avait abandonné une existence privilégiée pour se mêler aux indigents. À l'université déjà, McCandless avait voulu s'inspirer de la rigueur morale et de l'ascétisme de Tolstoï, au point de provoquer d'abord l'étonnement, puis l'inquiétude de ses proches. Quand il prit le chemin de l'Alaska, il ne s'imaginait pas qu'il allait vers une terre où coulaient le lait et le miel. Ce qu'il cherchait, c'était précisément le danger, les conditions difficiles et la renonciation tolstoïenne. Il les trouva à profusion.

Pendant la plus grande partie de son épreuve de seize semaines, McCandless affronta courageusement les difficultés. À vrai dire, s'il n'avait pas commis une ou deux erreurs sans gravité apparente, il aurait quitté les bois en août 1992 comme il y était entré en avril, sans attirer l'attention. Au lieu de cela, ses innocentes erreurs s'avérèrent irréversibles, son nom fit la une des journaux à sensation et sa famille, en proie à la perplexité, dut s'accrocher aux lambeaux d'un amour douloureux et obstiné.

L'histoire de la vie et de la mort de Chris McCandless toucha un plus grand nombre de personnes qu'on ne l'aurait cru. Jamais *Outside* ne reçut autant de lettres que dans les semaines et les mois qui suivirent la publication de mon article. Comme on pouvait s'y attendre, ces lettres exprimaient des points de vue variés. Certains lecteurs portaient au jeune homme une grande admiration pour son courage et son idéal, d'autres le traitaient de casse-cou sans cervelle, de farfelu, de personne narcissique qui devait sa fin tragique à son arrogance et à sa stupidité et qui ne méritait pas tout le battage que les médias faisaient à son sujet.

Ma propre opinion sur la vie et la personnalité de Chris McCandless apparaîtra bien assez tôt ; pour l'heure, je laisse le lecteur se former la sienne.

Jon Krakauer,
Seattle, avril 1995

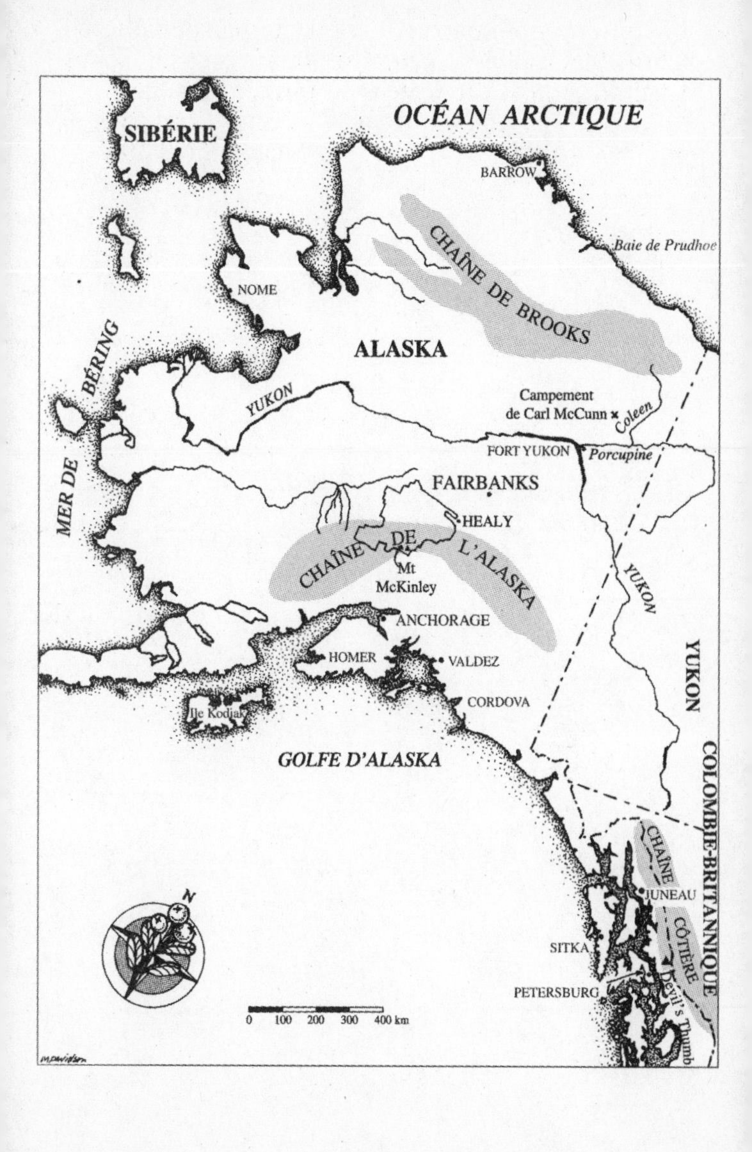

OCÉAN ARCTIQUE
SIBÉRIE
BARROW
Baie de Prudhoe
CHAÎNE DE BROOKS
NOME
ALASKA
MER DE BÉRING
YUKON
Campement
de Carl McCunn
Coleen
FORT YUKON
Porcupine
FAIRBANKS
HEALY
CHAÎNE DE L'ALASKA
Mt
McKinley
YUKON
ANCHORAGE
HOMER
VALDEZ
CORDOVA
Ile Kodiak
GOLFE D'ALASKA
YUKON
COLOMBIE-BRITANNIQUE
CHAÎNE CÔTIÈRE
JUNEAU
SITKA
PETERSBURG
Devil's Thumb
N
0 100 200 300 400 km

1

Au cœur de l'Alaska

27 avril 1992

Je t'écris de Fairbanks ! Ce sont les dernières nouvelles que tu recevras de moi, Wayne. Je suis arrivé il y a deux jours. Ça n'a pas été facile de faire du stop dans le Yukon. Mais finalement, je suis parvenu jusqu'ici.

S'il te plaît, retourne tout mon courrier à l'expéditeur. Il peut s'écouler beaucoup de temps avant que je redescende dans le Sud. Si cette aventure tourne mal et que tu n'entendes plus parler de moi, je veux que tu saches que je te considère comme quelqu'un de formidable. Maintenant, je m'enfonce dans la forêt. Alex.

Carte postale reçue par Wayne Westerberg à Carthage, Dakota du Sud.

À 6,5 kilomètres après Fairbanks, Jim Gallien aperçut un auto-stoppeur qui se tenait dans la neige au bord de la route, le pouce levé très haut et grelottant dans l'aube grise de l'Alaska. Il n'avait pas l'air bien vieux ; dix-huit ans, dix-neuf peut-être, pas plus. Une carabine dépassait de son sac à dos, mais il avait l'air d'un bon garçon. Dans le 49e État, une carabine Remington semi-automatique n'étonne personne. Gallien gara sa camionnette Ford sur le bas-côté et dit au jeune homme de monter.

L'auto-stoppeur balança son sac sur la banquette et se présenta :

— Alex.

— Alex ? interrogea Gallien qui attendait un nom de famille.

— Simplement Alex, répondit l'auto-stoppeur.

C'était un garçon d'environ un mètre soixante-dix, élancé et robuste. Il disait qu'il avait vingt-quatre ans et qu'il venait du Dakota du Sud. Il voulait se faire conduire jusqu'aux confins du parc national du Denali. De là, il avait l'intention de s'enfoncer dans le sous-bois et de « vivre à l'écart pendant quelques mois ».

Gallien, électricien de son état, se rendait à Anchorage, c'est-à-dire à plus de 350 kilomètres au-delà du Denali par l'autoroute George Parks. Il répondit à Alex qu'il le déposerait là où celui-ci le voudrait.

Le sac d'Alex semblait peser entre 13 et 15 kilos. En chasseur et randonneur averti, Gallien jugea que c'était peu pour quelqu'un qui veut rester plusieurs mois dans l'arrière-pays, surtout au début du printemps. « Il était loin d'avoir assez de nourriture et d'équipement pour entreprendre ce genre d'expédition. »

Le soleil parut. La camionnette traversait des crêtes couvertes de forêts et descendait vers la rivière Tanana. Alex regardait les grands marécages balayés par le vent qui s'étendent au sud. Gallien, lui, se demandait s'il n'avait pas embarqué un de ces cinglés qui remontent du sud du 48e parallèle pour venir ici, dans le Nord, vivre des aventures à la Jack London.

Depuis longtemps l'Alaska attire comme un aimant les rêveurs et les désaxés qui s'imaginent que l'immensité immaculée de la dernière terre vierge accueillera les débris de leur vie. En réalité, elle est impitoyable et n'a que faire des désirs et des espoirs.

« Les gens d'ailleurs, fait remarquer Gallien de sa voix traînante et sonore, prennent le magazine *Alaska*, le feuillettent et se disent : "Je vais aller là-haut pour m'en payer une bonne tranche", mais quand ils sont ici et qu'ils doivent avancer dans la forêt, ce n'est plus du tout comme dans le magazine. Les rivières sont larges et rapides. On est dévoré par les moustiques. La plupart du temps, il n'y a rien à chasser. Ce n'est vraiment pas une partie de plaisir. »

Il faut deux heures pour aller de Fairbanks au parc du Denali. Plus Gallien parlait avec Alex, plus il se rendait compte qu'il n'était pas bête. Sympathique, ayant apparemment reçu une bonne éducation, il posait des questions judicieuses sur le gibier de la région et les variétés de baies dont il pourrait se nourrir. Toutefois, Gallien s'inquiétait pour lui. Alex lui avait avoué que la seule nourriture dont il disposait était un sac de cinq kilos de riz. Quant à son équipement, il était minimal étant donné les conditions difficiles de l'arrière-pays, qui reste recouvert par la neige hivernale pendant tout le mois d'avril. Ses chaussures n'étaient pas étanches. Sa carabine, une 22 LR, ne permettait pas d'abattre un animal de la taille d'un élan ou d'un caribou ; or c'est cette viande-là qu'il lui faudrait manger s'il voulait rester longtemps dans la région. Il n'avait ni hache, ni antiseptique, ni boussole. Son seul moyen de s'orienter était une carte routière en mauvais état qu'il avait prise dans une station-service.

À 160 kilomètres de Fairbanks, l'autoroute aborde les contreforts de la chaîne de l'Alaska. Tandis que la camionnette franchissait péniblement un pont au-dessus de la rivière Nenana, Alex regarda au-dessous de lui les eaux rapides et fit remarquer qu'il avait peur de l'eau. « Il y a un an, au Mexique, j'ai été pris dans un orage au cours d'une promenade en canoë sur l'océan et j'ai failli me noyer. »

Un peu plus tard, il sortit sa carte rudimentaire et indiqua une ligne rouge en pointillé qui coupait l'autoroute près de la ville minière de Healy. Elle représentait un itinéraire appelé « la piste Stampede ». Rarement empruntée, cette piste ne figure pas sur la plupart des cartes de l'Alaska. Sur celle d'Alex, pourtant, elle serpentait vers l'ouest sur une soixantaine de kilomètres avant de se perdre dans la nature au nord du mont McKinley. C'était là qu'il voulait aller.

Gallien, pensant que ce projet était déraisonnable, essaya à plusieurs reprises de dissuader son compagnon de route. « Je lui ai dit qu'à cet endroit la chasse n'était pas facile, qu'il pourrait rester des jours et des jours sans trouver le moindre gibier. Comme ça ne servait à rien, j'ai essayé de lui faire peur en lui racontant des histoires d'ours. Je lui ai dit qu'une 22 LR ne ferait rien d'autre à un grizzly que le rendre fou furieux. Alex ne paraissait pas s'en soucier. "Je grimperai à un arbre", se contenta-t-il de dire. Alors je lui ai dit que dans cette partie de l'État, les arbres ne sont pas gros. L'ours pouvait faire tomber ces petits épicéas comme un rien. Mais il ne cédait pas d'un pouce. Il avait réponse à tout. »

Gallien proposa à Alex de le conduire à Anchorage, de lui acheter ce dont il aurait besoin et de le ramener là où il voulait aller. « Non merci, répondit Alex, ça ira avec ce que j'ai. »

Gallien lui demanda s'il avait un permis de chasse.

« Bien sûr que non. La façon dont je me nourris ne regarde pas le gouvernement, je me fous de leurs règlements absurdes. »

Quand Gallien lui demanda si ses parents ou un ami étaient informés de ses projets – s'il y avait quelqu'un qui pourrait donner l'alerte au cas où quelque chose lui arriverait, où il ne donnerait plus signe de vie –, il répondit calmement que personne n'était au courant de ses projets et qu'en fait cela faisait bientôt deux ans qu'il n'avait plus eu de contact avec sa famille. « Je suis sûr d'une chose, affirma-t-il, je veux mener à bien par moi-même tout ce que j'entreprends. »

« Rien ne pouvait l'en faire démordre, se souvient Gallien. Il était tout feu tout flamme, très impatient à l'idée d'aller là-bas. »

À trois heures de route de Fairbanks, Gallien quitta l'autoroute et engagea son vieux 4 x 4 sur une petite voie secondaire recouverte de neige. Pendant les premiers kilomètres, la piste Stampede était bien nivelée. De chaque côté, des cabanes étaient disséminées parmi de maigres bosquets de trembles et d'épicéas. Mais, après la dernière hutte en rondins, la piste se dégradait rapidement. Creusée par les écoulements d'eau, envahie par les aulnes, elle se transformait en un chemin non entretenu.

En été, elle devait être rudimentaire mais utilisable. En ce moment, la couche de 50 centimètres de neige molle qui la recouvrait la rendait impraticable. À 16 kilomètres de l'autoroute, craignant de s'enliser s'il allait plus loin, Gallien arrêta son véhicule en haut d'une pente douce. À l'horizon, vers le sud-ouest, scintillaient les sommets couverts de glace de la plus haute chaîne de montagnes d'Amérique du Nord.

Alex insista pour donner à Gallien sa montre, son peigne et tout l'argent qu'il avait sur lui – 85 cents en petite monnaie.

« Je ne veux pas d'argent, protesta Gallien, et j'ai déjà une montre !

— Si tu ne les prends pas, je vais les jeter, repartit Alex sur un ton jovial. Je ne veux pas savoir l'heure qu'il est, ni quel jour nous sommes, ni à quel endroit je me trouve. Tout cela n'a aucune importance. »

Avant qu'Alex ne quitte la camionnette, Gallien tira de derrière la banquette une vieille paire de bottes en caoutchouc et persuada le jeune homme de les prendre. « Elles étaient trop grandes pour lui, se souvient Gallien, mais je lui ai dit :

"Mets deux paires de chaussettes et tes pieds devraient rester au sec et au chaud, enfin presque.

— Je te dois combien ?

— Ne t'en fais pas pour ça" », répondit Gallien.

Puis il donna son numéro de téléphone à Alex sur un bout de papier que celui-ci rangea soigneusement dans un portefeuille en Nylon.

« Si tu t'en sors vivant, appelle-moi. Je te dirai comment me rendre les bottes. »

La femme de Gallien lui avait préparé pour son déjeuner deux sandwichs au fromage et au thon grillés ainsi qu'un paquet de chips. Il convainquit le jeune auto-stoppeur d'accepter également cette nourriture. Alex tira de son sac un appareil photo et demanda à Gallien de le prendre tandis qu'il viserait avec sa carabine dans la direction de la piste. Puis, avec un large sourire, il disparut sur la pente de la piste couverte de neige. C'était le mardi 28 avril 1992.

Gallien fit demi-tour, rejoignit l'autoroute et continua son voyage en direction d'Anchorage. Six kilomètres plus loin, il parvint à Healy, une petite agglomération où la police montée a un poste. Il se demanda un instant s'il ne devait pas s'arrêter pour parler d'Alex aux autorités, mais n'en fit rien. « Je m'imaginais que tout irait bien, explique-t-il. Je pensais qu'il souffrirait assez vite de la faim et retournerait à l'autoroute. C'est ce qu'aurait fait n'importe quelle personne normale. »

2

La piste Stampede

Jack London est roi
Alexandre Supertramp
Mai 1992
Inscription gravée sur une pièce de bois trouvée à l'endroit où mourut Chris McCandless.

Une sombre forêt d'épicéas obscurcissait les deux rives du cours d'eau pris par les glaces. Un coup de vent récent avait dépouillé les arbres de leur blanche couverture de givre et, dans la lumière déclinante, ils semblaient se courber les uns vers les autres, noirs et menaçants. Un grand silence régnait sur la terre et cette terre était désolée, sans vie, sans mouvement, si vide et si froide qu'elle n'exprimait même pas la tristesse. Quelque chose en elle suggérait le rire, mais un rire plus terrible que toute tristesse – un rire morne comme le sourire d'un sphinx, un rire froid comme le gel et d'une infaillibilité sinistre. C'était la sagesse puissante et incommunicable de l'éternité qui riait de la futilité de la vie et de l'effort de vivre. C'était la forêt sauvage, la forêt gelée du grand Nord.

Jack London, *Croc-blanc.*

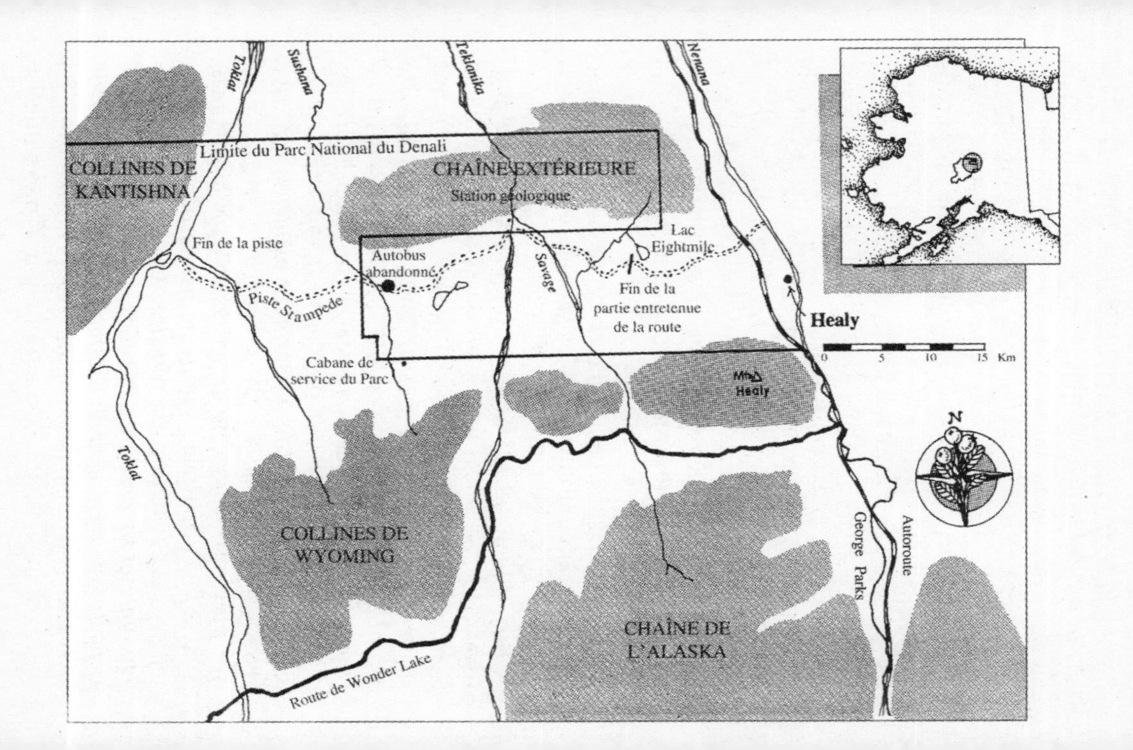
Toklat
Sushana
Teklanika
Nenana
Limite du Parc National du Denali
COLLINES DE
KANTISHNA
CHAÎNE EXTÉRIEURE
Station géologique
Lac
Eightmile
Fin de la piste
Autobus
abandonné
Savage
Fin de la
partie entretenue
de la route
Piste Stampede
Healy
0 5 10 15 Km
Cabane de
service du Parc
Healy
N
Toklat
COLLINES DE
WYOMING
George Parks
Autoroute
CHAÎNE DE
L'ALASKA
Route de Wonder Lake

Sur la frange nord de la chaîne de l'Alaska, juste avant que le rempart imposant du mont McKinley et de ses satellites ne laisse place à la plaine de la Kantishna, une série de sommets de moindre importance – connue sous le nom de Chaîne Extérieure – descend vers les étendues planes comme une couverture plissée sur un lit défait. Entre les arêtes siliceuses des deux derniers escarpements de cette Chaîne Extérieure il y a une combe d'environ huit kilomètres que recouvre un amalgame bourbeux de marécages, de groupes d'aulnes et d'alignements d'épicéas chétifs. La piste Stampede y serpente sur un terrain ondulant et touffu : c'est le chemin que suivit Chris McCandless pour s'enfoncer dans cette terre inhabitée.

Cette piste a été tracée dans les années 1930 par un célèbre mineur nommé Earl Pilgrim. Elle conduit à des concessions d'antimoine qu'il possédait à la cluse de Stampede, en amont de la fourche de Clearwater sur la rivière Toklat. En 1961, une société de Fairbanks, la Yutan Construction, fut choisie par le nouvel État d'Alaska (l'accession au statut d'État datait d'à peine deux ans) pour transformer la piste en une route que les camions pourraient emprunter tout au long de l'année pour transporter le minerai. Afin de loger les ouvriers pendant les travaux, la Yutan acheta trois autobus hors d'usage, les équipa de couchettes et d'un simple poêle et les fit remorquer par un tracteur dans cette contrée déserte et sauvage.

En 1963, le projet fut abandonné. Quelque 80 kilomètres de cette route avaient été construits, mais sans aucun pont pour traverser les nombreux cours d'eau qu'elle croise. Aussi fut-elle rapidement rendue impraticable par la fonte de la couche supérieure du permafrost et par les inondations saisonnières. La Yutan ramena deux des autobus par l'autoroute. Le troisième fut abandonné à mi-chemin sur le bord de la piste pour servir d'abri aux chasseurs et aux trappeurs. Au cours des trente ans qui ont suivi l'abandon du chantier, la plus grande partie de la route a été détruite par l'eau, l'érosion et les nids de castors, mais l'autobus est toujours là.

Ce véhicule en ruine – un vieil International Harvester des années 40 – se trouve à 40 kilomètres à l'ouest de Healy à vol d'oiseau. Sa masse incongrue rouille parmi les mauvaises herbes, juste après la limite du parc national du Denali. Il a perdu son moteur, plusieurs vitres manquent ou sont cassées et des débris de bouteilles de whisky jonchent le plancher. Sur sa carrosserie vert et blanc largement oxydée, on peut lire en lettres à la couleur passée qu'il a appartenu autrefois au Fairbanks City Transit System. C'était l'autobus 142. De nos jours, il est fréquent que six ou sept mois s'écoulent sans qu'il voie un être humain. Mais, au début de septembre 1992, six personnes, en trois groupes distincts, s'approchèrent le même après-midi de ce véhicule abandonné.

En 1980, le parc national du Denali fut agrandi de façon à englober les collines de Kantishna et les sommets septentrionaux de la Chaîne Extérieure, mais une parcelle basse, incluse dans la superficie du nouveau parc, fut oubliée. C'est une longue bande de terrain, appelée « cantons du loup », où passe la première moitié de la piste Stampede. Comme cette parcelle de 11 kilomètres sur 32 est entourée sur trois côtés par le domaine protégé du parc national, elle héberge quantité de loups, d'ours, de caribous, d'élans et autre gibier. Ce secret local est jalousement gardé par les chasseurs et les trappeurs qui le connaissent. En automne, régulièrement, dès que la saison de l'élan commence, quelques chasseurs se rendent auprès du vieil autobus qui gît non loin de la rivière Sushana, à l'extrémité ouest de la bande de terre et à moins de 3 kilomètres de la limite du parc.

Le 6 septembre 1992, Ken Thompson, carrossier à Anchorage, Gordon Samel, son employé, et leur ami Ferdie Swanson, travailleur du bâtiment, y allèrent pour chasser l'élan. Ce n'est pas un endroit d'accès facile. À environ 16 kilomètres après la fin de la partie carrossable de la piste, celle-ci traverse la rivière Teklanika dont les eaux très froides et rapides sont rendues opaques par les sédiments d'argile glaciaire qu'elle charrie. La piste descend sur la rive juste en amont d'une gorge étroite que la rivière franchit en bouillonnant. La perspective de traverser ce torrent laiteux dissuade la plupart des gens d'aller plus loin.

Mais Thompson, Samel et Swanson sont de vrais habitants de l'Alaska. Ils n'en font qu'à leur tête et aiment tout particulièrement conduire leurs véhicules dans des endroits qui ne sont pas faits pour cela. Arrivés au bord de la Teklanika, ils explorèrent la rive jusqu'à ce qu'ils trouvent une section large avec des gués relativement peu profonds, et ils pénétrèrent dans les flots sans tergiverser.

« Je suis entré le premier, raconte Thompson. La rivière avait environ 25 mètres de large et coulait très vite. J'ai un 4 x 4 Dodge surélevé de 1982 avec des pneus de 38 pouces. L'eau montait jusqu'au capot. À un moment, j'ai bien cru que je n'arriverais pas de l'autre côté. Gordon, qui a un treuil d'une traction de 4 tonnes à l'avant, se tenait juste derrière moi de façon à pouvoir me sortir si je disparaissais sous l'eau. »

Thompson parvint sur la rive opposée sans incident, suivi par Samel et Swanson. À l'arrière de deux des pick-up, ils disposaient de petits engins tout terrain, l'un de trois roues, l'autre de quatre roues. Ils garèrent leurs véhicules à un endroit où la berge est couverte de gravier, déchargèrent les tout terrain et continuèrent en direction de l'autobus dans leurs petites machines plus manœuvrables.

Quelques centaines de mètres après la rivière, la piste disparaissait sous des nids de castors qui s'élevaient jusqu'à la hauteur de la poitrine. Peu impressionnés, les trois hommes dynamitèrent les barrages de branchages et dispersèrent les nids contrevenants. Puis ils continuèrent leur chemin en escaladant le lit rocailleux d'un ruisseau et en traversant une dense végétation d'aulnes. Quand ils arrivèrent finalement à l'autobus, l'après-midi était déjà bien avancé. D'après Thompson, ils trouvèrent là « un type et une fille d'Anchorage qui se tenaient à l'écart, à une quinzaine de mètres, l'air plutôt effrayés ».

Ni l'un ni l'autre n'avait pénétré dans l'autobus, mais ils s'en étaient suffisamment approchés pour sentir qu'il dégageait « une très mauvaise odeur ». Un signal de fortune – une guêtre en tricot rouge, comme celles que portent les danseurs – était attaché à l'extrémité d'une branche d'aulne près de la sortie arrière de l'autobus. Sur la porte entrouverte était fixée une note troublante, rédigée à la main en majuscules bien formées sur une page arrachée d'un roman de Gogol. On y lisait :

S.O.S. *J'AI BESOIN DE VOTRE AIDE. JE SUIS SOUFFRANT, PRÈS DE MOURIR ET TROP FAIBLE POUR M'EN ALLER. JE SUIS TOUT SEUL. CECI N'EST PAS UNE PLAISANTERIE. AU NOM DU CIEL, JE VOUS EN PRIE, RESTEZ ET SAUVEZ-MOI. JE SUIS DEHORS, À LA RECHERCHE DE BAIES PRÈS D'ICI, ET JE REVIENDRAI CE SOIR. MERCI. CHRIS MCCANDLESS. AOÛT ?*

Le couple d'Anchorage avait été trop bouleversé par la note et par la très forte odeur de décomposition pour examiner l'intérieur de l'autobus. Aussi Samel, prêt au pire, décida-t-il de jeter un coup d'œil. À travers la fenêtre, on apercevait une carabine Remington, une boîte de cartouches en plastique, huit ou neuf livres de poche, un vieux jean, des ustensiles de cuisine et un sac à dos de bonne qualité. Tout à fait à l'arrière, sur une couchette rudimentaire, il y avait un sac de couchage bleu qui semblait contenir quelque chose ou quelqu'un, bien que – au dire de Samel – il fût difficile d'en être absolument sûr.

« Debout sur une souche, poursuit Samel, je passai le bras à travers une fenêtre de l'arrière et donnai une secousse au sac. Il y avait sans aucun doute quelque chose dedans, mais, quoi que ce fût, cela ne pesait pas lourd. Ce n'est qu'après avoir fait le tour pour regarder de l'autre côté et aperçu une tête qui dépassait du sac que je compris ce que c'était. »

Chris McCandless était mort depuis deux semaines et demie.

Samel, en homme aux idées bien arrêtées, décida qu'il fallait tout de suite emmener le corps. Cependant, il n'y avait pas assez de place dans son petit engin, ni dans celui de Thompson, pour transporter le cadavre ; il n'y en avait pas plus dans le tout-terrain du couple. Mais, peu après, une sixième personne fit son apparition. C'était un chasseur, un habitant de Healy nommé Butch Killian. Il conduisait un Argo – grand véhicule amphibie à huit roues –, aussi Samel suggéra-t-il que Killian emmène la dépouille. Mais celui-ci refusa, arguant que cette tâche revenait à la police montée.

Le nouveau venu était un mineur qui travaillait aussi comme aide médical pour les pompiers volontaires de Healy. À ce titre, il disposait à bord de son Argo d'un poste émetteur-récepteur. Comme il ne pouvait pas émettre de l'endroit où il se trouvait, il prit la direction de l'autoroute et, 8 kilomètres plus loin, juste avant la tombée de la nuit, il parvint à établir le contact avec l'opérateur radio de la centrale électrique de Healy : « Ici Butch, transmets le message. Appelle la police montée. Il y a un homme à l'arrière de l'autobus près de la Sushana. Il a l'air d'être mort depuis un moment. »

À 8 h 30, le lendemain matin, un hélicoptère de la police se posa bruyamment près de l'autobus dans un tourbillon de poussière et de feuilles d'aulnes. Les policiers se livrèrent à un examen rapide du véhicule et de ses environs à la recherche d'indices, puis ils s'en allèrent en emportant les affaires de McCandless : un appareil photo et cinq bobines de pellicule utilisées, la note-S.O.S. et un journal – rédigé sur les deux dernières pages d'un guide des plantes comestibles – qui enregistrait les dernières semaines du jeune homme en 113 notations concises, énigmatiques.

Le corps fut emmené à Anchorage et autopsié par le laboratoire de police criminelle. Sa décomposition était trop avancée pour qu'il soit possible de déterminer la date de la mort avec précision, mais le coroner ne put découvrir aucune trace de blessure interne importante ou de fracture. Il ne restait quasiment pas de graisse sous-cutanée et la masse musculaire avait sensiblement diminué dans les jours ou les semaines qui avaient précédé la mort. Au moment de l'autopsie, le cadavre pesait trente-trois kilos. On en conclut que la dénutrition était la cause la plus probable de la mort.

La signature de McCandless avait été trouvée au bas de sa note-S.O.S. et les photos, une fois développées, produisirent de nombreux autoportraits. Mais il n'avait aucun document d'identité. Les autorités ne savaient ni qui il était, ni d'où il venait, ni ce qu'il faisait à cet endroit.

3

Carthage

Je désirais le mouvement et non une existence au cours paisible. Je voulais l'excitation et le danger, et le risque de me sacrifier pour mon amour. Je sentais en moi une énergie surabondante qui ne trouvait aucun exutoire dans notre vie tranquille.

Léon Tolstoï, *Le Bonheur conjugal.*

Passage souligné dans l'un des livres trouvés parmi les affaires de Chris McCandless.

On ne devrait pas nier que la liberté de mouvement nous a toujours exaltés. Dans notre esprit, nous l'associons à la fuite devant l'histoire, l'oppression, la loi et les obligations irritantes, nous l'associons à la liberté absolue, et pour trouver celle-ci nous avons toujours pris le chemin de l'Ouest.

Wallace Stenger,
L'Ouest américain comme espace vital.

Carthage, dans le Dakota du Sud, a 274 habitants. C'est un petit agglomérat assoupi de maisons en bardeaux – avec des cours proprettes et des façades en briques usées par les intempéries – qui s'élèvent humblement dans l'immensité des plaines du Nord, à l'écart du temps. Des rangées de peupliers majestueux ombragent un quadrilatère de rues rarement troublées par la circulation. Il y a une épicerie, une banque, une seule station-service, un bar solitaire – le Cabaret – dans lequel Westerberg sirote un cocktail et mâchonne un petit cigare tout en se remémorant l'étrange jeune homme qu'il connaissait sous le nom d'Alex.

Les murs recouverts de contreplaqué du Cabaret portent des bois de cerf, des publicités pour la bière Old Milwaukee et des peintures naïves représentant l'envol de gibier à plumes.

Des cercles de fumée de cigarette s'élèvent au-dessus de groupes de fermiers vêtus de salopettes et coiffés de casquettes fourrées pleines de poussière. Les visages fatigués de ces hommes sont aussi crasseux que ceux des mineurs. En phrases courtes, terre à terre, ils se plaignent bruyamment du temps incertain, des champs de tournesols encore trop humides pour être moissonnés, tandis qu'au-dessus de leurs têtes la figure grimaçante de Ross Perrot clignote sur l'écran muet d'un téléviseur. Dans huit jours, la nation élira Clinton à la présidence. Cela fait maintenant presque deux mois que le corps de Chris McCandless a été retrouvé en Alaska.

« C'est cela qu'Alex avait l'habitude de boire, dit Westerberg tout en faisant tourner la glace dans son verre de vodka avec un froncement de sourcils. Il s'asseyait là, au bout du bar, et il nous racontait d'étonnants récits tirés de ses voyages. Il pouvait parler pendant des heures. Il y a beaucoup de gens en ville qui aimaient bien ce vieil Alex. C'est très curieux ce qui lui est arrivé. »

Westerberg est un homme toujours en mouvement, avec de lourdes épaules et une barbiche noire. Il possède un silo à céréales à Carthage et un autre à quelques kilomètres de la ville. Mais il passe tous les étés à diriger des équipages de moissonneuses-batteuses à la demande qui suivent la moisson depuis le nord du Texas jusqu'à la frontière canadienne. À l'automne 1990, il terminait la saison au centre nord du Montana en moissonnant la récolte d'orge pour le compte de la société Coors & Anheuser-Busch. L'après-midi du 10 septembre, à la sortie de Cut Bank, où il était allé acheter des pièces détachées pour une moissonneuse qui fonctionnait mal, il prit en stop un garçon aimable qui disait s'appeler Alex McCandless.

Il était petit, avec le physique dur, sec, d'un travailleur itinérant. Ses yeux avaient quelque chose de particulier. Sombres et sensibles, ils donnaient à penser qu'il avait une ascendance étrangère, grecque peut-être, ou chippewa, et il y avait en eux une vulnérabilité qui incitait à le prendre sous sa protection. Il avait cette bonne apparence et cette sensibilité dont les femmes raffolent, selon l'opinion de Westerberg. Son visage était étonnamment mobile. Il pouvait être détendu et sans expression puis, brusquement, laisser place à un sourire béant qui distendait ses traits et exposait une denture de cheval. Il était myope et portait des lunettes à monture d'acier. Il semblait avoir faim.

Dix minutes après avoir fait monter Alex, Westerberg s'arrêta dans la ville d'Ethridge pour donner un paquet à un ami. « Celui-ci nous offrit une bière à tous les deux, raconte Westerberg, et demanda à Alex depuis combien de temps il n'avait pas mangé. Le jeune homme admit que cela faisait bien deux jours, en ajoutant qu'il était quelque peu à court d'argent. »

En entendant cela, la femme de l'ami insista pour préparer à Alex un bon dîner. Il le dévora et ensuite il s'endormit à table.

McCandless avait confié à Westerberg qu'il se rendait à Saco près de Hot Springs, à plus de 380 kilomètres vers l'est par l'autoroute n° 2. Il en avait entendu parler par un « rubber tramp » (c'est-à-dire un vagabond propriétaire d'un véhicule, par opposition aux « leather tramps » qui, n'ayant aucun moyen de transport, sont obligés de marcher ou de faire de l'auto-stop). Westerberg lui répondit qu'à 16 kilomètres il tournait pour aller vers le nord, à Sunburst, où il avait une caravane à proximité des champs qu'il moissonnait. Au moment où Westerberg se garait sur le bas-côté pour laisser McCandless descendre, il était 10 heures du soir et il pleuvait à verse. « Bon Dieu, lui dit Westerberg, ça m'ennuie de te laisser descendre ici avec cette pluie ! Tu as un sac de couchage, pourquoi ne montes-tu pas jusqu'à Sunburst pour passer la nuit dans la caravane ? » McCandless resta trois jours avec Westerberg. Il partait chaque matin avec les équipes d'ouvriers sur leurs lourdes machines dans un océan d'épis blonds. Avant qu'ils se séparent, Westerberg dit au jeune homme de venir le trouver à Carthage si un jour il avait besoin d'un travail.

« À peine deux semaines plus tard, Alex réapparut », se souvient Westerberg. Il lui confia un travail au silo et lui loua une petite chambre dans l'une des deux maisons qu'il possédait.

« Au cours des ans, j'ai donné du travail à des tas d'auto-stoppeurs. La plupart ne valaient pas grand-chose, ils ne voulaient pas réellement travailler. Ce fut différent avec Alex. C'était le travailleur le plus courageux que j'aie connu. Quelle que soit la tâche, il l'exécutait : travaux physiques pénibles, curage du fond du silo pour ôter le grain pourri et les rats morts – des tâches tellement salissantes qu'on ne se reconnaît plus à la fin de la journée. Et il n'abandonnait jamais un travail en plein milieu. S'il commençait quelque chose, il fallait qu'il le finisse. C'était presque une obligation morale pour lui. Il avait, comme on dit, une force éthique, et il se fixait à lui-même des objectifs plutôt élevés.

On peut vraiment dire qu'Alex était intelligent, continue Westerberg songeur en absorbant son troisième verre. Il lisait beaucoup, se servait de beaucoup de grands mots. Je pense que, peut-être, une partie de ses ennuis est venue de ce qu'il pensait trop. Parfois, il essayait trop de donner un sens au monde, de comprendre pourquoi les gens se font si souvent du mal. Une ou deux fois, j'ai essayé de lui dire que c'était une erreur d'essayer d'approfondir ce genre de truc, mais Alex n'en démordait pas. Il fallait toujours qu'il trouve la réponse avant de passer à autre chose. »

Un jour, Westerberg découvrit, grâce à un relevé d'impôts, que le véritable prénom de McCandless était Chris et non Alex. « Il ne m'a jamais expliqué pourquoi il avait changé de prénom, dit Westerberg. Par certains de ses propos, on pouvait deviner que quelque chose n'allait pas entre sa famille et lui, mais je n'aime pas fouiller dans la vie des autres, c'est pourquoi je ne l'ai jamais interrogé à ce sujet. »

Si McCandless se sentait brouillé avec ses parents et ses frères et sœurs, il trouva une famille de substitution auprès de Westerberg et de ses employés, dont la plupart vivaient dans la maison de leur patron à Carthage. Située à quelques blocs du centre-ville, c'est une maison victorienne toute simple à deux étages, de style reine Anne, avec un grand peuplier qui élève sa ramure dans la cour d'entrée. Les règles de vie commune étaient souples et conviviales. Les quatre ou cinq habitants faisaient la cuisine à tour de rôle, allaient prendre un verre ensemble, cherchaient des femmes ensemble – sans succès.

McCandless s'éprit rapidement de Carthage. Il aimait l'équilibre de cette communauté, ses vertus plébéiennes et ses manières modestes. L'endroit était à l'écart du tourbillon, du courant principal de la vie, et cela lui convenait parfaitement. Pour lui, pendant cet automne-là, un lien durable s'établit avec la ville et avec Wayne Westerberg.

Âgé d'environ trente-cinq ans, ce dernier fut, tout jeune, amené à Carthage par ses parents adoptifs. C'est un homme de la Renaissance au milieu des Grandes Plaines : à la fois fermier, soudeur, homme d'affaires, conducteur de machines, mécanicien hors pair, négociant, pilote licencié, programmeur en informatique, dépanneur électronicien et réparateur de jeux vidéo. Cependant, peu de temps avant qu'il rencontre McCandless, l'un de ses talents lui avait valu quelques ennuis avec la loi.

Westerberg s'était associé à un projet de fabrication et de vente de « boîtes noires » destinées à capter des programmes de télévision codés sans payer l'abonnement. Le FBI, ayant eu vent de l'affaire, tendit un piège et arrêta Westerberg. Il exprima son repentir et fit valoir que c'était son premier délit. Le 10 octobre, soit deux semaines après l'arrivée de McCandless à Carthage, il commença à purger sa peine de quatre mois à la prison de Sioux Falls. Westerberg incarcéré, McCandless perdait son travail au silo. C'est pourquoi, le 23 octobre – plus rapidement qu'il ne l'aurait fait dans des circonstances différentes – il quitta la ville et reprit son existence nomade.

Toutefois l'attachement qu'il éprouvait pour Carthage demeura vif. Avant de partir, il donna à Westerberg une édition de 1942 de *Guerre et Paix* à laquelle il tenait beaucoup. Sur la page de titre, il écrivit : « À Wayne Westerberg de la part d'Alexandre. Octobre 1990. Écoute ce que dit Pierre. » (Il se réfère au personnage du roman Pierre Bézoukhov – alter ego de Tolstoï –, qui est présenté sous les traits d'un homme de naissance illégitime, altruiste et en quête de la vérité.)

Tout en parcourant l'Ouest, McCandless resta en relation avec Westerberg. Il téléphonait ou écrivait à Carthage tous les mois ou tous les deux mois. Il faisait adresser son courrier chez Westerberg et à presque tous ceux qu'il rencontra à partir de cette date, il déclara qu'il habitait dans le Dakota du Sud.

En réalité, McCandless avait été élevé aux environs d'Annandale, en Virginie, dans un quartier de classes moyennes aisées. Walt, son père, est un éminent ingénieur aérospatial qui a conçu un nouveau système de radar pour la navette spatiale et a participé à d'autres projets de haut niveau quand il était employé par la NASA et par Hughes Aircraft dans les années 60 et 70. En 1978, il s'établit à son compte en créant une petite société de conseil, User Systems, qui prospéra rapidement. Il avait pour associée la mère de Chris, Billie. La famille comprenait huit enfants : une sœur plus jeune, Carine, dont Chris se sentait très proche, et six demi-frères et demi-sœurs issus du premier mariage de Walt.

En mai 1990, Chris obtint son diplôme de l'université Emory à Atlanta, où il avait été l'un des rédacteurs et éditeurs du journal des étudiants, l'*Emory Wheel,* et où il s'était distingué en obtenant la meilleure note en « histoire et anthropologie ». On lui proposa de faire partie de l'association Phi Bêta Kappa, mais il déclina l'offre en indiquant que, pour lui, les titres et les honneurs n'avaient aucun sens.

Ses deux dernières années d'études avaient été payées grâce à une somme de 40 000 dollars léguée par un ami de la famille. À l'époque où Chris obtint son diplôme, il restait plus de 24 000 dollars. Ses parents pensaient qu'il utiliserait cet argent pour faire des études de droit. « Nous ne l'avons pas compris », admet son père. Ce que Walt, Billie et Carine ne savaient pas lorsqu'ils se rendirent en avion à Atlanta pour assister à la remise des diplômes – ce que personne ne savait –, c'est que peu de temps après Chris ferait don de tout cet argent à l'organisation humanitaire de son université, l'OXFAM America, qui lutte contre la faim dans le monde.

La cérémonie eut lieu un samedi, le 12 mai. La famille écouta d'abord un long discours de la secrétaire d'État au Travail, Elizabeth Dole, puis Billie put prendre des photos d'un Chris radieux montant sur l'estrade pour recevoir son diplôme.

Le lendemain, c'était la fête des mères. Chris offrit à Billie des sucreries, des fleurs, une carte. Elle en fut surprise et extrêmement touchée. C'était le premier cadeau que son fils lui faisait en plus de deux ans, depuis le jour où il avait annoncé à ses parents que, par principe, il n'accepterait ni n'offrirait désormais aucun cadeau. En vérité, peu de temps auparavant, Chris avait reproché à ses parents d'avoir exprimé le souhait de lui offrir une nouvelle voiture pour sa réussite aux examens et d'avoir proposé de lui payer ses études de droit si l'argent restant n'était pas suffisant.

Il insistait sur le fait qu'il avait déjà une excellente voiture, une Datsun B 210 qu'il aimait beaucoup.

Cette voiture, qui avait parcouru 206 000 kilomètres, était légèrement cabossée mais en parfait état mécanique.

Je ne peux pas croire qu'ils veuillent essayer de m'acheter une voiture, se plaignit-il par la suite dans une lettre à Carine, *ou qu'ils pensent que je vais vraiment les laisser me payer des études de droit, si je les entreprends... Je leur ai dit un million de fois que j'ai la meilleure voiture du monde, une voiture qui a traversé le continent depuis Miami jusqu'en Alaska, qui, au long de ces milliers de kilomètres, ne m'a pas causé le moindre souci, que je ne vendrai jamais et à laquelle je suis très attaché. Cependant, ils n'entendent pas ce que je leur dis et ils pensent que je vais accepter une nouvelle voiture offerte par eux ! Il va falloir que je sois très prudent, que je n'accepte aucun cadeau de leur part à l'avenir, parce que alors ils penseront qu'ils ont acheté mon respect.*

Chris avait fait l'acquisition de cette Datsun jaune d'occasion lorsqu'il était en terminale au lycée. À partir de ce moment, il avait pris l'habitude d'entreprendre de longs trajets en solitaire pendant les vacances et, lors du week-end de la remise des diplômes, il indiqua incidemment à ses parents qu'il avait l'intention de passer l'été sur les routes. Ses termes exacts furent : « Je pense que je vais disparaître pour quelque temps. » Sur le moment, ses parents n'y prêtèrent attention ni l'un ni l'autre. Walt le reprit gentiment en lui disant : « Viens quand même nous voir avant de partir. » Chris sourit et fit un signe de tête, ce que Walt et Billie prirent pour une confirmation qu'il irait à Annandale avant l'été. Puis ils se dirent au revoir.

Vers la fin du mois de juin, Chris, qui était toujours à Atlanta, envoya à ses parents une copie de ses résultats : A pour « L'apartheid et la société sud-africaine » ainsi qu'en « Histoire de la pensée anthropologique ». À moins pour « La politique contemporaine en Afrique » et pour « La crise alimentaire en Afrique ». Il y joignit un petit mot :

Voici une copie de mes notes de fin d'année. Du côté des résultats, tout s'est passé pour le mieux et j'ai obtenu un total élevé.

Merci pour les photos, pour le nécessaire de rasage et pour la carte de Paris. Il semble que votre voyage là-bas vous ait vraiment plu. Vous avez dû bien vous amuser.

J'ai donné sa photo à Lloyd [le plus proche ami de Chris à Emory]. *Il vous en est très reconnaissant car il n'avait pas de photo de lui en train de recevoir son diplôme.*

Il ne se passe pas grand-chose d'autre ici, mais il commence à faire chaud et humide. Saluez tout le monde pour moi.

Après cette lettre, il ne donna plus jamais de ses nouvelles à aucun membre de sa famille.

Pendant sa dernière année à Atlanta, Chris avait vécu dans une chambre monacale qui ne contenait pour tout meuble qu'un matelas posé sur le sol, des cageots de lait et une table. Elle était impeccable et rangée avec un ordre militaire. Comme il n'avait pas le téléphone, Walt et Billie n'avaient aucun moyen de le joindre.

Au début du mois d'août 1990, ils n'avaient plus eu de nouvelles de leur fils depuis l'envoi des notes, aussi décidèrent-ils d'aller le voir à Atlanta en voiture. Ils trouvèrent le logement vide. Une pancarte « À louer » était fixée sur la fenêtre. Le gérant leur apprit que Chris avait déménagé fin juin. Walt et Billie trouvèrent à leur retour chez eux toutes les lettres qu'ils avaient envoyées à leur fils pendant cet été. Elles leur étaient retournées en vrac. « Chris avait demandé à la poste de les garder jusqu'au 1er août. Apparemment, il ne voulait pas qu'on apprenne ce qui se passait, dit Billie. Nous nous sommes beaucoup inquiétés. »

À ce moment, Chris était parti depuis longtemps. Cinq semaines auparavant, il avait chargé toutes ses affaires dans sa petite voiture et pris la direction de l'Ouest sans itinéraire précis. Ce voyage devait être une odyssée dans le plein sens du mot, un voyage épique qui changerait tout. Selon lui, il avait consacré les quatre années précédentes à un but absurde et coûteux : obtenir un diplôme universitaire. Enfin, il était maintenant dégagé de ses obligations, du monde étouffant de ses parents et de ses pairs, ce monde d'abstraction, de sécurité et d'abondance matérielle dans lequel il se sentait coupé de la vraie pulsation de la vie.

En quittant Atlanta par la route de l'Ouest, il voulait se créer une existence entièrement nouvelle dans laquelle il serait libre de s'immerger dans l'expérience à l'état brut. Pour marquer cette rupture complète avec sa vie antérieure, il prit un nouveau nom. Il ne voulait plus entendre parler de Chris McCandless. Il était maintenant Alexandre Supertramp, maître de son destin.

4

Detrital Wash

Le désert est le milieu de la révélation, il est génétiquement et physiologiquement autre, sensoriellement austère, esthétiquement abstrait, historiquement hostile… Ses formes sont puissantes et suggestives. L'esprit est cerné par la lumière et l'espace, par la nouveauté cénesthésique de la sécheresse, par la température et par le vent. Le ciel du désert nous entoure de toute part, majestueux, terrible. Dans d'autres lieux, la ligne d'horizon est brisée ou cachée ; ici, unie à ce qui se trouve au-dessus de notre tête, elle est infiniment plus vaste que dans les paysages ondoyants et les régions de forêts. Quand le ciel est dégagé, les nuages paraissent plus massifs et parfois ils donnent sur leur surface inférieure concave un reflet grandiose de la courbure de la terre…

Les prophètes et les ermites vont dans le désert. Les exilés et les pèlerins le traversent. C'est ici que les fondateurs des grandes religions ont cherché les vertus spirituelles et thérapeutiques de la retraite, non pour fuir mais pour trouver le réel.

Paul Shepard, *L'Homme dans le paysage, un aperçu historique de l'esthétique de la nature.*

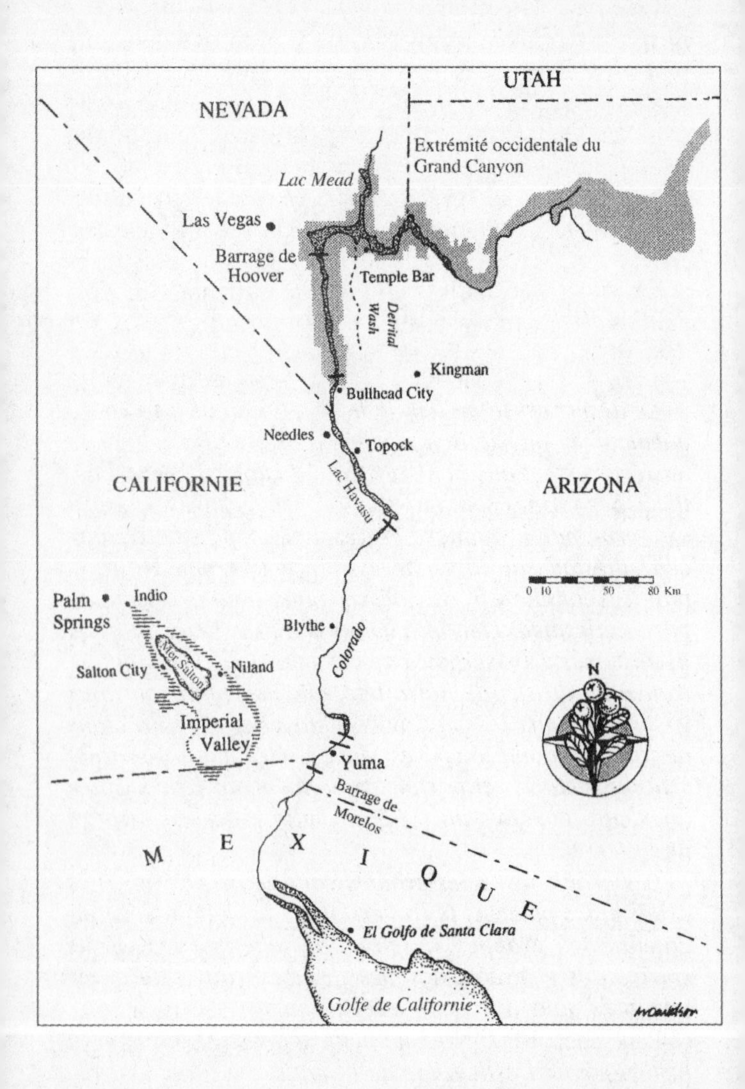
UTAH
NEVADA
Extrémité occidentale du
Grand Canyon
Lac Mead
Las Vegas
Barrage de
Hoover
Temple Bar
Detrital
Wash
Kingman
Bullhead City
Needles
Topock
Lac Havasu
CALIFORNIE
ARIZONA
0 10 50 80 Km
Palm
Springs
Indio
Blythe
Colorado
Mer Salton
Salton City
Niland
N
Imperial
Valley
Yuma
Barrage de
Morelos
M E X I Q U E
El Golfo de Santa Clara
Golfe de Californie

Le coquelicot « patte d'ours », *Arctomecon californica,* est une plante sauvage que l'on trouve dans une partie isolée du désert Mojave et nulle part ailleurs dans le monde. À la fin du printemps, elle donne pour un temps très court une délicate fleur dorée, mais pendant la plus grande partie de l'année, elle se recroqueville, sans grâce et ignorée, sur la terre aride. Elle est suffisamment rare pour qu'on l'ait classée espèce en danger. En octobre 1990, plus de trois mois après que McCandless eut quitté Atlanta, un surveillant du parc national nommé Bud Walsh fut envoyé du côté de l'aire de loisir du lac Mead pour répertorier les coquelicots pattes d'ours afin que le gouvernement fédéral puisse évaluer le degré de rareté de la plante.

Elle ne pousse que sur certains sols gypseux que l'on trouve en abondance sur la rive sud du lac Mead. Aussi est-ce à cet endroit que Walsh conduisit son équipe de gardes pour mener à bien l'étude botanique. Ils tournèrent après la route de Temple Bar, suivirent pendant 3 kilomètres le lit à sec de la Detrital Wash, garèrent leurs véhicules près de la rive du lac et entreprirent d'escalader la berge ouest de la rivière, constituée par une pente à pic de gypse blanc friable. Quelques minutes plus tard, tandis qu'ils approchaient du haut de la berge, l'un des gardes, qui reprenait son souffle, se tourna vers le bas. « Regardez ! s'écria-t-il. Qu'est-ce que c'est que ça ? »

Tout au bord du lit asséché, dans un fourré peu éloigné de l'endroit où ils avaient laissé leurs véhicules, un gros objet était dissimulé sous une bâche brune. Quand les gardes retirèrent la bâche, ils découvrirent une vieille Datsun jaune sans plaques d'immatriculation. Sur le pare-brise, une note indiquait : « Ce tas de ferraille est abandonné. Si quelqu'un peut le sortir d'ici, il est à lui. »

Les portes n'étaient pas verrouillées et le plancher était recouvert de boue, apparemment à la suite d'une récente montée des eaux. Quand il inspecta l'intérieur de la voiture, Walsh trouva une guitare Gianini, une casserole contenant 4,93 dollars en petite monnaie, un ballon de football, un sac rempli de vieux vêtements, une canne à pêche avec ses accessoires, un rasoir électrique tout neuf, un harmonica, des câbles de démarrage, 13 kilos de riz et, dans la boîte à gants, la clef de contact.

Les gardes fouillèrent les environs à la recherche de « quelque chose de suspect », selon la formule de Walsh, et ils s'en allèrent. Cinq jours plus tard, un autre garde retourna auprès de la voiture, la fit démarrer sans difficulté avec des câbles électriques et la conduisit au service d'entretien du parc, à Temple Bar. « Il la fit rouler à 100 kilomètres à l'heure, se souvient Walsh. Elle filait comme un bolide. » Pour essayer de retrouver son propriétaire, les gardes adressèrent un message par télex aux diverses autorités et firent une recherche sur les fichiers informatiques de tout le Sud-Ouest pour savoir si la Datsun avait été utilisée lors d'un crime. Sans résultat.

Peu à peu, grâce au numéro de série, les gardes remontèrent jusqu'à la société Hertz, première propriétaire du véhicule. Hertz fit savoir que la voiture avait été vendue il y avait bien des années et que la société s'en désintéressait. « Formidable ! pensa Walsh. C'est un don des dieux de la route. Une voiture comme celle-là peut servir de couverture dans la lutte contre la drogue. » Et effectivement, pendant les trois ans qui suivirent, la Datsun fut utilisée lors d'achats de drogue sous surveillance qui entraînèrent de nombreuses arrestations dans le milieu criminel du parc, notamment celle d'un gros trafiquant d'amphétamines qui opérait à proximité d'un parking pour caravanes de Bullhead City.

« On se sert toujours de cette vieille voiture, déclare Walsh avec fierté. Il suffit d'y mettre pour quelques dollars d'essence et elle roule toute la journée. Elle est vraiment fiable. Je me demande bien pourquoi personne n'est venu la réclamer. »

Bien entendu, la Datsun appartenait à Chris McCandless. Après avoir roulé vers l'Ouest depuis Atlanta, il était arrivé le 6 juillet sur l'aire de loisirs du lac Mead, l'esprit plein de rêves émersoniens. Sans prêter attention aux panneaux interdisant formellement de circuler en dehors des routes, il s'engagea dans le lit sec et sablonneux d'une rivière. Il roula ainsi sur 3 kilomètres, jusqu'à la rive sud du lac. Il faisait plus de 48 degrés, le désert s'étendait tout autour, vide, scintillant sous le soleil. Entouré de chollas et de sauge, McCandless provoqua une débandade comique chez les lézards à collier puis planta sa tente à l'ombre d'un tamaris et se prélassa dans sa nouvelle liberté.

La Detrital Wash coule sur 80 kilomètres depuis les montagnes qui sont au nord de Kingman jusqu'au lac Mead. La plus grande partie de l'année, son lit est sec comme de la craie. Mais, pendant les mois d'été, l'air surchauffé monte de la terre asséchée, comme les bulles au fond d'une bouilloire, et s'élève rapidement en courants de conversion agités. Il arrive fréquemment que cet air ascendant produise des cumulo-nimbus massifs avec des têtes de monstres. Ils peuvent atteindre l'altitude de 10 000 mètres ou plus au-dessus du désert Mojave. Deux jours après que McCandless eut établi son campement à proximité du lac Mead, une couche inhabituellement épaisse de cumulo-nimbus s'installa dans le ciel de l'après-midi et il se mit à pleuvoir abondamment sur la Detrital Valley.

McCandless avait installé sa tente au bord du cours d'eau, à 60 centimètres au-dessus du lit principal. Aussi, quand survint le flot d'eau boueuse descendu du haut pays, n'eut-il que le temps de plier sa tente et de mettre ses affaires à l'abri. Il était impossible de dégager la voiture car la seule issue était maintenant transformée en une rivière écumante qui emplissait tout son lit. Quand elle arriva, la rivière n'eut pas assez de force pour emporter la voiture ou lui faire subir de gros dégâts. Mais le moteur fut mouillé. Quelque temps après, quand McCandless essaya de démarrer, il ne put mettre le moteur en route et, dans son impatience, il vida la batterie.

Dès lors, la voiture ne pouvait plus partir. S'il voulait rejoindre une route goudronnée avec son véhicule, il n'avait d'autre choix que d'aller à pied prévenir les autorités de ses difficultés. Toutefois, s'il le faisait, les gardes lui poseraient quelques questions gênantes. Pourquoi avait-il enfreint l'interdiction et emprunté le lit de la rivière ? Savait-il que l'immatriculation du véhicule n'avait pas été renouvelée depuis deux ans ? Savait-il que son permis de conduire n'était pas à jour et que la voiture n'était pas assurée ?

Une réponse sincère à toutes ces questions ne serait probablement pas du goût des autorités. McCandless pouvait essayer d'expliquer qu'il obéissait à des impératifs d'un ordre plus élevé, qu'en adepte récent des idées de Henry David Thoreau, il prenait pour parole d'évangile son essai, *La Désobéissance civile*, et considérait par conséquent qu'il devait ignorer les lois de l'État. Il était néanmoins peu probable que des représentants du gouvernement fédéral partagent son point de vue. Il y aurait des liasses de papiers à signer et des amendes à payer. Sans aucun doute, ses parents seraient avertis. Mais il y avait un moyen d'éviter ces ennuis : il pouvait tout simplement abandonner la Datsun et reprendre son odyssée à pied. Et c'est cela qu'il décida de faire.

Au lieu de se sentir démoralisé par le tour que prenaient les événements, McCandless ressentit un regain d'enthousiasme. Il voyait dans la brusque montée des eaux de la rivière une occasion d'être débarrassé du superflu. Il dissimula la voiture du mieux qu'il put sous une bâche marron, démonta les plaques d'immatriculation de Virginie et les cacha. Il enterra sa winchester pour la chasse au gros gibier, ainsi que quelques autres objets qu'il pourrait souhaiter récupérer un jour. Puis, dans un geste dont Thoreau et Tolstoï auraient été fiers, il disposa ses billets de banque en pile sur le sable – un pauvre petit tas de billets de 1, 5 et 20 dollars – et y mit le feu. En un instant, 123 dollars de belles et bonnes espèces furent réduits en cendres.

Nous connaissons ces détails parce que McCandless décrivit la combustion des billets de banque et les événements qui suivirent dans un journal-album de photos qu'il devait plus tard laisser en dépôt à Wayne Westerberg avant de partir pour l'Alaska. Bien que le ton du journal – écrit à la troisième personne dans un style guindé et lourd – verse souvent dans le mélodrame, les éléments dont nous disposons indiquent que McCandless n'a pas déformé les faits. Dire la vérité était un principe qu'il prenait au sérieux.

Après avoir rangé les quelques affaires qui lui restaient dans son sac à dos, il se mit en route le 10 juillet pour aller faire du stop près du lac Mead. Ce qui, selon le journal, s'avéra « une terrible erreur… Au milieu de juillet, la température devient délirante ». Souffrant d'un coup de chaleur, il fit signe à des plaisanciers qui le menèrent à Callville Bay, une marina à l'extrémité ouest du lac. Là, il tendit le pouce et prit la route.

Pendant les deux mois qui suivirent, il parcourut les routes de l'Ouest, envoûté par les dimensions et la puissance du paysage, excité par de petites infractions à la loi, goûtant la compagnie d'autres vagabonds rencontrés en chemin et laissant les circonstances décider de sa vie. Il fit du stop jusqu'au lac Tahoe, marcha dans la Sierra Nevada et passa une semaine à arpenter la ligne de crête de la chaîne du Pacifique, avant de quitter les montagnes pour retrouver le bitume.

À la fin du mois de juillet, il accepta d'être transporté par un homme qui se dénommait lui-même Ernie le Fou et qui lui offrit du travail dans un ranch du nord de la Californie ; des photographies du lieu montrent une maison délabrée entourée de chèvres et de poulets, de sommiers, de téléviseurs cassés, de chariots de supermarché, de vieux appareils ménagers et de montagnes de détritus. Après avoir travaillé là pendant onze jours en compagnie de six autres vagabonds, McCandless comprit qu'Ernie n'avait aucune intention de le payer. Il s'empara d'une bicyclette rouge à dix vitesses qui se trouvait dans le bric-à-brac de la cour, pédala jusqu'à Chico et abandonna la bicyclette sur le parking d'un centre commercial. Puis il reprit sa vie errante, le pouce levé en direction du nord-ouest, traversant Red Bluff, Weaverville et Willow Creek.

Arrivé à Arcata, en Californie, dans la forêt de séquoias au bord du Pacifique, il prit à droite l'autoroute 101 et remonta la côte. À 100 kilomètres au sud de la frontière de l'Oregon, près de la ville d'Orick, un couple de marginaux qui avait arrêté son fourgon pour consulter la carte aperçut un jeune homme allongé dans les buissons sur le bas-côté. « Il portait un short long et ce chapeau absurde », dit Jan Burres, une « rubber tramp » de quarante et un ans qui faisait le tour de l'Ouest pour vendre de la pacotille sur les marchés aux puces et les foires au troc en compagnie de son ami Bob. « Il avait un livre sur les plantes et il s'en servait pour ramasser des baies comestibles qu'il plaçait dans une boîte de lait dont il avait découpé le haut. Comme il me faisait pitié, je lui ai crié : "Hé, tu veux aller quelque part ?" Je pensais que nous pourrions peut-être lui donner quelque chose à manger. On s'est mis à bavarder. C'était un brave garçon. Il a dit qu'il s'appelait Alex et qu'il avait faim, très faim, mais qu'il était heureux. Il avait survécu grâce aux plantes comestibles décrites dans le livre. Il disait cela comme s'il en était très fier. Il faisait la route à travers le pays, vivant la bonne vieille aventure. Il nous raconta comment il avait abandonné sa voiture et brûlé tout son argent. Je lui ai demandé : "Qu'est-ce qui t'a poussé à faire ça ?" Il a répondu qu'il n'avait pas besoin d'argent. J'ai un fils qui a à peu près l'âge d'Alex, ça fait quelques années que je ne l'ai pas revu. Alors j'ai dit à Bob : "Il faut qu'on emmène ce garçon avec nous. Tu dois lui apprendre un certain nombre de choses." Alex nous accompagna jusqu'à Orick Beach, où nous campions, et il resta avec nous pendant une semaine. C'était vraiment un brave garçon. Nous pensions beaucoup de bien de lui. Quand il est parti, on croyait qu'on n'en entendrait plus parler, mais il se fit un devoir de rester en contact. Pendant les deux années qui ont suivi, Alex nous a envoyé une carte postale tous les mois ou tous les deux mois. »

D'Orick, McCandless continua à remonter la côte vers le nord. Il traversa Pistol River, Coos Bay, Seal Rock, Manzanita, Astoria, Hoquiam, Humptulips, Queets, Forks, Port Angeles, Port Townsend, Seattle. Comme l'écrit James Joyce de Stephen Dedalus, son artiste en jeune homme : « Il était seul, méconnu, heureux, et proche du cœur sauvage de la vie. Il était seul, jeune, obstiné, libre, seul dans un désert chargé d'air vif et d'eau saumâtre, parmi la moisson marine des coquillages et des algues, dans la lumière gris pâle du soleil. »

Le 10 août, peu de temps avant sa rencontre avec Jan Burres et Bob, il avait eu une amende pour avoir fait de l'auto-stop près de Willow Creek, dans la région des mines d'or, à l'est d'Eureka. Par une inadvertance dont il n'était pas coutumier, il donna l'adresse de ses parents à Annandale quand l'officier de police lui demanda son lieu de résidence habituel. L'amende non payée parvint à la fin du mois d'août dans la boîte aux lettres de Walt et Billie.

La disparition de Chris leur avait causé beaucoup de soucis. Ils s'étaient rendus auprès de la police d'Annandale qui ne leur avait été d'aucun secours. Quand l'amende leur parvint de Californie, ils furent affolés. L'un de leurs voisins – un général – étant le directeur de la Defense Intelligence Agency, Walt lui rendit visite pour lui demander conseil. Le général le mit en relation avec un enquêteur privé, Peter Kalitka, qui avait travaillé à la fois pour la DIA et la CIA.

C'était le meilleur agent, assura le général, et il découvrirait Chris où qu'il soit.

À partir de l'amende de Willow Creek, Kalitka entreprit une recherche très approfondie et suivit des pistes qui conduisaient aussi loin que l'Europe et l'Afrique du Sud. Cependant ses efforts demeurèrent vains jusqu'au mois de décembre où, grâce à un dossier fiscal, il apprit que Chris avait fait don de sa bourse d'études à l'OXFAM. « Cela nous a vraiment effrayés, raconte Walt. À ce moment, nous ne savions absolument pas de quoi Chris pouvait être capable. L'amende pour auto-stop ne voulait rien dire. Il aimait tellement sa Datsun que l'idée qu'il l'abandonne pour voyager à pied me laissait perplexe. Bien qu'à la réflexion je pense que cela n'aurait pas dû me surprendre. Chris était de ces gens qui pensent qu'il ne faut rien posséder hormis ce que l'on peut porter sur soi. »

Tandis que Kalitka essayait de retrouver la trace de Chris en Californie, celui-ci était déjà loin – faisant du stop vers l'est pour franchir la chaîne des Cascades, traversant les hautes terres couvertes d'armoise et les champs de lave du bassin de la rivière Columbia puis le couloir de l'Idaho pour atteindre le Montana. Là, à la sortie de Cut Bank, il croisa la route de Wayne Westerberg et, à la fin du mois de septembre, il travaillait pour lui à Carthage. Quand Wayne fut emprisonné et qu'il n'y eut plus de travail, l'hiver venant, il se dirigea vers des climats plus chauds.

Le 28 octobre, il voyagea avec un routier jusqu'à Needles, en Californie. « Quelle joie d'atteindre le fleuve Colorado ! », écrit-il dans son journal. Puis il quitta l'autoroute et se mit à marcher vers le sud à travers le désert en suivant la rive du fleuve. Après

20 kilomètres de marche, il arriva à Topock, Arizona. C'est une ville étape poussiéreuse située au bord de l'autoroute 40, à l'endroit où celle-ci croise la frontière de la Californie. Il remarqua en ville un canoë d'occasion en aluminium et, sur un coup de tête, décida de l'acheter et de descendre le Colorado à la pagaie jusqu'au golfe de Californie – presque 650 kilomètres au sud – après avoir franchi la frontière du Mexique.

Cette section basse du fleuve, depuis Hoover Dam jusqu'au golfe, n'a plus rien de commun avec le torrent débridé qui traverse bruyamment le Grand Canyon à environ 400 kilomètres en amont de Topock. Assagi par les barrages et les canaux de diversion, le bas Colorado coule dans un murmure tranquille de réservoir en réservoir à travers l'une des régions les plus chaudes et les plus désolées du continent. McCandless était attiré par ce paysage austère, par sa beauté saline. Le désert aiguisait la douce peine de son désir, l'amplifiait, lui donnait un forme dans cette géologie sèche et dans la lumière pure qui descendait en traits inclinés.

Depuis Topock, il pagaya jusqu'au lac Havasu sous un ciel décoloré, gigantesque et vide. Il fit une brève excursion en remontant la rivière Bill Williams, un affluent du Colorado, puis continua sa descente du fleuve en traversant la réserve indienne, le Cibola National Wildlife Refuge et l'Imperial National Wildlife Refuge. Il campa sous des escarpements de pierre précambrienne. Au loin, des monts pointus d'une teinte chocolat flottaient sur d'inquiétantes flaques d'eau semblables à des mirages. Quittant la rivière pendant une journée pour suivre un troupeau de chevaux sauvages, il passa devant un panneau interdisant formellement l'entrée dans le camp d'entraînement militaire de Yuma. Cela ne l'impressionna pas le moins du monde.

À la fin du mois de novembre, il traversa Yuma. Il ne s'y arrêta que le temps de se réapprovisionner et d'envoyer une carte postale à Westerberg, aux bons soins de la Glory House, le centre de détention de Sioux Falls où il purgeait sa peine. On pouvait y lire :

Salut Wayne,

Comment vas-tu ? J'espère que ta situation s'est améliorée depuis notre dernière conversation. Je circule à travers l'Arizona depuis environ un mois. Voilà un bon État ! Il y a toutes sortes de paysages extraordinaires et le climat est merveilleux. Mais le but principal de cette carte, outre l'envoi d'un petit salut, c'est de te remercier une fois encore pour ton hospitalité. Il est rare de rencontrer un homme aussi généreux et bon que toi. Quelquefois, cependant, je voudrais ne pas t'avoir rencontré. Il est trop facile de faire la route avec tout cet argent. Mes journées étaient plus intéressantes quand je n'avais pas le sou et qu'il fallait se mettre en quête du prochain repas. Mais, maintenant, je n'y parviendrais pas sans argent. Par ici, il y a très peu de culture de fruits en ce moment.

Remercie encore Kevin pour tous les vêtements qu'il m'a donnés. Sans eux, je serais mort de froid. J'espère qu'il t'a remis le livre. Wayne, il faut vraiment que tu lises Guerre et Paix. *C'est à ce livre que je pensais quand je disais que tu avais le caractère le plus élevé que j'aie rencontré. C'est un livre très fort et hautement symbolique. Il contient des choses que tu comprendras, je pense. Des choses qui échappent à la plupart des gens. Quant à moi, j'ai décidé de continuer à mener la même existence pendant quel-*

que temps. La liberté et la beauté simple de cette vie sont trop bonnes pour que je les quitte comme ça. Un jour, je retournerai chez toi, Wayne, et je te revaudrai une partie de ta gentillesse. Une caisse de Jack Daniel's, peut-être ? En attendant, je te considérerai toujours comme un ami. Que Dieu te bénisse. Alexandre.

Le 2 décembre, il atteignit le barrage de Morelos et la frontière mexicaine. Craignant de ne pouvoir passer parce qu'il n'avait pas de papiers, il entra clandestinement au Mexique en empruntant les vannes du barrage. Il photographia le déversoir en contrebas. « Alex jette rapidement un regard aux alentours pour s'assurer que tout va bien, indique son journal, mais son entrée au Mexique passe inaperçue ou est négligée. Alexandre jubile ! »

Cependant sa jubilation fut de courte durée. En aval du barrage, le fleuve se transforme en un dédale de canaux d'irrigation, de marais et de chenaux sans issue dans lesquels, à plusieurs reprises, il perdit son chemin.

Les canaux partent dans une multitude de directions. Alex ne sait que faire. Il rencontre des employés du canal qui parlent un peu anglais. Ils lui apprennent qu'il n'a pas fait route vers le sud mais vers l'ouest et qu'il se dirige vers le centre de la péninsule de Baja. Alex est atterré. Il doit bien y avoir un moyen d'atteindre le golfe de Californie par voie d'eau, insiste-t-il. Ils regardent Alex comme s'il était fou. Puis ils entrent dans une discussion animée, cartes et crayons à l'appui. Dix minutes plus tard, ils indiquent à Alex un itinéraire qui, apparemment, mène à l'océan. Alex exulte et l'espoir renaît dans son cœur. Se fiant à la carte, il remonte le canal jusqu'à ce qu'il débouche sur le canal de l'Indépendance, qu'il emprunte vers l'est. Selon la carte, ce canal doit croiser le canal Wellteco qui tourne vers le sud et va jusqu'à l'océan. Mais ses espoirs sont rapidement anéantis. Le canal se termine par un cul-de-sac au milieu du désert. Une mission de reconnaissance apprend à Alex qu'il est tout simplement revenu dans le lit du Colorado, qui est actuellement à sec. Il découvre un autre canal à environ 800 mètres de l'autre rive du Colorado. Il décide de transporter son canoë sur ce canal.

McCandless mit trois jours à transférer son canoë et ses affaires sur le nouveau canal. Dans son journal, à la date du 5 décembre, on lit :

Enfin ! Alex trouve ce qu'il croit être le canal Wellteco et se dirige vers le sud. Les soucis et les craintes renaissent lorsqu'il voit le canal aller en se rétrécissant… Les habitants de l'endroit l'aident à contourner une porte… Alex trouve les Mexicains chaleureux et amicaux. Beaucoup plus accueillants que les Américains.

6 décembre. Le canal est parsemé de chutes d'eau, petites mais dangereuses.

9 décembre. Tout espoir m'abandonne ! Le canal ne conduit pas à l'océan mais se perd simplement dans un immense marécage. Alex ne sait que faire. Il pense qu'il doit se trouver à proximité de l'océan et choisit d'essayer de se frayer un chemin jusqu'à lui à travers le marécage. Mais peu à peu, Alex s'égare au point de devoir pousser le canoë entre les roseaux et le tirer dans la boue. Complètement perdu. Au coucher du soleil, il trouve un endroit sec pour camper.

Le lendemain, le 10 décembre, Alex se remet en quête d'une issue vers la mer, mais s'égare encore plus et tourne en rond. À la fin de la journée, complètement démoralisé et déçu, il s'allonge dans son canoë et pleure. Mais c'est alors que par une chance extraordinaire surviennent des guides mexicains pour la chasse au canard. Ils parlent anglais. Alex leur raconte ses aventures et leur dit qu'il veut rejoindre l'océan. Il n'y a aucune sortie vers l'océan, disent-ils. Mais ensuite, l'un d'entre eux accepte de le remorquer derrière un petit esquif motorisé jusqu'à son campement et ensuite de le conduire à l'océan en plaçant son canoë à l'arrière de son pick-up. C'est un miracle.

Les chasseurs de canards le laissèrent à El Golfo de Santa Clara, village de pêcheurs sur le golfe de Californie. De là, McCandless prit la direction de l'océan en longeant vers le sud la côte est du golfe. Arrivé à destination, son humeur devint plus contemplative. Il photographia une tarentule, des couchers de soleil nostalgiques, des dunes balayées par le vent, la longue courbe de la côte inhabitée. Son journal devient plus irrégulier et plus bref. Il écrivit moins d'une centaine de mots au cours du mois qui suivit.

Le 14 décembre, fatigué de pagayer, il hissa le canoë tout en haut de la plage, escalada une falaise de grès et établit son campement au bord d'un plateau désolé. Il resta dix jours à cet endroit, jusqu'au moment où un vent violent le força à chercher refuge dans une grotte située à mi-hauteur de la falaise. Il resta là encore dix jours et salua la nouvelle année en observant la pleine lune qui se levait au-dessus du Gran Desierto – le Grand Désert : 4 500 kilomètres carrés de dunes mouvantes, la plus grande étendue de désert de sable en Amérique du Nord. Le lendemain, il reprit sa descente en canoë le long de la côte aride.

Au 11 janvier 1991, son journal commence ainsi : « Journée tout à fait désastreuse. » Après avoir pris pendant quelque temps la direction du sud, il avait échoué son canoë sur un banc de sable éloigné de la côte pour observer les grandes marées. Une heure plus tard, un vent venu du désert se mit à souffler en violentes rafales et, s'associant avec la marée, le poussa dans la mer. À ce moment, l'eau était un chaos de vagues écumantes qui menaçaient d'inonder et de faire chavirer sa frêle embarcation. Le vent se mit à souffler encore plus fort et les vagues se transformèrent en énormes déferlantes. On lit dans son journal :

En proie à un fort dépit, il hurle et frappe le canoë avec la pagaie. Celle-ci se brise. Il a une pagaie de secours. Il se calme. S'il la perd, il est mort. Finalement, après un effort considérable et des jurons en abondance, il parvient à tirer son canoë hors de l'eau et il s'effondre épuisé sur le sable tandis que le soleil décline. Cet incident décida Alexandre à abandonner son canoë et à retourner au nord.

Le 16 janvier, McCandless laissa sa petite embarcation métallique sur le tertre d'une dune herbeuse au sud-est d'El Golfo de Santa Clara et se mit à marcher vers le nord sur la plage déserte. Il n'avait vu personne ni parlé à personne depuis trente-six jours. Pendant toute cette période, il vécut de rien, sinon de cinq livres de riz et de ce qu'il pouvait tirer de la mer. Cette expérience devait plus tard le persuader qu'il pouvait survivre avec d'aussi maigres rations en Alaska.

Il fut de retour à la frontière des États-Unis le 18 janvier. La police des frontières l'interpella alors qu'il essayait de s'introduire dans le pays sans papiers d'identité. Il passa la nuit au poste puis inventa une histoire qui le fit sortir de la geôle – mais toutefois sans le revolver calibre .38, « un beau Colt Python, auquel il tenait beaucoup ».

Il passa les six semaines qui suivirent à traverser le Sud-Ouest, allant jusqu'à Houston à l'est et jusqu'à la côte du Pacifique à l'ouest. Pour éviter d'être rançonné par les personnages douteux qui font la loi dans les rues et les passages où il dormait, il apprit à enterrer son argent avant d'entrer dans une ville, pour le récupérer en repartant. Le 3 février, selon son journal, il se rend à Los Angeles « pour obtenir une carte d'identité et trouver du travail, mais se sent très mal à l'aise en société maintenant et doit reprendre la route aussitôt ».

Six jours plus tard, campant au fond du Grand Canyon avec Thomas et Karin – un couple de jeunes Allemands qui l'a pris en stop –, il écrit : « Est-ce le même Alex que celui qui est parti en juillet 1990 ? La mauvaise alimentation et la route ont marqué son corps. Perdu plus de 13 kilos. Mais son esprit est *au plus haut.* »

Le 24 février, sept mois et demi après avoir abandonné la Datsun, McCandless retourna au Detrital Wash. Cela faisait longtemps que les autorités du parc avaient saisi le véhicule, mais il déterra ses vieilles plaques de Virginie – SJF-421 –, et quelques affaires qu'il avait enterrées à cet endroit. Ensuite, il fit du stop jusqu'à Las Vegas et là, il trouva un travail dans un restaurant italien. Le journal indique :

Alexandre enterra son sac à dos dans le désert le 27 février et entra dans Las Vegas sans argent ni papiers d'identité.

Pendant plusieurs semaines, il vécut dans les rues avec les clochards, les vagabonds et les ivrognes. Cependant, Vegas ne serait pas la fin de l'aventure. Le 10 mai, la bougeotte le reprit et Alex quitta son travail à Vegas, récupéra son sac à dos et reprit la route, et il apprit à ses dépens que quand on est assez stupide pour enterrer un appareil photo, il ne faut pas espérer prendre beaucoup de clichés par la suite. C'est pourquoi cette histoire n'est pas illustrée pendant la période qui va du 10 mai 1991 au 7 janvier 1992. Mais cela n'a aucune importance. Le véritable sens réside dans les expériences, les souvenirs, la grande joie triomphante de vivre pleinement. Dieu, qu'il est bon de vivre ! Merci. Merci.

5

Bullhead City

En Buck, la bête primaire et dominatrice était puissante, et dans les dures conditions de sa vie errante, elle ne fit que grandir encore. Mais c'était une croissance cachée. Sa toute nouvelle aptitude à la ruse lui donnait aisance et maîtrise de soi.

Jack London, *L'Appel de la forêt.*

Tous acclament la bête primaire et dominatrice ! Et aussi le capitaine Achab !

Alexandre Supertramp. Mai 1992.

Inscription trouvée dans l'autobus abandonné sur la piste Stampede.

Quand son appareil photo fut devenu inutilisable, et qu'il cessa de prendre des photos, McCandless cessa également de tenir son journal. Il ne le reprit que l'année suivante lorsqu'il alla en Alaska. Par conséquent, on sait peu de chose sur ses voyages après son départ de Las Vegas en mai 1991.

Nous apprenons cependant par une lettre qu'il écrivit à Jan Burres qu'il passa les mois de juillet et août sur la côte de l'Oregon, probablement aux environs d'Astoria. Il se plaignait que « le brouillard et la pluie soient souvent insupportables ». En septembre, il descendit en Californie en faisant du stop sur l'autoroute 101 puis, bifurquant vers l'est, il entra à nouveau dans le désert. Et, au début d'octobre, il s'était établi à Bullhead City en Arizona.

L'idiome trompeur de la fin du XXe siècle désigne Bullhead City comme une « commune ». En réalité, la ville – dépourvue de centre – est un conglomérat désordonné de quartiers et d'avenues qui s'étendent sur treize ou quatorze kilomètres le long de la rive du Colorado, juste en face des grands buildings où sont installés les hôtels et les casinos de Laughlin, dans le Nevada. Le trait distinctif de Bullhead, c'est son autoroute de Mohave Valley : quatre voies d'asphalte avec des stations-service et des fast-foods franchisés, des chiropracteurs et des boutiques de vidéo, des magasins de pièces détachées pour automobiles et des pièges à touristes.

À première vue, Bullhead City ne semble pas susceptible de plaire à un adepte de Thoreau et de Tolstoï, à un idéologue n'ayant que mépris pour les goûts bourgeois de l'Amérique moyenne. Cependant, McCandless se prit d'un fort attachement pour cette ville, peut-être à cause de son affinité avec les marginaux, très nombreux dans les parcs pour caravanes, les terrains de camping et les laveries automatiques. Peut-être aussi fut-il séduit par le paysage désertique et austère qui entoure la ville.

Quoi qu'il en soit, lorsqu'il fut à Bullhead City, il cessa de se déplacer pendant plus de deux mois. C'est probablement son plus long séjour au même endroit depuis son départ d'Atlanta et jusqu'au moment où il alla en Alaska et s'installa dans l'autobus abandonné sur la piste Stampede. En octobre, il envoya à Westerberg une carte postale où il dit de Bullhead : « C'est un bon endroit pour passer l'hiver. Je pourrais bien finalement m'y installer et abandonner ma vie errante. Je verrai ce qui se passera à l'arrivée du printemps, parce que c'est à ce moment-là que je commence vraiment à avoir les pieds qui me démangent. »

À l'époque où il écrivait ces mots, il travaillait à plein temps dans un McDonald's de la rue principale où il se rendait à bicyclette. Extérieurement, il menait une existence étonnamment conventionnelle, allant jusqu'à ouvrir un compte d'épargne dans une banque locale.

Curieusement, lorsqu'il se porta candidat pour le travail chez McDonald's, il se présenta comme Chris McCandless, et non pas Alex, et il communiqua à son employeur son véritable numéro de sécurité sociale. Cet abandon inhabituel de son nom d'emprunt aurait pu alerter ses parents et leur indiquer où il se trouvait. Mais cet écart n'eut aucune conséquence parce que l'enquêteur privé de Walt et Billie n'en eut jamais vent.

Deux années après cette période, ses collègues de l'établissement au logo jaune n'ont gardé que peu de souvenirs de Chris McCandless. « Je me rappelle une chose, dit le directeur adjoint – un homme corpulent et disert nommé George Dreeszen : il ne portait jamais de chaussettes, il ne pouvait pas les supporter. Mais il y a une règle chez McDonald's, les employés doivent à tout moment être chaussés convenablement. Cela veut dire : porter des chaussures *et* des chaussettes. Chris voulait bien se soumettre à la règle mais, dès la fin de son service, hop ! la première chose qu'il faisait, c'était d'ôter ses chaussettes. Je veux dire la toute première chose. C'était une sorte de message, une façon de nous dire qu'il ne nous appartenait pas, je suppose. Mais c'était un brave garçon et un bon travailleur, vraiment sérieux. »

Lori Zarza, la deuxième adjointe, garde une impression quelque peu différente : « Franchement, j'ai été surprise qu'on l'engage. Il était capable de faire le travail – cuisiner à l'arrière –, mais il le faisait toujours au même rythme lent, même à l'heure du déjeuner. Peu lui importait qu'on lui dise de se presser. Il pouvait bien y avoir dix clients qui attendaient au comptoir, il ne voulait pas comprendre pourquoi j'étais sur son dos. Il ne voyait pas le rapport. C'était comme s'il était enfermé dans son propre univers.

Malgré tout, on pouvait compter sur lui. Il se présentait tous les jours au travail. C'est pourquoi on n'a pas osé le virer. Nous payons seulement 4,25 dollars l'heure et, avec tous ces casinos de l'autre côté du fleuve qui commencent à 6,25 dollars, eh bien, il est difficile de garder les gens derrière le comptoir.

Je ne crois pas qu'il se soit jamais attardé avec un autre employé après le travail. Quand il parlait, il évoquait toujours les arbres, la nature et des trucs bizarres comme ça. On pensait tous qu'il avait une case de vide.

Si Chris est parti finalement, c'est probablement à cause de moi. Quand il a commencé à travailler, il n'avait pas de domicile et il sentait mauvais. Ça ne correspondait pas aux normes de McDonald's de venir travailler en dégageant une telle odeur. Aussi, on m'a chargée de lui dire qu'il avait besoin de prendre un bain plus souvent. Et depuis ce moment-là, il y a eu un fossé entre nous. Ensuite, les autres employés – juste par gentillesse – se sont mis à lui demander s'il avait besoin de savon ou de quelque chose. Ça le rendait fou, on peut le dire. Mais il ne l'a jamais montré. À peu près trois semaines plus tard, il a simplement pris la porte et il est parti. »

McCandless avait cherché à cacher qu'il était à la dérive et qu'il n'avait qu'un sac à dos. Il raconta à ses camarades de travail qu'il habitait Laughlin, de l'autre côté du fleuve. Chaque fois qu'ils lui proposaient de le reconduire chez lui après le travail, il déclinait l'offre poliment. En fait, pendant les premières semaines, il campait dans le désert aux portes de la ville. Ensuite, il se mit à squatter un mobile home. Dans une lettre à Jan Burres, il explique comment cela s'est produit :

Un matin, je me rasais dans des toilettes lorsqu'un vieil homme est entré et, après m'avoir observé, m'a demandé si je « dormais dehors ». Je lui ai répondu par l'affirmative, et il se révéla qu'il avait une vieille caravane où je pourrais demeurer gratuitement. Le seul problème, c'est qu'elle n'est pas vraiment à lui. Les propriétaires sont absents et lui permettent seulement de rester sur le terrain dans une petite caravane où il vit. Ainsi, je dois en quelque sorte me faire discret et rester à l'abri des regards, parce que, en principe, personne ne doit être ici. Cependant, c'est vraiment une bonne aubaine, car l'intérieur est bien, c'est une caravane d'habitation, meublée, avec quelques prises électriques qui fonctionnent et beaucoup de place. Le seul inconvénient, c'est que ce vieux type, Charlie, est un peu dérangé et qu'il est parfois difficile de le suivre.

Charlie habite toujours à la même adresse, dans sa petite roulotte de camping en forme de goutte d'eau. Piquée par la rouille, sans eau ni électricité, elle est collée à l'arrière du mobile home bleu et blanc où McCandless a dormi. À l'ouest, on peut voir des montagnes dénudées se dresser, austères, au-dessus des toits des immeubles tout proches. Dans la cour, une Ford Torino bleue repose à l'abandon sur ses cales ; des mauvaises herbes émergent du capot. D'une haie de laurier-rose voisine fuse une odeur ammoniaquée d'urine humaine.

« Chris ? Chris ? aboie Charlie en sondant l'espace poreux de sa mémoire. Ah, oui ! Lui ! Oui, oui, je m'en souviens, bien sûr. » Charlie est vêtu d'un sweater et d'un pantalon de travail kaki. C'est un homme frêle et nerveux avec des yeux chassieux et une barbe blanche de plusieurs jours. D'après ses souvenirs, McCandless est resté environ un mois dans la caravane.

« Brave type, oui, très brave type, mais il n'aimait pas voir trop de gens autour de lui. Caractériel. Il avait de bonnes dispositions, mais je pense qu'il avait aussi beaucoup de complexes – vous voyez ce que je veux dire ? Il aimait les livres de ce mec de l'Alaska, Jack London. Il ne parlait pas beaucoup, ça le mettait de mauvaise humeur. Il n'aimait pas qu'on le dérange. Il donnait l'impression d'un garçon qui cherche quelque chose sans savoir ce que c'est. J'étais comme ça autrefois, et puis j'ai compris ce que je cherchais : l'argent ! Ha ! Ha ! Oui, mon gars !

Mais comme je le disais, l'Alaska, oui, il parlait d'aller en Alaska. Peut-être pour trouver ce qu'il cherchait. Un brave garçon, il en avait bien l'air de toute façon. Mais quelquefois il avait plein de complexes, des mauvais. Quand il est parti, aux environs de Noël, je crois, il m'a donné 50 dollars et un paquet de cigarettes pour lui avoir permis de rester ici. Je trouve que c'était vraiment correct de sa part. »

Fin novembre, McCandless envoya une carte postale à Jan Burres adressée à une boîte postale de Niland, une petite ville de l'Imperial Valley en Californie. « C'était le premier mot depuis longtemps qui comportait une adresse pour la réponse, se souvient Jan Burres. Aussi, je lui ai répondu immédiatement que nous irions le voir le week-end suivant à Bullhead, qui n'était pas très éloignée de l'endroit où nous étions. »

McCandless était ravi d'avoir des nouvelles de Jan. Dans une lettre datée du 9 décembre 1991, il écrit :

Je suis très heureux de vous savoir tous les deux en bonne santé. Merci infiniment pour votre carte de vœux. À cette époque de l'année, ça fait plaisir de savoir que quelqu'un pense à vous… Je suis content d'apprendre que vous allez me rendre visite, vous serez les bienvenus quand vous voudrez. C'est formidable de penser qu'après presque une année et demie nous allons nous revoir.

Il terminait sa lettre par le dessin d'une carte accompagnée d'indications pour trouver la caravane sur la Baseline Road à Bullhead. Cependant, quatre jours après avoir reçu cette lettre, au moment où Jan et Bob se préparaient à partir faire leur visite, Jan trouva en rentrant le soir à leur campement « un gros sac à dos appuyé contre la fourgonnette ». « Je reconnus celui d'Alex. Notre petite chienne Sunni le découvrit avant moi. Elle adorait Alex, mais je fus surprise qu'elle se souvienne de lui. Quand elle le trouva, elle était comme folle. » McCandless expliqua à Burres qu'il en avait assez de Bullhead, assez du réveille-matin, assez des gens en toc avec lesquels il travaillait, et qu'il avait décidé de quitter la ville au plus vite.

Jan et Bob étaient installés à cinq kilomètres de Niland, dans un endroit que les gens appellent les Slabs. C'est une ancienne base aérienne de la marine qui a été rasée. Il reste une série de fondations en béton éparpillées dans le désert. Quand vient novembre, comme le temps se refroidit dans le reste du pays, quelque cinq mille marginaux, routards et vagabonds cuits par le soleil s'assemblent sur ce site irréel pour vivre de peu sous le firmament. Les Slabs fonctionnent comme la capitale saisonnière d'une grouillante société d'itinérants – avec des mœurs tolérantes, sans tampons officiels – qui comprend des retraités, des immigrés, des déclassés, des chômeurs permanents. Il y a là des hommes, des femmes et des enfants de tous les âges, des gens brouillés avec leur famille, en délicatesse avec la police ou les services de l'immigration, ou encore appréciant peu les hivers dans l'Ohio ou la vie de labeur des classes moyennes.

Quand McCandless arriva aux Slabs, un énorme marché aux puces et foire au troc battait son plein dans le désert. Burres avait monté quelques tables pliantes où elle exposait des marchandises bon marché, généralement de seconde main. McCandless lui proposa de s'occuper de son abondant assortiment de livres de poche d'occasion.

« Il m'a beaucoup aidée. Il a surveillé la table quand je devais m'éloigner, a classé les livres et en a vendu beaucoup. Il semblait y prendre beaucoup de plaisir. Il était très fort sur les classiques : Dickens, H.G. Wells, Mark Twain, Jack London. C'était London qu'il préférait. Il voulait convaincre tous ceux qui passaient de lire *L'Appel de la forêt.* »

McCandless se passionnait pour London depuis son enfance. La condamnation fervente de la société capitaliste, la glorification du monde élémentaire, la défense de la grande masse populaire, tout cela correspondait à ses sentiments. Fasciné par la description ampoulée que fait London de la vie en Alaska, notamment dans le Yukon, il lut et relut *L'Appel de la forêt, Croc-Blanc, Construire un feu, Une odyssée dans le Grand Nord, L'Esprit de Porportuk.* Mais il était tellement captivé par ces récits qu'il semblait oublier que c'étaient des œuvres de fiction, des produits de l'imagination qui relevaient plus de la sensibilité romantique de London que d'une expérience réelle dans le monde sauvage subarctique. Il négligeait le fait que London lui-même n'avait passé qu'un seul hiver dans le Grand Nord et qu'il s'était donné la mort dans son domaine de Californie à l'âge de quarante ans, abruti d'alcool, obèse, pathétique, menant une existence sédentaire qui avait peu de rapport avec les idéaux qu'il prônait dans ses écrits.

Parmi les résidents des Slabs, il y avait une jeune fille de dix-sept ans prénommée Tracy. Elle tomba amoureuse de McCandless. « C'était une adolescente très douce, dit Burres, la fille d'un couple de vagabonds installés à quatre emplacements de nous. La pauvre Tracy éprouvait un béguin sans espoir pour Alex. Pendant tout le temps de son séjour, elle est restée plantée là, à lui faire les yeux doux, me harcelant pour que je le persuade d'aller se promener avec elle. Alex se montrait gentil mais il la trouvait trop jeune. Il ne pouvait pas la prendre au sérieux. Elle en a eu probablement le cœur brisé pendant une semaine.

« Même s'il repoussa les avances de Tracy, précise Burres, il n'était pas quelqu'un de solitaire. Il s'amusait quand il se trouvait avec d'autres personnes, il s'amusait vraiment. À la foire au troc, il parlait, parlait, parlait avec tous ceux qui se présentaient. Il a bien dû rencontrer une centaine de personnes à Niland. Et avec chacune il s'est montré amical. À certains moments, il avait besoin d'être seul, mais ce n'était pas un ermite. Il a fait beaucoup de rencontres. Quelquefois, je me dis qu'il engrangeait de la compagnie pour les moments où il n'aurait personne avec lui. »

McCandless se montrait très attentionné envers Burres. Il badinait et plaisantait avec elle à chaque occasion. « Il aimait me taquiner. Quand je sortais étendre du linge sur le fil derrière la caravane, il m'accrochait des pinces à linge partout. Il était joueur, à la manière d'un enfant. Comme j'avais des chiots, il passait son temps à les recouvrir avec un panier à linge pour les voir faire des bonds et japper. Il le faisait jusqu'à ce que ça me rende folle et que je lui crie d'arrêter. Mais il était vraiment gentil avec les chiens. Ils le suivaient partout, voulaient dormir avec lui et ils pleuraient quand il n'était pas là. Alex savait s'y prendre avec les animaux. »

Un après-midi, tandis que McCandless s'occupait de la table des livres, quelqu'un confia à Burres un orgue électrique pour qu'elle le vende. « Alex le prit et en joua toute la journée. Il avait une voix formidable, ce qui attira beaucoup de monde. Jusque-là, je ne savais pas qu'il aimait la musique. »

McCandless parla souvent aux résidents des Slabs de ses projets de voyage en Alaska. Tous les matins, il faisait de la gymnastique de façon à être en forme pour affronter les rigueurs du climat, et il discutait longuement avec Bob – qui était un autodidacte de la survie – des méthodes de survie dans l'arrière-pays.

« Moi, dit Burres, quand il nous a parlé de sa "grande odyssée en Alaska", j'ai pensé qu'il avait perdu la tête. Mais ça le passionnait vraiment. Il était intarissable sur le sujet. »

En dépit des questions de Burres, McCandless ne révéla presque rien de sa famille. « Je lui demandais : "As-tu prévenu tes parents de ce que tu vas faire ? Est-ce que ta maman sait que tu vas en Alaska ? Est-ce que ton père le sait ?" Il ne répondait jamais. Il me jetait un regard noir, furieux, et me demandait de cesser de le materner. Et Bob intervenait : "Laisse-le tranquille ! Il est adulte !" Malgré cela, je n'en démordais pas jusqu'à ce qu'il change de sujet. C'est à cause de ce qui est arrivé entre mon fils et moi. Il est quelque part dans la nature et je voudrais que quelqu'un s'occupe de lui comme j'ai essayé de m'occuper d'Alex. »

Le dimanche qui a précédé le départ de McCandless, il avait regardé un match de barrage à la télévision dans la caravane de Burres. Elle s'aperçut qu'il soutenait chaudement l'équipe des Washington Redskins. « Alors, je lui ai demandé s'il venait de là-bas. Il m'a répondu : "Oui, exactement." C'est la seule chose qu'il ait révélée de ses antécédents. »

Le mercredi suivant, il annonça qu'il était temps qu'il parte. Il dit qu'il devait se rendre au bureau de poste de Salton City, à 80 kilomètres à l'ouest de Niland. Il avait demandé au directeur du McDonald's d'y envoyer poste restante le chèque de son dernier salaire. Burres lui proposa de le conduire là-bas et il accepta. Mais quand elle voulut lui donner un peu d'argent pour son aide sur le marché, il réagit comme si elle l'avait offensé. « Je lui ai dit : "Mec, pour survivre dans ce monde, il faut de l'argent", mais il n'en voulait pas. Finalement, je l'ai amené à accepter quelques couteaux de l'armée suisse et des dagues. Je l'ai persuadé qu'ils lui seraient utiles en Alaska et qu'il pourrait les vendre en cours de route. » Après avoir longuement argumenté, Burres parvint aussi à lui faire accepter des sous-vêtements et des vêtements chauds. « À la fin, il les a pris pour me faire taire, dit-elle en riant, mais, le lendemain de son départ, j'ai presque tout retrouvé dans la fourgonnette. Il avait retiré les affaires de son sac et les avait cachées sous le siège quand nous regardions ailleurs. Alex était un garçon formidable, mais parfois il me rendait folle. »

Bien que Burres se soit inquiétée au sujet d'Alex, elle pensait qu'il s'en sortirait. « Je croyais qu'en fin de compte tout se passerait bien. Il était intelligent. Il avait réussi à descendre le Colorado en canoë jusqu'au Mexique, à sauter dans des trains de marchandises, à trouver un lit dans des asiles du centre-ville. Tout ça, il l'avait appris tout seul, et j'étais sûre qu'il se débrouillerait aussi en Alaska. »

6

Anza-Borrego

Aucun homme n'a jamais suivi son propre génie jusqu'au point où il l'égare. Bien qu'il en résultât une faiblesse physique, personne sans doute ne peut dire qu'il fallait en déplorer les conséquences, car celles-ci correspondaient à une vie en conformité avec des principes plus élevés. Si le jour et la nuit deviennent tels que vous les saluez joyeusement, et si la vie produit une senteur pareille à celle des fleurs et des plantes aromatiques, si elle est plus souple, plus étincelante, plus immortelle, en cela réside votre réussite. La nature tout entière vous acclame et vous devez momentanément vous accorder à vous-même votre bénédiction. Les plus grands biens et les plus grandes valeurs sont loin d'avoir été reconnus. Nous en venons facilement à en douter. Bientôt, nous les oublions. Ils sont pourtant la plus haute réalité… La vraie moisson de ma vie quotidienne est quelque chose d'aussi intangible et d'aussi indescriptible que les teintes du matin et du soir. C'est un peu de poussière d'étoile, c'est un morceau d'arc-en-ciel que j'ai attrapé.

Henry David Thoreau, *Walden ou la vie dans les bois*.

Passage souligné dans l'un des livres trouvés parmi les affaires de Chris McCandless.

Le 4 janvier 1993, l'auteur de ce livre reçut une lettre inhabituelle, d'une écriture tremblée, vieillotte, qui faisait penser à celle d'un homme âgé. Cette lettre commençait par : « À celui que ça intéresse. »

Je souhaiterais recevoir un exemplaire du magazine qui a raconté l'histoire de la mort du jeune homme (Alex McCandless) en Alaska. J'aimerais écrire à celui qui a enquêté sur ce fait divers. Je l'ai conduit de Salton City Calif... en mars 1992... jusqu'à Grand Junction Co... C'est là que j'ai laissé Alex pour qu'il fasse du stop jusqu'au S. D. [Dakota du Sud]. *Il disait qu'il donnerait de ses nouvelles. La dernière fois que j'en ai eu, c'était une lettre, la première semaine d'avril 1992. Pendant notre trajet, Alex m'a pris en photo sur son appareil et moi je l'ai filmé avec mon Caméscope.*

Si vous avez un exemplaire de ce magazine, dites-moi combien il coûte. D'après ce que j'ai compris, il était malade. Si c'est bien le cas, je voudrais savoir comment ça s'est produit, parce qu'il avait toujours une bonne quantité de riz dans son sac à dos + des vêtements + plein d'argent.

Sincèrement
Ronald A. Franz.

Je vous en prie, ne divulguez pas ces renseignements avant que j'en sache plus sur sa mort, parce que ce n'était pas un routard ordinaire. Je vous demande de me croire.

Le magazine que demandait Franz était le numéro de janvier 1993 d'*Outside* qui contenait un grand article sur la mort de Chris McCandless. Sa lettre était adressée au bureau d'*Outside* à Chicago. Comme j'étais l'auteur de l'article, elle me fut transmise.

McCandless a laissé une impression indélébile à beaucoup de gens dans le cours de son voyage initiatique ; pourtant la plupart d'entre eux ne l'ont rencontré que pendant quelques jours, une semaine ou deux au plus. Cependant, aucun ne fut plus fortement touché par cette brève rencontre avec le jeune homme que Ronald Franz, qui était âgé de quatre-vingts ans quand leurs chemins se croisèrent en janvier 1992.

Quand McCandless eut fait ses adieux à Burres aux portes de Salton City, il pénétra dans le désert en stop et s'établit dans un fourré à la limite du parc d'État du désert d'Anza-Borrego. La mer Salton, placide océan miniature, s'étend tout près vers l'est. Située à plus de 60 mètres au-dessous du niveau de la mer, elle provient d'un monumental cafouillage technique : peu de temps après qu'un canal eut été creusé à partir du fleuve Colorado pour irriguer les riches terres agricoles de l'Imperial Valley, le fleuve déborda à plusieurs reprises, fraya un nouveau lit et se précipita sans contrôle dans le canal de l'Imperial Valley. Pendant plus de deux ans, le canal ainsi détourné par inadvertance déversa un énorme flot dans la cuvette de Salton. L'eau se précipita sur la terre sèche, inondant fermes et habitations, et noya finalement 1 000 kilomètres carrés de désert en donnant naissance à une mer intérieure.

Située à seulement 80 kilomètres des limousines, des clubs de tennis privés et des luxuriants terrains de golf de Palm Springs, la côte ouest de la mer Salton a été pendant un temps l'objet d'une intense spéculation immobilière. On fit des projets de stations balnéaires somptueuses et de lotissements magnifiques. Mais le développement espéré ne se réalisa que très partiellement. De nos jours, la plupart des lots restent vides et retournent progressivement au désert. Des enchevêtrements de mauvaises herbes envahissent les boulevards larges et désolés de Salton City. Des panneaux À VENDRE décolorés par le soleil s'alignent le long des trottoirs et la peinture s'écaille sur la façade des immeubles inhabités. Dans la vitrine de l'agence immobilière *Propriété et Développement*, une pancarte indique en anglais et en espagnol FERMÉ. Seul le bruit du vent trouble le silence spectral.

Après le rivage, le sol s'élève doucement puis abruptement pour constituer les bad-lands desséchées et fantomatiques d'Anza-Borrego. La *bajada* en contrebas est un terrain découvert coupé par des arroyos qui se dressent comme des murs. C'est là, sur un petit tertre brûlé par le soleil et parsemé de chollas, de buissons d'indigotiers et de pieds d'ocotillos hauts de 3,50 mètres, que dormit McCandless, installé sur le sable, sous une bâche accrochée à une branche.

Quand il avait besoin de provisions, il allait à la ville, distante de 5 kilomètres, à pied ou en stop. Et là, il achetait du riz et remplissait son bidon d'eau en plastique à l'épicerie-débit de spiritueux-bureau de poste installée dans un immeuble beige à façade en stuc qui constitue le cœur culturel de Salton City. Un jeudi de la mi-janvier, McCandless faisait du stop pour retourner à la *bajada* après avoir rempli son bidon, lorsqu'un vieil homme nommé Ron Franz s'arrêta pour le prendre.

« Où est ton campement ? demanda-t-il.

— Après Oh-My-God Hot Springs, répondit McCandless.

— Ça fait maintenant six ans que j'habite par ici et je n'ai jamais entendu parler de ce nom-là. Montre-moi le chemin. »

Pendant quelques minutes ils suivirent la route du bord de mer Borrego-Salton, puis McCandless dit à Franz de tourner à gauche et d'entrer dans le désert sur une piste pour 4 x 4 assez grossière qui serpentait le long d'un étroit cours d'eau. Au bout d'environ 1,5 kilomètre, ils parvinrent à un étrange campement où quelque deux cents personnes s'étaient rassemblées pour l'hiver près de leurs véhicules. Ce groupe humain était au-delà de la marge ; c'était une vision post-apocalyptique de l'Amérique. Il y avait là des familles qui s'abritaient dans des caravanes bon marché, de vieux hippies installés dans des fourgonnettes de fantaisie, des sosies de Charles Manson dormant dans des Studebaker rouillées qui n'avaient pas tourné depuis la présidence d'Eisenhower. Un nombre non négligeable de ces individus se promenaient complètement nus. Au centre du camp, deux bassins peu profonds entourés de blocs de pierre et ombragés par des palmiers recevaient de l'eau chaude tirée d'un puits géothermique. C'était Oh-My-God Hot Springs.

Toutefois, McCandless ne s'était pas installé à proximité des sources ; il campait seul à 800 mètres de là, sur la *bajada*. Franz conduisit Alex jusque-là, bavarda avec lui un moment et ensuite retourna en ville, où il vivait seul. Il s'occupait d'un immeuble d'habitations et, en échange, était logé gratuitement.

Franz était un chrétien pratiquant qui avait passé la plus grande partie de sa vie d'adulte dans l'armée sur des bases de Shanghai et d'Okinawa. En 1957, la veille du jour de l'an, alors qu'il était outre-mer, sa femme et son fils unique furent tués par un chauffard ivre dans un accident d'automobile. Le fils de Franz devait recevoir son diplôme de médecin au mois de juin suivant. Franz se mit au whisky, sérieusement.

Six mois plus tard, il se reprit et cessa de boire. Mais il ne se remit jamais vraiment de la perte qu'il avait subie. Dans les années qui suivirent, pour combler sa solitude, il « adopta » de manière non-officielle des garçons et des filles pauvres d'Okinawa. Il en eut finalement quatorze sous son aile, offrant des études de médecine à Philadelphie au plus âgé et envoyant un autre faire sa médecine au Japon.

Lorsque Franz rencontra McCandless, son instinct paternel en sommeil s'enflamma à nouveau. Il ne pouvait s'ôter le jeune homme de l'esprit. Celui-ci avait dit se prénommer Alex – il n'avait pas donné son nom – et venir de l'ouest de la Virginie. Il était poli, amical, bien élevé.

« Il semblait extrêmement intelligent », dit-il avec un accent exotique, un mélange d'écossais, de hollandais de Pennsylvanie et d'accent du Sud. « Je me disais que ce garçon était trop bien pour vivre près de ces sources chaudes avec ces nudistes, ces ivrognes et ces fumeurs de drogue. » Après avoir assisté à la messe, ce dimanche-là, Franz décida de parler à Alex de la façon dont il vivait. « Il fallait que quelqu'un le convainque de faire des études, de trouver du travail et de faire quelque chose de sa vie. »

Mais quand il retourna au campement de McCandless et se lança dans son boniment sur le progrès personnel, son interlocuteur l'arrêta de façon abrupte. « Écoutez, monsieur Franz, vous n'avez pas à vous soucier de moi. J'ai fait des études supérieures, je ne suis pas un indigent, j'ai choisi de vivre comme je le fais. » Ensuite, en dépit de sa froideur initiale, le jeune homme réconforta le vieillard et ils eurent une longue conversation. Avant la fin de la journée ils étaient allés à Palm Springs dans la camionnette de Franz, avaient pris un repas dans un bon restaurant, étaient montés en tramway au sommet du pic Jacinto, au pied duquel McCandless s'arrêta pour déterrer un châle mexicain et quelques autres affaires qu'il y avait enterrées par précaution une année auparavant.

Pendant les semaines qui suivirent, McCandless et Franz passèrent beaucoup de temps ensemble. Le jeune homme faisait régulièrement du stop jusqu'à Salton City pour laver son linge et pour cuire des steaks dans l'appartement de Franz. Il lui confia qu'il attendait le printemps pour partir en Alaska et s'embarquer dans une « ultime aventure ». Il entreprit également d'intervertir les rôles en se mettant à faire la leçon à cet homme qui aurait pu être son grand-père. Il lui représenta les inconvénients de sa vie sédentaire et le pressa de vendre la plus grande partie de ses biens, de quitter son appartement et de vivre sur la route. Franz écoutait ces harangues avec bonne humeur et, en fait, il était ravi de la compagnie de ce garçon.

Franz savait très bien travailler le cuir. Il apprit à Alex les secrets de son art. La première œuvre de McCandless fut une ceinture en cuir repoussé sur laquelle il représenta ses pérégrinations avec beaucoup de talent. À l'extrémité gauche, on lit ALEX, puis les initiales CJM (pour Christopher Johnson McCandless) encadrant un crâne et des tibias. Tout au long de cette lanière en peau de vache, on peut voir une route à deux voies, un panneau « demi-tour interdit », un orage qui engendre un torrent d'eau et submerge une voiture enlisée, un pouce d'auto-stoppeur, un aigle, la Sierra Nevada, un saumon faisant un saut dans l'océan Pacifique, l'autoroute de la côte Pacifique depuis l'Oregon jusqu'à l'État de

Washington, les Rocheuses, les champs d'avoine du Montana, un serpent à sonnette du Dakota du Sud, la maison de Westerberg à Carthage, le fleuve Colorado, un coup de vent dans le golfe de Californie, un canoë sur la plage auprès d'une tente, Las Vegas, les initiales TCD, la baie Morro, Astoria et, finalement, près de la boucle, la lettre N (sans doute pour Nord). Réalisée avec une habileté et une créativité remarquables, cette ceinture est aussi étonnante que tout ce que McCandless a laissé derrière lui.

Franz s'attacha de plus en plus à McCandless. « Bon Dieu, c'était un gamin intelligent », dit le vieil homme d'une voix rauque, à peine audible. Tandis qu'il parle, son regard se fixe sur un peu de sable entre ses pieds. Puis il se tait. Inclinant son buste avec raideur, il ôte une poussière imaginaire sur son pantalon. Ses vieilles articulations craquent dans un silence horrible.

Une longue minute s'écoule avant que Franz ne se remette à parler. Levant son regard vers le ciel, il retrouve ses souvenirs du temps où McCandless lui tenait compagnie. Il n'était pas rare qu'au cours de ses visites le visage d'Alex s'assombrisse sous l'effet de la colère et il fulminait contre ses parents, ou contre les hommes politiques, ou contre la bêtise endémique du mode de vie de l'Américain moyen. Soucieux de ne pas se fâcher avec lui, Franz parlait peu pendant ces sorties et le laissait tempêter.

Un jour, au début de février, McCandless annonça qu'il allait partir pour San Diego. Il voulait gagner de l'argent en vue de son voyage en Alaska.

« Tu n'as pas besoin d'aller à San Diego, protesta Franz. Si tu as besoin d'argent, je t'en donnerai.

— Non, tu n'y es pas. Je *vais* à San Diego. Je pars lundi.

— OK. Je vais te conduire là-bas.

— Ne dis pas de bêtises, répondit McCandless d'un air moqueur.

— De toute façon il faut que j'y aille me fournir en cuir », mentit Franz.

McCandless se laissa fléchir. Il plia bagage, entreposa la plupart de ses affaires dans l'appartement de Franz. Il ne voulait pas trimballer son sac de couchage ou son sac à dos dans toute la ville. Puis, avec le vieil homme, il traversa les montagnes jusqu'à la côte. Quand Franz déposa McCandless sur le front de mer à San Diego, la pluie tombait. « Ce fut très dur, dit Franz, j'étais triste de le quitter. »

Le 19 février, McCandless appela Franz en PCV pour lui souhaiter son quatre-vingt-unième anniversaire. Il s'en souvenait parce que son propre anniversaire était sept jours plus tôt : il avait eu vingt-quatre ans le 12 février. Au cours de cette conversation il confia à Franz qu'il avait du mal à trouver du travail.

Le 28 février, il envoya une carte postale à Jan Burres :

Salut,

Je viens de passer une semaine dans les rues de San Diego. Le jour de mon arrivée, il pleuvait à verse. Ici, les missions nous pompent l'air et je suis prêché à mort. Il ne se passe pas grand-chose en termes de travail, aussi je pars demain vers le Nord.

J'ai décidé d'aller en Alaska le 1er mai au plus tard, mais il faut que je rassemble un peu d'argent pour m'équiper. Il se peut que je retourne travailler chez un ami dans le Dakota du Sud, s'il peut m'employer. Je ne sais pas vers où je vais mettre le cap maintenant, mais je t'écrirai quand j'y serai. J'espère que tout va bien pour toi. Alex.

Le 5 mars, il envoya une autre carte à Burres et il écrivit également à Franz. À Burres, il disait :

Un petit salut de Seattle ! Je suis hobo maintenant ! C'est vrai, me voilà sur les rails ! Comme c'est drôle, j'aurais dû sauter dans les trains plus tôt. Cependant le train a certains inconvénients. D'abord, on est vite couvert de saleté. Ensuite, il y a les accrochages avec ces malades de vigiles. J'étais assis dans un super-wagon à Los Angeles quand un vigile m'a découvert avec sa torche aux environs de dix heures du soir. « Sors de là avant que je te descende ! » hurla-t-il. Je sortis et m'aperçus qu'il avait dégainé son revolver. Il me posa des questions en me tenant en joue, puis il grogna : « Si jamais je te revois près de ce train, je t'abats. File ! » Quel fou furieux ! Mais c'est moi qui ai ri le dernier : j'ai pris le même train cinq minutes plus tard et suis resté dedans jusqu'à Oakland. Je te donnerai des nouvelles.

Une semaine plus tard, le téléphone de Franz sonna. « C'était l'opérateur qui me demandait si j'acceptais un PCV d'une personne nommée Alex. Quand j'ai entendu sa voix, ce fut comme un rayon de soleil après un mois de pluie.

— Peux-tu venir me chercher ? demanda McCandless.

— Oui, où es-tu à Seattle ?

— Non, dit McCandless en riant, je ne suis pas à Seattle. Je suis en Californie, à Coachella, sur la route qui mène chez toi. »

Ne parvenant pas à trouver de travail dans le pluvieux Nord-Ouest, McCandless avait emprunté toute une série de trains de marchandises pour retourner dans le désert. À Colton, un autre vigile le découvrit et il fut mis en prison. Une fois relâché, il avait fait du stop jusqu'à Coachella, au sud-est de Palm Springs, et là, il avait appelé Franz. Tout de suite après avoir raccroché, Franz se précipita pour aller chercher McCandless.

« Nous sommes allés dans un Sizzler, où je l'ai bourré de steak et de homard, se souvient Franz, puis nous sommes rentrés à Salton City. »

McCandless lui dit qu'il ne resterait qu'un jour, le temps de laver son linge et de préparer son sac à dos. Wayne Westerberg lui avait dit qu'un travail l'attendait au silo à Carthage, et il était pressé d'y aller. C'était le 11 mars, un mercredi. Franz proposa à McCandless de le conduire à Grand Junction, Colorado. C'était le plus loin qu'il pouvait aller car il avait un rendez-vous à Salton City le lundi suivant. À la surprise et au grand soulagement de Franz, McCandless accepta sa proposition sans discuter.

Avant le départ, Franz lui donna une machette, une parka polaire, une canne à pêche télescopique et d'autres ustensiles pour son expédition en Alaska. Le jeudi à l'aube, ils sortirent de Salton City dans la camionnette de Franz. Ils s'arrêtèrent à Bullhead pour fermer le compte en banque de McCandless et rendre visite à Charlie dans sa caravane. McCandless y avait entreposé des livres et d'autres affaires, notamment le journal-album de photos de sa descente du Colorado en canoë. Ensuite, il insista pour offrir à Franz un déjeuner au Golden Nugget Casino, de l'autre côté du fleuve, à Laughlin. Reconnaissant McCandless, une serveuse du Nugget s'exclama : « Alex ! Alex ! Tu es de retour ! »

Franz avait acheté un Caméscope avant le départ. En chemin, il s'arrêtait ici et là pour prendre des vues. Bien que McCandless se détournât quand Franz dirigeait l'objectif vers lui, il y a quelques brèves séquences où on le voit attendant impatiemment dans la neige au-dessus de Bryce Canyon. « Bon, ça va, allons-y, proteste-t-il après quelques instants, il y a bien d'autres choses à voir plus loin, Ron ! » McCandless est vêtu d'un jean et d'un pull en laine. Il a l'air bronzé, fort, en pleine santé.

Pour Franz, ce fut un voyage agréable, même s'il était pressé. « Parfois nous passions des heures sans dire un mot. Même quand il dormait, le seul fait de le savoir là me rendait heureux. » À un moment, Franz prit sur lui de faire une requête un peu particulière à McCandless. Il nous l'explique : « Ma mère était fille unique. Mon père était fils unique. Et j'étais leur seul enfant. Maintenant que mon propre fils est mort, je suis le dernier. Quand je ne serai plus là, ma famille aura disparu, à jamais. C'est pourquoi j'ai demandé à Alex si je pouvais l'adopter, s'il voulait bien être mon petit-fils. »

Cette demande mit son compagnon mal à l'aise. Il éluda la question : « Nous en reparlerons quand je serai revenu d'Alaska, Ron. »

Le 14 mars, Franz déposa McCandless sur le bord de l'autoroute 70 à la sortie de Grand Junction et il retourna dans le sud de la Californie. McCandless était ravi d'aller vers le nord ; il était soulagé aussi. Soulagé d'avoir une fois de plus évité la menace toujours présente de l'intimité humaine, de l'amitié, avec le pénible bagage émotionnel qui l'accompagne. Il avait fui le confinement étouffant de sa famille. Il avait réussi à tenir Jan Burres et Wayne Westerberg à distance, s'arrangeant pour disparaître de leur vie avant qu'ils attendent quoi que ce soit de lui. Et maintenant il disparaissait sans dommage de la vie de Ron Franz.

Sans dommage du point de vue de McCandless ; il en allait autrement pour le vieil homme. On peut se demander pourquoi Franz s'attacha si vite à McCandless, mais son affection était sincère, intense et sans arrière-pensées. Pendant de nombreuses années, il avait mené une existence solitaire. Il n'avait pas de famille, et peu d'amis. En homme qui sait s'imposer une discipline et ne compte que sur lui-même, il s'était remarquablement débrouillé malgré son âge et sa solitude. Cependant, quand McCandless fit son entrée dans son univers, il sapa les défenses méticuleusement élaborées par le vieil homme. Franz était enchanté de la compagnie de McCandless, mais leur amitié naissante lui rappelait aussi combien il avait été seul. Le jeune homme dévoilait le vide béant qu'était sa vie, même s'il contribuait à le combler. Aussi, quand McCandless partit aussi brusquement qu'il était arrivé, Franz ressentit une blessure profonde et inattendue.

Début avril, une longue lettre parvint à sa boîte postale. Elle portait un tampon du Dakota du Sud.

Salut Ron,

Ici Alex. Ça fait maintenant presque deux semaines que je travaille ici, à Carthage, dans le Dakota du Sud. Je suis arrivé trois jours après que nous nous sommes quittés à Grand Junction dans le Colorado. J'espère que tu as pu retourner à Salton City sans trop de problèmes. J'aime beaucoup travailler ici et tout se passe bien. Le temps n'est pas mauvais, beaucoup de journées sont étonnamment douces. Certains fermiers vont même déjà sur leurs champs. Il doit commencer à faire plutôt chaud actuellement dans le sud de la Californie. Je me demande s'il y a une chance que tu sois sorti pour aller voir combien de gens se sont rassemblés pour l'Arc-en-ciel du 20 mars aux sources chaudes. Ils ont dû bien s'amuser, mais je ne pense pas que tu comprennes vraiment ce genre de personnes.

Je ne vais pas rester très longtemps dans le Dakota du Sud. Mon ami Wayne veut que je continue à travailler sur le silo à céréales pendant tout le mois de mai et qu'ensuite je parte moissonner avec lui tout l'été. Mais mon âme est tournée tout entière vers mon odyssée en Alaska et j'espère me mettre en route avant le 15 avril. Cela veut dire que je vais partir bientôt. Il faudrait que tu réexpédies le courrier que j'ai pu recevoir à l'adresse indiquée plus bas.

Ron, j'ai vraiment apprécié l'aide que tu m'as apportée et le temps que nous avons passé ensemble. J'espère que tu ne seras pas trop déprimé par notre séparation. Il peut s'écouler beaucoup de temps avant que nous nous revoyions. Mais si je sors en un seul morceau de ce pari en Alaska, tu auras de mes nouvelles. J'aimerais te redonner ce conseil encore une fois : je pense que tu devrais changer radicalement ton style de vie et te mettre à faire courageusement des choses que tu n'aurais jamais pensé faire, ou que tu as trop hésité à essayer. Il y a tant de gens qui ne sont pas heureux et qui, pourtant, ne prendront pas l'initiative de changer leur situation parce qu'ils sont conditionnés à vivre dans la sécurité, le conformisme et le conservatisme, toutes choses qui semblent apporter la paix de l'esprit, mais rien n'est plus nuisible à l'esprit aventureux d'un homme qu'un avenir assuré. Le noyau central de l'esprit vivant d'un homme, c'est sa passion pour l'aventure. La joie de vivre vient de nos expériences nouvelles et donc il n'y a pas de plus grande joie qu'un horizon éternellement changeant, qu'un soleil chaque jour nouveau et différent. Si tu veux obtenir plus de la vie, Ron, il faut perdre ton inclination à la sécurité monotone et adopter un mode de vie désordonné qui dans un premier temps te paraîtra insensé. Mais une fois que tu seras habitué à une telle vie, tu verras sa véritable signification et son incroyable beauté. En bref, Ron, quitte Salton City et prends la route. Je t'assure que tu seras très content de l'avoir fait. Mais j'ai bien peur que tu ne tiennes pas compte de mon conseil. Tu me crois têtu mais tu l'es encore plus que moi. Tu avais la chance merveilleuse pendant ton voyage de retour de voir l'un des plus beaux sites du monde, le Grand Canyon, que chaque Américain devrait voir au moins une fois dans sa vie. Mais, pour quelque raison qui m'est incompréhensible, tu ne désirais qu'une chose : te précipiter chez toi aussi vite que possible et retrouver la même situation que tu vois quotidiennement, jour après jour. J'ai bien peur qu'à l'avenir tu suives cette même tendance et qu'ainsi tu ne découvres pas toutes les choses merveilleuses que Dieu a disposées à notre intention autour de nous. Ne t'établis pas à un seul endroit. Déplace-toi, sois un nomade, que chaque jour t'offre un nouvel horizon. Tu as encore beaucoup de temps à vivre, Ron, et ce serait une honte de ne pas saisir l'occasion de révolutionner ta vie pour entrer dans un champ d'expérience entièrement nouveau.

Si tu penses que la joie vient seulement ou principalement des relations humaines, tu te trompes. Dieu l'a disposée tout autour de nous. Elle est dans toute chose que nous pouvons connaître. Il faut seulement que nous ayons le courage de tourner le dos à nos habitudes et de nous engager dans une façon de vivre non conventionnelle.

À mon avis, tu n'as pas besoin de moi ou de quiconque pour introduire cette nouvelle lumière dans ta vie. Elle attend seulement que tu la saisisses, et tout ce que tu as à faire, c'est d'étendre le bras pour la prendre. Tu es la seule personne que tu doives combattre, avec ta réticence butée à t'engager dans une vie nouvelle.

Ron, j'espère vraiment que, dès que tu le pourras, tu quitteras Salton City, que tu mettras une petite tente à l'arrière de ton pick-up et que tu commenceras à découvrir quelques-unes des grandes choses que Dieu a faites ici, dans l'Ouest américain. Tu verras des choses, tu rencontreras des gens ; on peut en apprendre beaucoup. Et il faut le faire de façon économique. Pas de motels, faire sa propre cuisine, et d'une manière générale dépenser aussi peu que possible ; cela te plaira bien plus. J'espère que la prochaine fois que je te verrai, tu seras un homme nouveau disposant d'une vaste provision d'aventures et d'expériences. N'hésite pas. Ne te donne aucune excuse. Fais-le. Fais-le tout simplement. Tu en seras très, très content.

Porte-toi bien, Ron.
Alex.

Écris à l'adresse suivante :
Alex McCandless
Madison, S.D. 57042

Aussi ahurissant que cela paraisse, l'homme de quatre-vingt-un ans prit au sérieux le conseil de l'aventureux vagabond de vingt-quatre ans. Franz plaça ses meubles et la plus grande partie de ses affaires dans un garde-meubles, il acheta une fourgonnette GMC et l'équipa de couchettes et de matériel de camping. Puis il quitta son appartement et s'installa dans la *bajada,* à l'endroit même où McCandless avait campé, juste après les sources chaudes. Il disposa quelques pierres pour délimiter son aire de parking, transporta des figuiers de Barbarie et des buissons d'indigotiers pour le « paysage », et puis il resta là, dans le désert, jour après jour, attendant le retour de son vieil ami.

Ronald Franz (ce n'est pas son véritable nom ; je lui ai donné un pseudonyme à sa demande) a l'air remarquablement vigoureux pour un homme de son âge, qui a eu deux attaques cardiaques. Il mesure 1,80 mètre, a des bras musclés et une large poitrine. Il se tient droit, ses épaules ne sont pas voûtées. Ses oreilles sont surdimensionnées, tout comme ses mains noueuses et fortes. Quand je suis allé le voir dans le désert, il portait un vieux jean, un tee-shirt immaculé, une ceinture en cuir repoussé fabriquée et décorée par lui-même, des chaussettes blanches et des mocassins noirs avachis. Seuls trahissent son âge les plis de son front et son nez fier et imposant sur lequel de fines veinules violettes dessinent un délicat tatouage. Un peu plus d'un an après la mort de McCandless, il jette sur le monde le regard méfiant de ses yeux bleus.

Pour dissiper la suspicion de Franz, je lui tends des photos que j'ai prises l'été précédent en Alaska, lorsque j'ai reconstitué le dernier voyage de McCandless sur la piste Stampede. Les premiers clichés montrent des paysages : la forêt, la piste envahie par la végétation, les montagnes au loin, la rivière Sushana. Franz les étudie en silence, acquiesçant de la tête de temps en temps tandis que je les commente. Il semble m'être reconnaissant de les lui montrer.

Mais quand il arrive aux images de l'autobus où mourut Alex, il se raidit brusquement. Sur plusieurs d'entre elles, on voit les affaires de McCandless à l'intérieur du véhicule. Dès que Franz prend conscience de ce qu'il voit, ses yeux se mouillent, il repousse les photos vers moi sans aller plus loin et il sort pour retrouver son calme tandis que je marmonne des excuses dérisoires.

Aujourd'hui, Franz n'habite plus sur le campement de McCandless. Une brusque inondation a balayé la route de fortune, c'est pourquoi il est allé s'installer à trente-deux kilomètres de là, vers les bad-lands de Borrego, près d'un champ de coton isolé. Oh-My-God Hot Springs a également disparu. Rasé par les bulldozers et recouvert de béton sur ordre de la commission sanitaire de l'Imperial Valley. Les officiels du comté prétendent qu'ils ont supprimé les sources parce que les baigneurs auraient pu attraper des maladies graves à cause des microbes supposés se multiplier dans les bassins.

« C'est sûr que c'était peut-être vrai, dit l'employé du magasin de Salton City, mais la plupart des gens pensent qu'ils ont bétonné les sources parce qu'elles commençaient à attirer trop de hippies, de gens à la dérive, de déchets comme ça. Bon débarras, si vous voulez mon avis. »

Pendant plus de huit mois, après avoir dit au revoir à McCandless, Franz resta à son campement, guettant l'arrivée d'un jeune homme avec un gros sac à dos, attendant patiemment le retour d'Alex. Au cours de la dernière semaine de 1992, le lendemain de Noël, il prit deux auto-stoppeurs à son retour de Salton City où il était allé relever son courrier. « Un gars du Mississippi, je pense, l'autre d'origine indienne. Sur la route des sources chaudes, je me suis mis à leur parler de mon ami Alex, et de l'expédition qu'il préparait en Alaska.

Soudain, le jeune Indien m'interrompit :
"Est-ce que son nom était Alex McCandless ?
— Oui, c'est bien ça. Alors vous l'avez rencontré ?
— Ça me déplaît beaucoup de vous dire ça, monsieur, mais votre ami est mort. Il est mort gelé dans la toundra. Regardez dans le magazine *Outside*." »

En état de choc, Franz interrogea longuement l'auto-stoppeur. Les précisions étaient justes, son histoire tenait. Les choses avaient horriblement mal tourné. McCandless ne reviendrait jamais.

Franz se souvient : « Quand Alex est parti pour l'Alaska, j'ai prié. J'ai demandé à Dieu de garder son doigt sur l'épaule de celui-là ; je lui ai dit que ce garçon n'était pas comme les autres. Mais il a laissé mourir Alex. Aussi, le 26 décembre, quand j'ai appris ce qui était arrivé, j'ai renoncé au Seigneur. J'ai quitté mon Église et je suis devenu athée. J'ai considéré que je ne pouvais pas croire en un dieu qui laisse quelque chose d'aussi terrible arriver à un garçon comme Alex. »

Il poursuit :

« Après avoir déposé les auto-stoppeurs, j'ai fait demi-tour, je suis retourné au magasin et j'ai acheté une bouteille de whisky. Ensuite, je suis allé dans le désert et je l'ai bue. Comme je n'avais pas l'habitude de boire, j'espérais que cela me tuerait, mais ça m'a seulement rendu malade, très malade. »

7

Carthage

Il y avait quelques livres… L'un d'eux, La Progression du pèlerin, *parlait d'un homme qui quitte sa famille, on ne sait pas pourquoi. Je l'ai beaucoup lu, ici et là. C'était intéressant, mais difficile.*

Mark Twain,
Les Aventures de Huckleberry Finn.

Il est exact que beaucoup de créateurs ne parviennent pas à établir avec les autres des relations personnelles adultes, et certains d'entre eux sont extrêmement isolés. Il est également vrai que, dans certains cas, un traumatisme, qui a pu prendre la forme d'une séparation ou d'une perte, a orienté la personne potentiellement créatrice dans le sens du développement des aspects de sa personnalité qui peuvent trouver leur accomplissement dans un isolement relatif. Mais cela ne veut pas dire que la création solitaire est elle-même pathologique.

Anthony Storr,
La Solitude : un retour vers le soi.

La grosse John Deere 8020 est immobile, silencieuse, dans la lumière déclinante du soir, loin de tout, au milieu d'un champ à demi moissonné du Dakota du Sud. Les tennis boueuses de Wayne Westerberg sortent de l'avant de la moissonneuse, comme si la machine était en train de l'avaler complètement à la façon d'un énorme reptile métallique digérant sa proie. « Passez-moi cette putain de clef à molette ! demande une voix irritée qui sort assourdie des profondeurs de l'engin. Ou bien êtes-vous trop occupés à vous tenir tout autour les mains dans les poches ? » La moissonneuse-batteuse est tombée en panne pour la troisième fois en trois jours et Westerberg essaie désespérément de remplacer une bague difficile à atteindre avant la tombée de la nuit.

Une heure plus tard il émerge, maculé de graisse et couvert de paille, mais il a réussi. « Désolé d'avoir crié comme ça, s'excuse-t-il. Il y a eu trop de journées où nous avons travaillé dix-huit heures. Je deviens un peu hargneux, je suppose. La saison est tellement avancée, et tout. Et en outre, nous ne sommes pas assez nombreux. On comptait sur Alex pour nous aider. » Cinquante jours se sont écoulés depuis qu'on a trouvé le corps d'Alex sur la piste Stampede.

Sept mois plus tôt, par un après-midi glacial de mars, McCandless était entré tranquillement dans le bureau du silo, à Carthage, en annonçant qu'il était prêt à travailler. « Nous étions tous là, en train d'enregistrer les bons de livraison du matin, et voilà qu'entre Alex, un gros sac à dos usagé jeté par-dessus son épaule. » Il dit à Westerberg qu'il prévoyait de rester jusqu'au 15 avril, juste le temps de faire des économies. Il expliqua qu'il lui fallait acheter tout un équipement, parce qu'il partait pour l'Alaska. Il promit de revenir à temps dans le Dakota du Sud afin de participer à la récolte d'automne, mais il voulait être à Fairbanks fin avril, de façon à rester le plus longtemps possible dans le Nord avant son retour.

Au cours des quatre semaines qu'il passa à Carthage, il travailla dur, exécutant des travaux salissants, fastidieux, dont personne d'autre ne voulait se charger : nettoyer les magasins, exterminer la vermine, peindre, faucher les mauvaises herbes. À un moment, pour le récompenser en lui confiant une tâche qui exigeait un peu plus d'aptitudes, Westerberg essaya de lui apprendre à faire marcher un chargeur. « Alex n'avait pas beaucoup fréquenté les machines, dit Westerberg avec un hochement de tête, et il était plutôt drôle quand il essayait d'actionner l'embrayage et toutes ces manettes. Il n'avait absolument pas ce qu'on appelle le sens de la mécanique. »

Il ne possédait pas non plus un excès de bon sens. Beaucoup de ceux qui l'ont connu ont indiqué spontanément à quel point il semblait lui être difficile de voir, pour ainsi dire, les arbres dans la forêt. « Comprenez-moi bien, dit Westerberg, Alex n'était pas un ahuri ou quelque chose comme ça. Mais il y avait des failles dans sa pensée. Je me souviens qu'une fois, j'allai à la maison et, en entrant dans la cuisine, je remarquai une puanteur épouvantable. Je veux dire que ça sentait vraiment très mauvais. J'ouvre le micro-ondes. Le fond était plein de graisse rance. Alex s'en était servi pour cuire un poulet et il ne lui était pas venu à l'esprit que la graisse devait s'écouler quelque part. Ce n'était pas par paresse. Alex veillait à ce que tout soit propre et bien rangé. C'était simplement qu'il n'avait pas pensé à la graisse. »

Ce printemps-là, peu après le retour de McCandless à Carthage, Westerberg lui présenta son amie de longue date mais intermittente, Gail Borah, une petite femme aux yeux tristes, aussi fine qu'un héron, avec des traits délicats et de longs cheveux blonds. Elle était âgée de trente-cinq ans, divorcée, mère de deux adolescents. McCandless et elle se rapprochèrent rapidement. « Il était plutôt timide au début, dit-elle. Il se comportait comme s'il lui était pénible d'être avec d'autres personnes. J'imagine que c'est parce qu'il était resté si longtemps tout seul. Alex venait dîner à la maison presque tous les soirs. C'était un gros mangeur. Il ne laissait jamais rien dans son assiette. Jamais. C'était un bon cuisinier aussi. Quelquefois, il m'invitait chez Wayne et il préparait le dîner pour tout le monde. Il faisait beaucoup de riz. On aurait pu penser qu'il s'en lasserait, mais non. Il disait qu'il pouvait vivre un mois avec rien d'autre que 25 livres de riz.

Alex m'a beaucoup parlé à partir du moment où nous nous sommes fréquentés, comme s'il mettait son âme à nu. Il disait qu'il pouvait me confier des choses dont il ne pouvait pas parler aux autres. On voyait bien qu'un problème le travaillait. Il était évident qu'il ne s'entendait pas avec sa famille, mais il m'a surtout parlé de Carine, sa petite sœur. Il disait qu'ils étaient très proches, qu'elle était belle, que, dans la rue, les garçons se retournaient pour la regarder. »

Pour sa part, Westerberg ne se souciait pas des difficultés familiales de McCandless. « Quelle que soit la raison pour laquelle il en a eu marre, j'imagine qu'elle devait être valable. Cependant, maintenant qu'il est mort, je n'en sais pas plus. Si Alex était devant moi aujourd'hui, je serais tenté de lui dire une bonne fois : "Qu'as-tu donc dans la tête ? Ne rien dire à ta famille pendant tout ce temps, les traiter comme des chiens !" Il y a un des gars qui travaillent pour moi, il n'a même pas de parents, bordel, mais il ne se plaint jamais. Quel que soit le problème qu'il y ait eu entre Alex et ses parents, je peux vous assurer que j'ai vu bien pire. Connaissant Alex, je pense qu'il s'est braqué sur quelque chose qui s'est passé entre son père et lui et qu'il n'a pas pu laisser tomber. »

Cette dernière conjecture de Westerberg, comme on l'apprit par la suite, reposait sur une analyse plutôt perspicace des relations entre Chris et Walt McCandless. Le père et le fils étaient tous les deux têtus et nerveux. Étant donné le besoin de Walt d'exercer son autorité et la nature indépendante jusqu'à l'extravagance de Chris, la confrontation était inévitable. Chris se soumit à l'autorité de Walt au lycée et à l'université, jusqu'à un point étonnant, mais pendant tout ce temps il rageait intérieurement. Il ne cessait de ruminer ce qu'il considérait comme les insuffisances morales de son père, l'hypocrisie du mode de vie de ses parents, la tyrannie de leur amour sous condition. À la fin, il se révolta – et quand cela se produisit, ce fut avec son manque de modération habituel.

Peu de temps avant son départ, Chris se plaignit à Carine de la conduite de leurs parents. « Si irrationnelle, oppressive, manquant de respect et insultante qu'à la fin je ne peux plus le supporter. » Il poursuit :

Puisqu'ils ne me prendront jamais au sérieux, je vais les laisser penser qu'ils ont raison pendant quelques mois après la remise des diplômes. Je vais les laisser croire que je commence « à voir les choses de leur façon » et que nos relations se normalisent. Et puis, le moment venu, par une action brusque et rapide, je vais les éjecter complètement de ma vie. Je vais me séparer d'eux en tant que parents une fois pour toutes et n'adresserai plus un mot à ces deux idiots aussi longtemps que je vivrai. J'en aurai fini avec eux, une fois pour toutes.

Le froid que Westerberg pressentait entre Alex et ses parents formait un contraste marqué avec son attitude chaleureuse à Carthage. Ouvert et charmant quand il était bien disposé, il plaisait à beaucoup de gens. À son retour dans le Dakota du Sud, du courrier l'attendait. C'étaient des lettres de personnes qu'il avait rencontrées sur la route, notamment – se souvient Westerberg – « des lettres d'une fille très éprise de lui, quelqu'un qu'il avait dû rencontrer dans quelque Tombouctou, quelque campement, je pense ». Mais McCandless ne mentionna jamais de relation sentimentale ni à Westerberg ni à Borah.

« Je ne me souviens pas qu'Alex ait jamais parlé d'une quelconque petite amie, dit Westerberg. Bien qu'une ou deux fois il ait indiqué qu'il voulait se marier et avoir des enfants un jour. On peut dire qu'il ne prenait pas à la légère les relations avec les autres. Ce n'était pas le genre de type qui essaie de trouver des filles simplement pour qu'elles s'allongent. »

Pour Borah, il était également évident que McCandless n'avait pas consacré beaucoup de temps à fréquenter les bars pour célibataires. « Un soir, plusieurs d'entre nous allèrent dans un bar à Madison, raconte-t-elle, et ce ne fut pas facile de l'amener sur la piste de danse. Mais une fois là, il ne voulait plus s'asseoir. On s'est vraiment amusés. Après la mort d'Alex, et tout le reste, Carine m'a dit qu'à sa connaissance j'étais une des rares filles avec lesquelles il ait dansé. »

Au lycée, McCandless avait eu des relations étroites avec deux ou trois représentantes du sexe opposé. Carine se souvient d'un jour où, pris de boisson, il essaya d'amener une fille dans sa chambre au milieu de la nuit. Ils firent tant de bruit en trébuchant dans l'escalier que cela réveilla Billie, qui renvoya la fille chez elle. Mais il y a peu d'indices de son activité sexuelle d'adolescent et rien ne suggère qu'il ait couché avec une femme après la fin de ses études secondaires. (Aucun élément ne permet non plus de penser qu'il ait eu une relation intime avec un homme.) Il semble que McCandless ait été attiré par les femmes mais qu'il soit resté en grande partie ou entièrement célibataire ; chaste comme un moine. La chasteté et la pureté morale étaient des qualités auxquelles il réfléchissait longuement et souvent. Parmi les livres retrouvés dans l'autobus avec ses affaires, il y avait un recueil de nouvelles de Tolstoï qui comprenait *La Sonate à Kreutzer* dans laquelle un noble devenu ascète dénonce les « exigences de la chair ». Plusieurs passages semblables du livre sont marqués d'astérisques et soulignés. L'ouvrage aux coins cornés est rempli de notes marginales énigmatiques tracées par la main bien reconnaissable de McCandless. Et au chapitre sur « les lois supérieures » dans le *Walden* de Thoreau, dont on a aussi trouvé un exemplaire dans l'autobus, McCandless a entouré le passage suivant : « La chasteté est la floraison de l'homme ; et ce qu'on appelle Génie, Héroïsme, Sainteté, et autres, ne sont que les fruits qui en procèdent. »

Nous autres Américains, nous sommes titillés par le sexe, obsédés, horrifiés par lui. Quand une personne apparemment saine, tout particulièrement un jeune homme en bonne santé, choisit de renoncer aux séductions de la chair, cela nous choque et nous fronçons les sourcils. Nous soupçonnons quelque chose.

Toutefois, l'apparente innocence sexuelle de McCandless correspond à un type de personnalité que notre culture prétend poser en modèle, au moins dans le cas de ses exemples les plus fameux. Son ambivalence à l'égard de la sexualité fait écho à celle de bien des hommes célèbres qui ont eu pour la vie dans la nature une passion exclusive – Thoreau (qui resta vierge toute sa vie) et le naturaliste John Muir sont les plus éminents –, sans compter tous ceux qui sont moins connus : pèlerins, chercheurs de vérité, désaxés et aventuriers. À l'instar de beaucoup de gens que la nature attire, McCandless semble avoir poursuivi une grande variété de plaisirs qui supplantaient le désir sexuel. Ses aspirations, en un sens, étaient trop puissantes pour être comblées par un simple contact humain. McCandless pouvait avoir été tenté par le soutien qu'apportent les femmes, mais celui-ci pâlissait auprès de la perspective d'une rencontre directe avec la nature, avec le cosmos lui-même. Et voilà pourquoi il se dirigea vers le nord, vers l'Alaska.

McCandless donna à Westerberg et à Borah l'assurance que, lorsque son séjour dans le Nord prendrait fin, il reviendrait dans le Dakota du Sud, au plus tard à l'automne. Ensuite, ça dépendrait.

« J'ai eu l'impression, dit Westerberg, que son escapade en Alaska serait sa dernière grande aventure, et qu'il avait le désir de s'installer quelque part. Il disait qu'il allait écrire un livre sur ses voyages. Il aimait Carthage. Personne ne pensait qu'avec son instruction il allait travailler sur une saleté de silo pendant le restant de ses jours. Mais il voulait vraiment revenir ici pendant quelque temps pour nous aider et voir ce qu'il allait faire ensuite. »

Cependant, ce printemps-là, les vues de McCandless se dirigeaient indéfectiblement vers l'Alaska. À chaque occasion, il parlait de ce voyage. Il recherchait les chasseurs expérimentés des environs pour leur demander comment on traque le gibier, comment on dresse les animaux, comment on fait sécher la viande. Borah le conduisit dans un magasin à Mitchell pour qu'il achète les dernières pièces de son équipement.

À la mi-avril, Westerberg était à la fois à court de personnel et très occupé. Aussi demanda-t-il à McCandless de remettre à plus tard son départ et de travailler une semaine ou deux de plus. McCandless ne voulut même pas l'envisager. « Une fois qu'Alex avait pris une décision, il n'y avait aucun moyen de le faire changer d'avis, se plaint Westerberg. Je lui ai même proposé de lui acheter un billet d'avion pour Fairbanks, ce qui lui aurait permis de travailler encore dix jours et d'être tout de même en Alaska fin avril, mais il me répondit : "Non, je veux aller en stop dans le Nord. Y aller en avion, ce serait tricher. Cela gâcherait tout le voyage." »

L'avant-veille du jour prévu pour le départ d'Alex vers le nord, Mary Westerberg, la mère de Wayne, l'invita chez elle à dîner. « Ma mère n'aime pas beaucoup les gens que j'engage, dit-il, et rencontrer Alex ne l'enthousiasmait pas. Mais je n'ai pas cessé de lui dire : "Il faut que tu rencontres ce garçon" et, finalement, elle l'a invité à dîner. Ça a tout de suite collé entre eux. Ils ont parlé sans s'arrêter pendant cinq heures. »

« Il y avait quelque chose de fascinant chez lui, explique Mme Westerberg, assise devant la table en noyer ciré où McCandless dîna ce soir-là. Ce qui m'a frappée, c'est qu'Alex semblait plus âgé que ses vingt-quatre ans. Quand je disais quelque chose, il voulait en savoir plus, il me demandait ce que je voulais dire exactement, ce qui me faisait penser ceci ou cela. Il était avide d'apprendre. À la différence de la plupart d'entre nous, c'était le genre de personne qui tient à vivre en accord avec ses convictions.

Pendant des heures, nous avons parlé de livres ; les gens qui aiment parler de livres ne sont pas si nombreux à Carthage. Il parla longuement de Mark Twain. Qu'il était drôle ! J'aurais voulu que la soirée ne finisse pas. Je tenais beaucoup à le revoir cet automne. Il ne me sort pas de l'esprit. Je revois son visage – il était assis sur la chaise où vous êtes. Quand on pense que je n'ai passé que quelques heures en sa compagnie, je suis effarée d'être aussi affectée par sa mort. »

Pour la dernière nuit de McCandless à Carthage, on s'amusa ferme au Cabaret avec toute l'équipe de Westerberg. Le Jack Daniel's coulait à flots. À la surprise générale, McCandless s'assit au piano – il n'avait jamais dit qu'il savait en jouer. Il entama des airs de musique country, puis un ragtime, puis des morceaux de Tony Bennett. Ce n'était pas un pochard infligeant une illusion de talent à un auditoire captif. « Alex, dit Gail Borah, savait vraiment jouer. Je veux dire : il était *bon*. On était tous épatés. »

Le matin du 15 avril, tout le monde s'assembla au silo pour le départ de McCandless. Son sac était lourd. Il avait environ mille dollars glissés dans sa botte. Il laissa à la garde de Westerberg son journal-album de photos et lui donna la ceinture qu'il avait fabriquée dans le désert.

« Alex avait l'habitude de s'asseoir au bar du Cabaret et de lire cette ceinture de bout en bout pendant des heures, dit Westerberg. C'est comme s'il traduisait pour nous des hiéroglyphes. Chaque image qu'il avait gravée dans le cuir représentait une longue histoire. »

Quand McCandless serra Borah dans ses bras pour lui dire au revoir, « je remarquai, dit-elle, qu'il pleurait. Cela m'a effrayée. Il n'avait pas l'intention de partir pour tellement longtemps. J'imagine qu'il n'aurait pas pleuré s'il n'avait pas eu l'intention de prendre de gros risques. Il savait qu'il pourrait ne pas revenir. C'est à partir de ce moment-là que j'ai commencé à sentir qu'on pourrait ne jamais revoir Alex. »

Un gros semi-remorque attendait devant la porte. Rod Wolf, l'un des équipiers de Westerberg, devait transporter un chargement de graines de tournesol jusqu'à Enderlin, dans le Dakota du Nord, et il avait accepté d'emmener McCandless jusqu'à l'autoroute 94.

« Quand je l'ai déposé, il avait cette grande machette qui pendait à son épaule, raconte Wolf. J'ai pensé : "Mon Dieu, personne ne va s'arrêter quand on le verra avec ce truc." Mais je n'ai rien dit. Je lui ai simplement serré la main en lui souhaitant bonne chance et en lui disant d'écrire. »

C'est ce que fit McCandless. Une semaine plus tard, Westerberg reçut une carte portant le tampon du Montana. Elle était brève :

18 avril. Je suis arrivé ce matin à Whitefish par un train de marchandises. Je m'amuse bien. Aujourd'hui je vais passer la frontière et prendre la direction de l'Alaska, vers le nord. Transmets mon salut à tout le monde.

Puis, au début de mai, Westerberg reçut une autre carte, d'Alaska celle-ci, qui représentait un ours polaire. Le tampon indiquait le 27 avril 1992. Elle disait :

Je t'écris de Fairbanks ! Ce sont les dernières nouvelles que tu recevras de moi, Wayne. Je suis arrivé il y a deux jours. Ça n'a pas été facile de faire du stop dans le Yukon. Mais finalement, je suis parvenu jusqu'ici.

S'il te plaît, retourne tout mon courrier à l'expéditeur. Il peut s'écouler beaucoup de temps avant que je redescende dans le Sud. Si cette aventure tourne mal et que tu n'entendes plus parler de moi, je veux que tu saches que je te considère comme quelqu'un de formidable. Maintenant, je m'enfonce dans la forêt. Alex.

À la même date, McCandless envoya une carte avec un message identique à Jan Burres et Bob :

Salut les amis !

Ce sont les dernières nouvelles que vous recevrez de moi. Maintenant je pars pour aller vivre dans la nature. Prenez soin de vous. C'était formidable de vous connaître.

Alexandre.

8

Alaska

Après tout, c'est peut-être une mauvaise habitude des gens talentueux et créateurs de s'investir dans des activités pathologiquement démesurées qui fournissent des perspectives remarquables mais ne constituent pas un mode de vie durable pour ceux qui sont incapables de traduire leurs blessures psychiques en un art ou une pensée significatifs.

Theodore Roszak,
À la recherche du miraculeux.

En Amérique, nous avons la tradition de la « Grande Rivière à deux Cœurs » : elle consiste à transporter ses blessures dans la nature pour y trouver une guérison, une conversion, un repos ou tout ce que l'on voudra. Et, comme dans la nouvelle d'Hemingway, si vos blessures ne sont pas trop graves, cela marche. Mais ici, nous ne sommes pas dans le Michigan, ni en l'occurrence au Big Woods de Faulkner, dans le Mississippi. Ici, nous sommes en Alaska.

Edward Hoagland,
Voyage à Chalkyitsik.

Quand on découvrit le corps de McCandless en Alaska et que les circonstances de sa disparition eurent été rapportées par les médias, de nombreuses personnes en conclurent que ce garçon devait avoir l'esprit un peu dérangé. L'article d'*Outside* provoqua une grande quantité de courrier et un nombre non négligeable de ces lettres jetait l'opprobre sur McCandless – et sur moi également, l'auteur de l'article, pour avoir glorifié ce que certains considéraient comme une mort imbécile.

Beaucoup de ces lettres venaient de l'Alaska. Un habitant de Healy, le village proche du début de la piste Stampede, écrivait : « Selon moi, Alex est un idiot. L'auteur décrit un homme qui a donné une petite fortune, quitté une famille aimante, abandonné voiture, montre et carte, et brûlé l'argent qui lui restait, avant de venir vadrouiller dans la nature à l'ouest de Healy. »

Un autre correspondant exprimait sa réprobation : « Personnellement, je ne vois rien de positif dans le mode de vie de McCandless ou dans sa doctrine de la vie sauvage. Aller s'installer dans la nature en se sachant mal préparé et survivre après avoir frôlé la mort ne vous rend pas meilleur ; c'est seulement que vous avez sacrément de la chance. »

Un autre lecteur d'*Outside* se demandait : « Pourquoi donc ceux qui veulent "vivre à l'écart pendant quelques mois" oublient-ils la règle numéro un des scouts : se préparer ? Pourquoi un fils inflige-t-il à ses parents et à sa famille une douleur permanente et déroutante ? »

Un habitant du Cercle polaire donnait aussi son opinion : « Krakauer est un cinglé s'il n'est pas d'avis que Chris "Alexandre Supertramp" McCandless était un cinglé. McCandless avait déjà franchi la limite. Il est simplement tombé au fond en Alaska. »

La critique la plus aiguë survint sous la forme d'une épître de plusieurs pages bien remplies, en provenance d'Ambler, un petit village esquimau sur la rivière Kobuk, au nord du Cercle polaire. L'auteur était un enseignant et écrivain blanc, qui avait vécu auparavant à Washington, DC. Il s'appelait Nick Jans. Après avoir signalé qu'il était une heure du matin et qu'il avait déjà bien entamé une bouteille de Seagram's, il y allait carrément :

Au cours des quinze dernières années, j'ai rencontré plusieurs types du genre de McCandless dans le pays. Toujours la même histoire : des jeunes gens énergiques et idéalistes qui se surestimaient et qui sous-estimaient le pays, et cela finissait mal. McCandless n'était pas un cas unique ; il y en a pas mal un peu partout dans l'État. Ils se ressemblent tellement qu'ils constituent presque un cliché collectif. La seule différence, c'est que McCandless y a trouvé la mort, et que l'histoire de ses imbécillités s'est répandue dans les médias… (Jack London avait vu juste dans Construire un feu. *McCandless, finalement, n'est qu'un pâle reflet moderne du personnage de London qui meurt gelé parce qu'il a négligé les conseils et s'est laissé aller à un orgueil démesuré…)*

*Ce qui l'a tué, c'est son ignorance. Un octant USGS et un manuel de scoutisme l'auraient sauvé. Alors que je compatis à la douleur de ses parents, je n'ai aucune sympathie pour lui. Une ignorance tellement délibérée… revient à manquer de respect envers le pays et traduit paradoxalement la même sorte d'arrogance que celle qui a conduit à la marée noire de l'*Exxon Valdez *– dans ce cas-là aussi, des hom-*

mes mal préparés et trop confiants sont venus patauger par ici et ont tout bousillé parce que l'humilité indispensable leur faisait défaut. Ce n'est qu'une question de degré.

L'ascétisme peu naturel de McCandless et sa pose pseudo-littéraire ne font qu'augmenter sa faute plutôt que la réduire... Ses cartes postales, ses notes, son journal semblent l'œuvre d'un lycéen hors normes et quelque peu histrionique. Ou bien y a-t-il quelque chose qui m'échappe ?

L'opinion dominante en Alaska tenait McCandless pour un de ces blancs-becs pleins de rêves qui viennent dans le pays avec l'espoir de trouver la solution de tous leurs problèmes et qui, au lieu de cela, ne rencontrent que des moustiques et une mort solitaire. Des douzaines de marginaux se sont enfoncés dans les forêts de l'Alaska au fil des années, pour ne plus réapparaître. Seuls quelques-uns se sont fixés dans la mémoire collective de l'État.

Il y eut l'idéaliste de la contre-culture qui traversa le village de Tanana au début des années 1970 en annonçant qu'il allait passer le restant de ses jours à « communier avec la nature ». Au milieu de l'hiver un biologiste découvrit toutes ses affaires – deux carabines, du matériel de camping, un journal rempli de considérations incohérentes sur la vérité et la beauté ainsi que des théorisations écologiques fumeuses – dans une cabane vide près de Tofty. La neige avait envahi les lieux. On ne retrouva jamais la trace du jeune homme.

Quelques années plus tard arriva ce vétéran du Vietnam qui construisit une cabane près de la Black River, à l'est de Chalkyitsik, pour « s'éloigner des gens ». En février, à court de nourriture, il était mort de faim. Sans faire la moindre tentative pour se sauver, semble-t-il, car à cinq kilomètres à peine il y avait une autre cabane pleine de viande. Edward Hoagland écrivit à propos de sa mort que l'Alaska « n'est pas le meilleur endroit de la Terre pour faire des expériences érémitiques ou des manifestations en faveur de la paix et de l'amour ».

Et puis il y eut ce génie imprévisible que je rencontrai en 1981 sur la côte du détroit du Prince William. Je campais dans les bois aux environs de Cordova, en Alaska, essayant en vain de me faire engager comme matelot pour la pêche à la senne et attendant que le ministère de la Pêche et de la Chasse annonce l'ouverture de la saison du saumon. Par un après-midi pluvieux, tandis que je marchais en ville, mon chemin croisa celui d'un homme agité et débraillé qui semblait avoir quarante ans. Il portait une barbe noire broussailleuse et ses cheveux lui tombaient sur les épaules. Ils étaient retenus par un bandeau en Nylon crasseux. L'homme avançait vers moi d'un pas vif, courbé sous le poids considérable d'un rondin de 1,80 mètre en équilibre sur son épaule.

Je le saluai, il marmonna une réponse et nous nous arrêtâmes pour bavarder sous la bruine. Je ne lui demandai pas pourquoi il transportait un rondin détrempé dans la forêt, alors qu'apparemment il y en avait déjà une grande quantité. Après quelques minutes passées à échanger sérieusement des banalités, nous reprîmes notre route chacun de notre côté.

Je déduisis de notre brève conversation que je venais de parler au célèbre excentrique que les gens du pays appelaient le Maire de la crique aux Hippies – par référence à une baie que les eaux recouvraient à marée haute et qui constituait le point de rendez-vous d'itinérants chevelus auprès desquels le Maire avait vécu pendant quelques années. La plupart des résidents de la crique aux Hippies étaient, comme moi, des squatters estivaux qui venaient à Cordova dans l'espoir d'obtenir une place de pêcheur bien rémunérée ou, sinon, de trouver du travail dans les conserveries de saumon. Mais le Maire était différent.

Son vrai nom était Gene Rosellini. Il était le beau-fils le plus âgé de Victor Rosellini, riche restaurateur de Seattle, et le cousin d'Albert Rosellini, le très populaire gouverneur de l'État de Washington de 1957 à 1965. Dans sa jeunesse, Gene avait été un sportif de talent et un étudiant brillant. Il était passionné par la lecture, pratiquait le yoga et devint un expert en arts martiaux. Il avait toujours obtenu les notes maximales dans le secondaire et le supérieur. À l'université de Washington, et plus tard à celle de Seattle, il se passionna pour l'anthropologie, l'histoire, la philosophie et la linguistique, mais sans jamais passer un examen. Il n'en voyait pas la nécessité. D'après lui, la connaissance trouvait sa valeur en elle-même et n'avait pas besoin de validation extérieure.

Bientôt, il délaissa l'université, quitta Seattle et dériva vers le nord, le long de la côte de la Colombie-Britannique et du sud de l'Alaska. En 1977, il atterrit à Cordova. Là, dans la forêt en bordure de la ville, il décida de consacrer sa vie à une expérience anthropologique ambitieuse.

« Je voulais savoir s'il était possible de se passer de la technique moderne », confia-t-il à une journaliste de l'*Anchorage Daily News,* Debra McKinney, une dizaine d'années après son arrivée à Cordova. Il se demandait si nous pouvions vivre comme l'avaient fait nos ancêtres au temps où les mammouths et les tigres à dents de sabre hantaient le pays, ou bien si notre espèce s'était trop éloignée de ses racines pour pouvoir survivre sans poudre, sans acier et sans les autres produits de la civilisation. Avec ce souci obsessionnel du détail qui caractérisait son génie obstiné, Rosellini ne conserva que les outils les plus primitifs, qu'il avait confectionnés de ses propres mains avec les matériaux disponibles dans la nature environnante.

« Il avait acquis la conviction que les humains avaient dégénéré en êtres inférieurs, explique McKinney, et son but était de retourner à l'état de nature. Par conséquent, il expérimentait les différentes ères : l'Antiquité romaine, l'âge de fer, l'âge de bronze. À la fin, son mode de vie se rapprochait du néolithique. »

Il se nourrissait de racines, de baies et de coquillages. Il chassait à la lance, posait des pièges, s'habillait avec des haillons et endurait ainsi des hivers rigoureux. Il semblait apprécier cette rude existence. Son domicile, au-dessus de la crique aux Hippies, était une masure sans fenêtre qu'il avait construite lui-même sans hache ni scie. « Il avait passé des jours et des jours, raconte McKinney, à couper un rondin avec une pierre taillée. »

Comme si la simple subsistance selon les règles qu'il s'était imposées n'était pas assez harassante, il s'entraînait obstinément chaque fois qu'il n'était pas occupé. Il passait ses journées à faire de la gymnastique, à lever des poids et à courir, en ajoutant souvent une charge de pierre sur son dos. Lors d'un été apparemment comme les autres, il indiqua qu'il avait couru une moyenne de vingt-neuf kilomètres chaque jour. L'« expérience » de Rosellini s'étendit sur plus de dix ans, mais, à la fin, il eut le sentiment que la question qui en était à l'origine avait trouvé sa réponse. Il écrivit à un ami :

Ma vie adulte a commencé avec l'hypothèse qu'il était possible de redevenir un homme de l'âge de pierre. Pendant plus de trente ans, je me suis préparé et formé pour atteindre ce but. Au cours des dix dernières années, j'ai fait l'expérience effective, dirai-je, de la réalité physique, mentale et émotionnelle de l'âge de pierre. Mais, pour emprunter une expression bouddhiste, il s'est établi à la fin un face-à-face avec la réalité pure. Et j'ai découvert qu'il n'était pas possible aux êtres humains tels que nous les connaissons de vivre à l'écart de la civilisation.

Rosellini sembla accepter son échec avec équanimité. À l'âge de quarante-neuf ans, il annonça avec chaleur qu'il avait « révisé » ses objectifs et qu'il voulait maintenant « faire le tour du monde à pied avec un sac à dos, en courant de trente à quarante kilomètres par jour, 7 jours sur 7, 365 jours par an. »

Ce voyage ne commença jamais. En novembre 1991, on découvrit Rosellini allongé, la face contre le sol de sa cabane, un couteau enfoncé dans le cœur. Le médecin légiste estima qu'il s'était lui-même infligé cette blessure. On ne trouva aucun mot. Il n'avait rien laissé qui puisse indiquer pourquoi il avait décidé de mettre fin à ses jours à ce moment-là, et de cette manière. Selon toute probabilité, on ne le saura jamais.

La mort de Rosellini et l'histoire de son existence excentrique firent la une de l'*Anchorage Daily News*. En revanche, John Mallon Waterman attira moins l'attention. Né en 1952, il fut élevé dans la même banlieue de Washington que Chris McCandless. Son père est un musicien, et aussi un écrivain qui, parmi d'autres titres à une notoriété modeste, a rédigé les discours de présidents, d'ex-présidents et d'autres éminents politiciens de Washington. Il se trouve également que Waterman père est un alpiniste de haut niveau qui a enseigné l'escalade à ses trois fils dès leur jeune âge. John, le cadet, a grimpé pour la première fois à l'âge de treize ans.

John avait l'escalade dans le sang. À chaque occasion, il allait dans les rochers et, quand il ne le pouvait pas, il s'entraînait intensément. Chaque jour il faisait quatre cents tractions et parcourait à vive allure les quatre kilomètres qui le séparaient de l'école. L'après-midi, quand il était revenu chez lui à pied, il touchait la porte de sa maison et effectuait un deuxième aller-retour.

En 1969, à seize ans, il fit l'ascension du mont McKinley (qu'il appelait le Denali, comme la plupart des habitants de l'Alaska, qui préfèrent le nom que les Indiens Athapaskan ont donné à ce pic), devenant ainsi le troisième plus jeune alpiniste à être parvenu au sommet de la plus haute montagne du continent américain. Au cours des années suivantes, il réalisa des ascensions encore plus impressionnantes en Alaska, au Canada et en Europe. À l'époque où il s'établit à Fairbanks, en 1973, pour assister aux cours de l'université de l'Alaska, il était considéré comme l'un des jeunes alpinistes les plus prometteurs d'Amérique du Nord.

Waterman était de petite taille, à peine 1,60 mètre, avec un visage fin et le physique musclé, infatigable, d'un gymnaste. Ceux qui l'ont connu se souviennent de lui comme d'un homme-enfant maladroit en société, doué d'un humour quelque peu blessant et d'une personnalité versatile, presque maniaco-dépressive.

« La première fois que j'ai rencontré John, raconte James Brady, un camarade d'escalade et d'université, il se pavanait sur le campus dans une longue cape noire avec des lunettes de soleil bleues, à la Elton John, qui avaient une étoile entre les deux verres. Il trimbalait une guitare bon marché qui tenait avec du papier collant et il jouait la sérénade à quiconque voulait bien écouter le récit de ses aventures chantées interminablement et d'une voix fausse. Fairbanks a toujours attiré beaucoup de personnages bizarres, mais même selon les critères de cette ville il était farfelu. Oui, John n'avait pas trouvé sa place. Beaucoup de gens ne savaient pas comment se comporter avec lui. »

Il n'est pas difficile d'imaginer des causes plausibles à l'instabilité de Waterman. Ses parents avaient divorcé pendant son adolescence. Sa mère avait souffert de troubles mentaux sérieux. Son frère aîné, Bill, dont il était très proche, perdit une jambe en essayant de sauter dans un train de marchandises. En 1973, Bill posta une lettre énigmatique évoquant vaguement un projet de long voyage, puis il disparut sans laisser de traces. À ce jour, personne ne sait ce qu'il est devenu. Et après que John eut appris à grimper, huit de ses amis intimes et de ses compagnons d'escalade trouvèrent la mort par accident ou suicide. Il n'est pas exagéré de penser qu'une telle succession de malheurs a pu affecter gravement le jeune psychisme de Waterman.

En mars 1978, il entreprit sa plus extraordinaire expédition : une ascension en solitaire de l'éperon sud-est du mont Hunter. Trois équipes de grimpeurs d'élite avaient déjà tenté en vain cette escalade. Selon le journaliste Glenn Randall, écrivant sur cet exploit dans le magazine *Climbing,* Waterman présentait ainsi ses compagnons d'ascension : « Le vent, la neige et la mort. »

Des corniches frêles comme des meringues surplombaient des vides profonds de 1 500 mètres. Les murs de glace verticaux étaient aussi friables qu'un seau de cubes de glace à demi dégelé puis regelé. Ils conduisaient à des crêtes si étroites entre deux profonds précipices que la solution la plus facile consistait à avancer à cheval sur elles. Par moments, la douleur et la solitude le submergeaient, alors il s'effondrait en pleurant.

Après quatre-vingt-un jours d'une ascension épuisante et extrêmement dangereuse, il atteignit le sommet du Hunter (4 442 mètres) qui s'élève immédiatement au sud du Denali dans la chaîne de l'Alaska. Il lui fallut neuf semaines pour effectuer le trajet, à peine moins pénible, du retour. Il avait passé 145 jours seul dans la montagne. Quand il reprit contact avec la civilisation, il était sans le sou. Il emprunta 20 dollars à Cliff Hudson, le pilote qui était allé le chercher au pied des montagnes, et il retourna à Fairbanks où le seul travail qu'il put trouver fut un emploi de plongeur.

Néanmoins, Waterman fut salué comme un héros par le petit groupe fraternel des grimpeurs de Fairbanks. Il présenta au public les diapositives de son ascension au cours d'une séance que Brady décrit comme « inoubliable » : « Ce fut un spectacle incroyable, totalement libre. Il exprimait toutes ses pensées, tous ses sentiments, sa peur de l'échec, sa peur de la mort. C'était comme si on l'avait accompagné. »

Mais, dans les mois qui suivirent cet exploit épique, Waterman s'aperçut qu'au lieu de calmer ses démons, le succès n'avait fait que les rendre plus impatients.

Son esprit commença à vaciller. « John était très critique à l'égard de lui-même, il s'analysait tout le temps, rapporte Brady. Et puis, il avait toujours eu des comportements compulsifs. Il avait l'habitude d'avoir sur lui des carnets et des blocs de papier, et il prenait des notes abondantes qui décrivaient chaque jour tout ce qu'il avait fait. Je me souviens de l'avoir rencontré dans le centre de Fairbanks. Au moment où je le quittai, il sortit un bloc, nota l'heure à laquelle il m'avait vu et transcrivit le sujet de notre conversation, qui avait porté sur des riens. Il y en avait trois ou quatre pages, qui venaient après tout ce qu'il avait gribouillé ce jour-là. Il devait avoir quelque part des piles et des piles de notes de ce genre qui, j'en suis sûr, devaient n'avoir de sens que pour lui. »

Peu de temps après, Waterman se porta candidat à la direction de l'école locale avec un programme qui prévoyait des relations sexuelles sans restriction et la légalisation des hallucinogènes. Il perdit l'élection, ce qui ne surprit personne, sauf lui-même. Mais il se lança aussitôt dans une autre campagne électorale, pour la présidence des États-Unis, cette fois. Il se plaçait sous l'égide du parti de l'Aide alimentaire dont l'objectif principal était de veiller à ce que personne ne meure de faim dans le monde.

Pour soutenir sa campagne, il projeta d'effectuer une ascension en solitaire de la face sud du Denali – le chemin le plus escarpé –, en hiver, avec le minimum de nourriture. Il voulait dénoncer le gâchis et l'immoralité du régime alimentaire américain. Une partie de son entraînement consistait à s'immerger dans une baignoire remplie de glace.

En décembre 1979, Waterman s'envola pour le glacier de Kahiltna afin de commencer son escalade, mais il abandonna au bout de quatorze jours seulement. On dit qu'il adressa au pilote le message suivant : « Ramène-moi à la maison, je ne veux pas mourir. » Néanmoins, deux mois plus tard, il se prépara à une autre tentative. Mais à Talkeetna, le village au sud du Denali qui sert de base de départ à la plupart des expéditions dans la chaîne de l'Alaska, sa cabane prit feu et son équipement, ainsi que la volumineuse accumulation de notes, poèmes et journaux intimes, qu'il considérait comme l'œuvre de sa vie, fut réduit en cendres.

Cette perte le laissa complètement désemparé. Le lendemain, il se fit interner lui-même à l'hôpital psychiatrique d'Anchorage. Deux semaines plus tard, convaincu qu'une conspiration tentait de le mettre définitivement à l'écart, il s'en alla.

Au cours de l'hiver 1981, il se lança dans une nouvelle tentative d'ascension du Denali en solitaire.

Comme s'il n'était pas assez difficile de faire l'escalade du pic seul en hiver, il décida de placer la barre encore plus haut en commençant son ascension au niveau de la mer, ce qui impliquait une marche de 260 kilomètres sur un terrain difficile et tortueux depuis la crique de Cook jusqu'au pied de la montagne. En février, partant du bord de l'eau, il commença sa progression vers le nord, mais son enthousiasme s'effondra dans la partie inférieure du glacier de Ruth, à 48 kilomètres du pic. Il abandonna sa tentative et se retira à Talkeetna. Cependant, en mars, il retrouva une fois de plus sa résolution et reprit sa randonnée solitaire. Avant de quitter la ville, il confia au pilote Cliff Hudson, qu'il considérait comme un ami : « Je ne te reverrai plus. »

Ce fut un mois de mars exceptionnellement froid dans la chaîne de l'Alaska. Vers la fin du mois, Mugs Stump croisa la route de Waterman dans la partie haute du glacier de Ruth. Stump, un alpiniste de renommée mondiale qui mourut sur le Denali en 1992, venait de réaliser l'ascension d'un pic voisin, le Mooses Tooth (la Dent des Élans), par une voie nouvelle. Peu de temps après avoir rencontré Waterman par hasard, il me rendit visite à Seattle et me fit la remarque que « John semblait un peu absent. Il avait l'air de planer et tenait des propos incohérents. Il était censé faire cette grande ascension du Denali, mais il n'avait presque pas de matériel. Il portait une combinaison bon marché d'autoneige et n'avait même pas pris de sac de couchage. Pour toute nourriture, il emportait une poignée de farine, un peu de sucre et une grande boîte de Crisco. »

Dans son livre *Point de rupture,* Glenn Randall écrit :

Pendant plusieurs semaines, Waterman s'attarda dans les environs du refuge de Sheldon Mountain, une petite cabane perchée sur le bord du glacier de Ruth, au cœur de la Chaîne. Une de ses amies, Kate Bull, qui grimpait dans les parages à la même époque, raconta qu'il était fatigué et qu'il prenait moins de précautions que d'habitude. Il se servit d'une radio qu'il avait empruntée à Cliff [Hudson] pour l'appeler et se faire apporter des vivres. Puis il rendit la radio en disant : « Je n'en aurai plus besoin. » Cette radio était le seul moyen d'appeler du secours.

Le 1er avril, Waterman fut repéré pour la dernière fois sur la fourche nord-ouest du glacier de Ruth. Sa route allait vers le contrefort est du Denali en traversant un labyrinthe de crevasses géantes. Ce qui prouve qu'il ne fit aucun effort pour éviter un danger évident. On ne le revit jamais. Il avait dû passer au travers d'un mince pont de neige et plonger vers la mort au fond de l'une de ces profondes fissures. Pendant la semaine qui suivit sa disparition, les surveillants du parc national firent une recherche aérienne dans le secteur mais ne trouvèrent aucune trace de lui. Plus tard, des grimpeurs découvrirent un mot placé sur une de ses boîtes dans le refuge de Sheldon Mountain : « 3-03-81. Mon dernier baiser 1 h 42 de l'après-midi. »

Il était peut-être inévitable que l'on trace un parallèle entre John Waterman et Chris McCandless. On a fait aussi des comparaisons entre McCandless et Carl McCunn. Ce Texan affable et étourdi s'installa à Fairbanks pendant le boum pétrolier des années 1970 et trouva un emploi lucratif sur le chantier du pipeline trans-Alaska. Au début de mars 1981, tandis que Waterman commençait son dernier voyage dans la chaîne de l'Alaska, McCunn se fit déposer par un avion sur un lac perdu, près de la rivière Coleen, à environ 120 kilomètres au nord-est de Fort Yukon sur la frange sud de la chaîne de Brooks.

Âgé de trente-cinq ans, photographe amateur, McCunn dit à ses amis que la principale raison de son voyage était de prendre des photos de la vie sauvage. Il emportait 500 pellicules, deux carabines, une 22 LR et une .30-.30, un fusil de chasse et 700 kilos de provisions. Il avait l'intention de rester dans la nature jusqu'à la fin d'août. Toutefois, pour une raison ou pour une autre, il négligea de convenir avec le pilote des conditions de son retour à la civilisation à la fin de l'été. Cela lui coûta la vie.

Cette bévue stupéfiante ne fut pas une grande surprise pour Mark Stoppel, un jeune habitant de Fairbanks qui avait eu l'occasion de bien connaître McCunn pendant les neuf mois où ils avaient travaillé sur le chantier du pipeline, peu de temps avant le départ du grand Texan pour la chaîne de Brooks.

« Carl était un type du Sud, d'un caractère chaleureux. Tout le monde l'aimait bien. Il donnait l'impression d'être intelligent, mais par certains côtés il était un peu rêveur, un peu coupé de la réalité. Il était extravagant et aimait s'amuser. Il pouvait se montrer parfaitement responsable, mais quelquefois il avait tendance à improviser, à se lancer sur un coup de tête. Non, ça ne me surprend pas vraiment qu'il soit parti là-bas en oubliant d'organiser son retour. Mais il faut dire que je ne m'étonne pas facilement. Plusieurs de mes amis se sont noyés, ou ont été assassinés, ou sont morts dans des circonstances bizarres. En Alaska, on s'habitue à ce qu'il arrive des choses étranges. »

À la fin du mois d'août, alors que les jours raccourcissaient et que l'air devenait froid et automnal dans la chaîne de Brooks, McCunn commença à s'inquiéter que personne ne soit venu le chercher. « Je pense que j'aurais dû être plus prévoyant pour l'organisation de mon retour. Je saurai bientôt ce qu'il en est », confie-t-il à son journal, dont des extraits importants ont été publiés après sa mort dans un récit en cinq parties écrit par Kris Capps pour le *Fairbanks Daily News-Miner*.

Semaine après semaine, il pouvait sentir l'approche de plus en plus rapide de l'hiver. Ses provisions alimentaires s'amenuisant, il se prit à regretter d'avoir lancé ses munitions dans le lac, à l'exception d'une douzaine de cartouches de fusil de chasse. « Je pense encore à toutes ces cartouches que j'ai jetées il y a environ deux mois, écrit-il, il y en avait cinq boîtes et quand je les voyais posées là, je me trouvais idiot d'en avoir emporté autant. (Je me faisais l'effet d'un foudre de guerre.)… Vraiment malin de ma part. Qui aurait pu deviner que j'en aurais eu besoin pour ne pas mourir de faim ? »

Puis, par un froid matin de septembre, la délivrance sembla toute proche. McCunn chassait des canards avec ce qui lui restait de munitions quand, dans le silence, il perçut le bruit d'un avion qui apparut bientôt au-dessus de lui. Le pilote, ayant remarqué le campement, décrivit deux fois un cercle à basse altitude pour l'examiner de plus près. McCunn lui fit de grands signes avec l'enveloppe orange de son sac de couchage. L'avion, équipé de roues et non de flotteurs, ne pouvait se poser, mais McCunn était certain qu'on l'avait vu et il ne doutait pas que le pilote demanderait à un hydravion de venir le prendre. Il en était si sûr qu'il écrivit dans son journal : « J'ai cessé de faire des signes après le premier passage et j'ai commencé à emballer mes affaires et à me préparer à lever le camp. »

Mais aucun avion ne vint ce jour-là, ni le lendemain, ni le surlendemain. Finalement, McCunn regarda au dos de son permis de chasse et comprit pourquoi. On pouvait voir sur le petit rectangle de papier des dessins représentant les signaux d'appel destinés aux avions. « Je me souviens que j'ai levé haut ma main droite, et que j'ai agité le poing au deuxième passage. C'était un petit signe amical, comme lorsque notre équipe a marqué un but. » Malheureusement, il apprenait trop tard que lever un seul bras signifie : « Tout va bien, pas besoin d'aide. » Pour dire : « SOS, envoyez immédiatement des secours », il fallait lever les deux bras.

« C'est probablement la raison pour laquelle, après s'être un peu éloignés, ils sont revenus faire un passage, et cette fois je n'ai fait aucun signe. J'ai même dû tourner le dos à l'avion, remarquait McCunn avec philosophie. Ils m'ont probablement pris pour un drôle d'oiseau. »

À la fin de septembre, la neige s'entassait sur la toundra et le lac était complètement gelé. Ses provisions étant épuisées, McCunn s'efforça de récolter des fruits de rosiers et de prendre des lapins au piège. À un moment il réussit à découper la viande d'un caribou malade qui s'était avancé sur le lac et y était mort. Cependant, en octobre, la plus grande partie des réserves de graisse de McCunn avait disparu et il éprouvait de la difficulté à lutter contre l'hypothermie pendant les longues nuits froides. Il note : « Il y a certainement quelqu'un en ville qui a compris que, si je ne suis pas de retour, c'est que quelque chose cloche. » Mais toujours aucun avion.

Stoppel raconte : « Cela ressemblait tout à fait à Carl de croire que quelqu'un allait apparaître comme par magie pour le sauver. Il était routier, il conduisait un camion, ce qui lui donnait beaucoup de temps pour rêver tout éveillé, assis sur ses fesses dans son engin. C'est comme ça qu'il a eu l'idée de l'expédition dans la chaîne de Brooks. Pour lui, c'était sérieux : il a passé la plus grande partie de l'année à y penser, il faisait des plans, réfléchissait à tout et venait me parler pendant les pauses de l'équipement à emporter. Mais malgré toute l'attention qu'il accordait à la préparation, il se permettait aussi quelques fantasmes débridés. Par exemple, il ne voulait pas partir tout seul. Au début, son grand rêve, c'était d'aller vivre dans les bois avec une belle femme. Il en pinçait pour au moins deux filles qui travaillaient avec nous, et il consacra bien du temps et de l'énergie à essayer de convaincre Sue ou Barbara ou une autre de l'accompagner – ce qui, en soi, relevait du domaine du rêve. Il n'y avait aucune chance pour que cela se réalise. Je veux dire qu'au camp du pipeline où nous travaillions, la station de pompage n° 7, il y avait peut-être quarante types pour une femme. Mais Carl était un rêveur et jusqu'au moment où il s'envola pour la chaîne de Brooks, il continua à espérer qu'une de ces filles changerait d'avis et partirait avec lui.

« De la même façon, explique Stoppel, Carl était le genre de type à espérer sans raison qu'à la fin quelqu'un devinerait qu'il avait des ennuis et viendrait à son aide. Même au moment où il allait mourir de faim, il continuait sans doute à imaginer que la grosse Sue allait bientôt venir avec un avion rempli de nourriture et vivrait avec lui un amour dans la nature. Mais son monde imaginaire était tellement déconnecté du réel que personne ne pouvait le suivre. Il advint simplement que Carl fut de plus en plus affamé. Lorsqu'il comprit que personne ne viendrait à son secours, il s'était déjà tellement ratatiné qu'il était trop tard pour qu'il fasse quoi que ce soit. »

Quand les provisions de McCunn se furent réduites à presque rien, il écrivit dans son journal : « Je commence à être plus qu'inquiet. Pour être honnête, je commence à avoir un peu peur. » Le thermomètre descendit à –20 °C. Des gelures avec des ampoules douloureuses remplies de pus apparurent sur ses doigts et ses orteils.

En novembre, il n'eut plus de nourriture. Il se sentait faible, avait des étourdissements, les frissons mettaient à la torture son corps décharné.

On lit dans son journal : « L'état des mains et du nez continue à empirer, comme celui des pieds. L'extrémité du nez est très enflée, couverte d'ampoules et de croûtes… C'est vraiment une façon lente et atroce de mourir. » McCunn envisagea de quitter son camp pour rejoindre à pied Fort Yukon mais il lui apparut qu'il n'avait plus assez de forces ; il mourrait d'épuisement et de froid bien avant d'y parvenir.

Stoppel remarque : « La partie de l'intérieur où il est allé est reculée et tout à fait déserte. En hiver, il y fait un froid d'enfer. Certains, dans sa situation, auraient pu imaginer un moyen de partir à pied ou peut-être d'attendre la fin de l'hiver, mais pour cela il faut avoir en soi beaucoup de ressources. Il faut être un tigre, un tueur, un sacré animal. Carl était trop loin derrière. C'était un plaisantin. »

Vers la fin novembre, là où son journal se termine (il représente une centaine de feuilles de bloc), McCunn écrit : « J'ai bien peur de ne pouvoir continuer comme ça… Dieu du Ciel, pardonne-moi ma faiblesse et mes péchés, et veille sur ma famille. » Puis il s'inclina contre la toile de sa tente, plaça le canon de sa .30-.30 contre sa tête et pressa la détente avec son pouce. Le 2 février 1982, deux mois plus tard, une patrouille de la police montée aperçut son camp, inspecta l'intérieur de la tente et découvrit son cadavre émacié, gelé, dur comme de la pierre.

Il y a des similitudes entre Rosellini, Waterman, McCunn et McCandless. Comme Rosellini et Waterman, McCandless était à la recherche de quelque chose et éprouvait une fascination irréaliste pour la rudesse de la nature. Comme Waterman et McCunn, il fit preuve d'un manque de bon sens déconcertant. Mais à la différence de Waterman, il était sain d'esprit. Et contrairement à McCunn, il n'est pas parti en supposant que quelqu'un apparaîtrait automatiquement pour sauver sa peau avant qu'il lui arrive malheur.

McCandless ne correspond pas très bien au type habituel de la victime de la forêt. Il ne connaissait pas l'Alaska, négligeait les précautions avec une témérité folle mais ne manquait pas de compétence – sinon, il n'aurait pas réussi à survivre pendant 113 jours. Ce n'était ni un idiot, ni un sociopathe, ni un bandit. Il était autre chose, mais il est difficile de dire quoi. Un pèlerin peut-être.

On peut mieux comprendre la tragédie de Chris McCandless en étudiant la vie de ses prédécesseurs, qui étaient taillés dans la même étoffe hors du commun. Pour ce faire, il faut revenir en deçà de l'Alaska, dans les canyons dénudés de l'Utah. Là, en 1934, un étrange garçon de vingt ans entra dans le désert et n'en ressortit jamais. Il s'appelait Everett Ruess.

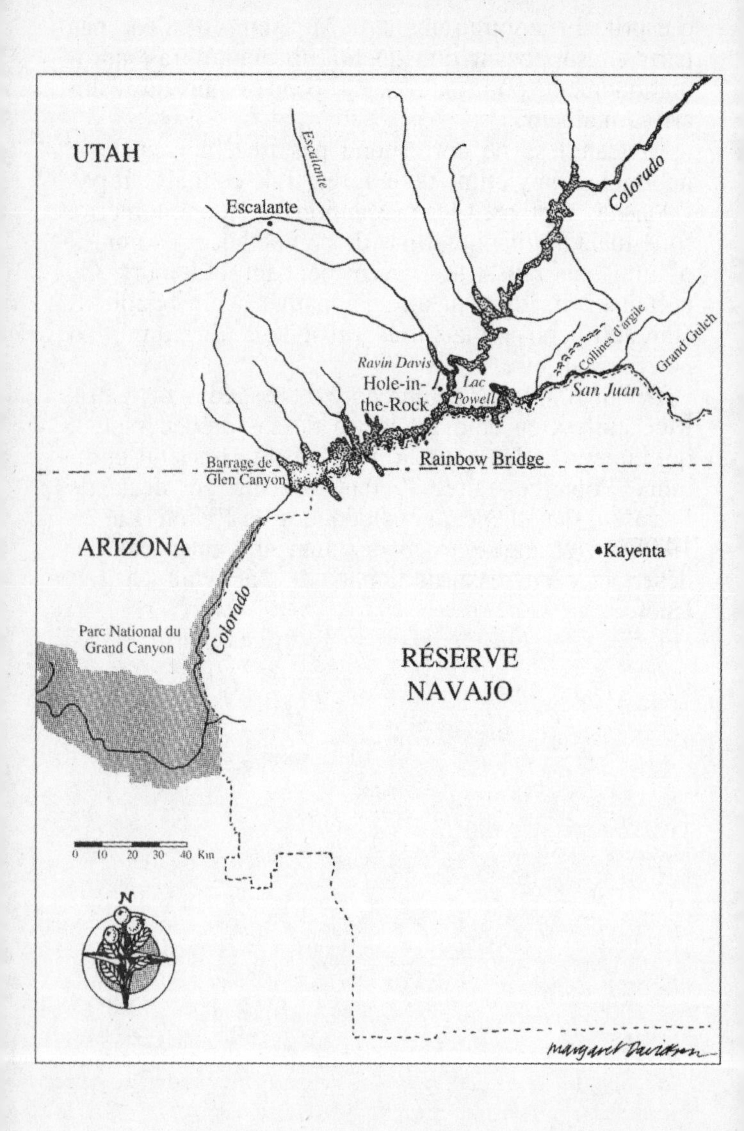
UTAH
Escalante
Escalante
Colorado
Ravin Davis
Hole-in-the-Rock
Lac Powell
Collines d'argile
Grand Gulch
San Juan
Barrage de Glen Canyon
Rainbow Bridge
ARIZONA
Kayenta
Colorado
Parc National du Grand Canyon
RÉSERVE NAVAJO
0 10 20 30 40 Km
N
Margaret Davidson

9

Le ravin Davis

Quant à savoir à quel moment je rendrai visite à la civilisation, je peux dire que ce ne sera pas de sitôt, je pense. Je ne suis pas las de la nature ; au contraire, je jouis toujours plus intensément de sa beauté et de la vie errante que je mène. Je préfère la selle de mon cheval aux voitures des villes, le ciel étoilé à un toit, la piste incertaine et difficile qui conduit vers l'inconnu à n'importe quelle chaussée pavée et la paix profonde de la vie libre au mécontentement qu'engendrent les villes. Dans ces conditions, me blâmes-tu de rester dans cet endroit auquel je sens que j'appartiens, où je suis seul avec l'univers autour de moi ? Il est vrai que la compagnie de gens intelligents me manque, mais ceux avec lesquels je peux partager ce qui a tant d'importance pour moi sont si peu nombreux que j'ai appris à m'en passer. Il me suffit d'être environné par la beauté…

Par ta seule description sommaire, je sais que je ne pourrais pas supporter la routine, le traintrain de la vie que tu es forcé de mener. Je ne crois pas que je pourrai jamais m'établir quelque part. J'ai trop connu ce que la vie a de profond et je préférerais n'importe quoi à un retour au trivial.

Extrait de la dernière lettre d'Everett Ruess à son frère Waldo, datée du 11 novembre 1934.

Ce qu'Everett Ruess recherchait, c'était la beauté, et il la concevait d'une façon plutôt romantique. Nous pourrions être tentés de nous moquer de l'extravagance de sa valeur-beauté s'il n'y avait quelque chose de presque magnifique dans son acharnement à s'y consacrer. L'esthétique est ridicule dans la conversation affectée d'un salon, et même un peu obscène parfois ; en tant que mode de vie, il arrive qu'elle atteigne à la dignité. Si nous nous moquons d'Everett Ruess, il faudra aussi nous moquer de John Muir, parce qu'il y a peu de différence entre eux, l'âge excepté.

Wallace Stegner, *Pays mormon.*

Le Davis Creek n'est qu'un filet d'eau pendant la plus grande partie de l'année, et quelquefois moins encore. Prenant sa source au pied d'un haut escarpement rocheux, connu sous le nom de Fiftymile Point, ce ruisseau coule sur à peine 6,5 kilomètres à travers les grès roses du sud de l'Utah avant de jeter son modeste débit dans le lac Powell, réservoir géant qui s'étend sur 300 kilomètres au-dessus du barrage de Glen Canyon. Le ravin où passe le Davis Creek est petit, mais il est charmant. Et, depuis des siècles, les voyageurs qui ont traversé cette région dure et sèche ont toujours compté sur cette oasis située au fond d'un défilé étroit comme une fente. De sinistres ciselures et pictogrammes, vieux de neuf cents ans, décorent ses étranges parois. Des habitations en pierre friable nichent dans des renfoncements. Ce sont celles d'un peuple disparu depuis longtemps – celui-là même qui a créé cet art sur roche –, les Kayenta Anasazis. Leurs fragments de poterie se mélangent dans le sable avec les boîtes en fer rouillées abandonnées par les vachers du tournant du siècle dont les troupeaux venaient paître et s'abreuver dans le canyon.

Sur la plus grande partie de sa modeste longueur, le ravin Davis est une profonde et sinueuse entaille de roche lisse dont le haut est bordé par des murs de grès en surplomb qui empêchent d'accéder au fond du canyon. Toutefois, dans sa partie la plus basse, il existe un chemin secret pour descendre dans le ravin. Juste en amont de l'endroit où le Davis Creek se jette dans le lac Powell, une rampe naturelle descend en zigzaguant sur le bord ouest du canyon. Un peu avant d'arriver au ruisseau, la rampe s'arrête, et des marches sommaires apparaissent. Elles ont été creusées dans le grès tendre par des bouviers mormons, il y a presque un siècle.

Le pays qui entoure le ravin Davis est une étendue desséchée de roches nues et de sable couleur rouge brique. La végétation est pauvre. Le soleil écrasant ne produit presque aucune ombre. Mais lorsqu'on descend dans l'étroit canyon, on entre dans un autre monde. Des peupliers s'inclinent avec grâce sur des haies de figuiers de Barbarie en fleur. L'herbe haute se balance dans la brise. La fleur éphémère d'un lis se détache à la base d'une arche de pierre de 30 mètres, et des roitelets se lancent des appels plaintifs dans un bosquet de petits chênes. Très haut au-dessus du ruisseau, une source jaillit de la paroi en arrosant la mousse et la fougère capillaire qui descendent sur la roche comme un rideau vert.

Il y a soixante ans, dans cette cachette enchanteresse, à moins de deux kilomètres en aval de l'endroit où les marches des mormons touchent le fond du ravin, un jeune homme de vingt ans, Everett Ruess, grava son nom de plume sur la paroi du canyon, au-dessous d'une série de pictogrammes anasazis. Il fit de même à l'entrée d'une petite construction où les Anasazis entreposaient le grain. Il griffonna « NEMO 1934 », mû sans doute par la même impulsion qui incita Chris McCandless à inscrire « Alexandre Supertramp/mai 1992 » sur l'autobus de la Sushana. Et cette impulsion n'est peut-être guère différente de celle qui poussa les Anasazis à orner la roche de leurs symboles aujourd'hui indéchiffrables. Quoi qu'il en soit, peu de temps après avoir laissé sa marque dans le grès, Ruess quitta le ravin et disparut mystérieusement, intentionnellement, semble-t-il. Des recherches approfondies ne donnèrent aucun résultat. Il était parti, tout simplement, avalé par le désert. Soixante ans après, nous ne savons toujours pas ce qu'il est devenu.

Everett était né à Oakland, Californie, en 1914. Il était le cadet des deux fils de Christopher et Stella Ruess. Christopher, diplômé de théologie à Harvard, était poète, philosophe et pasteur. Mais il gagnait sa vie comme employé de bureau dans l'administration pénitentiaire californienne. Stella était une femme de tête avec des goûts de bohémienne et de grandes ambitions artistiques, aussi bien pour elle-même que pour sa progéniture. Elle publia par ses propres moyens une revue littéraire, le *Quartette Ruess,* dont la couverture était enrichie par la devise de la famille : « Rendre gloire à chaque heure. » Les Ruess, qui formaient un groupe uni, étaient aussi une famille nomade, qui déménagea d'Oakland pour aller à Fresno, puis de là à Los Angeles, à Boston, à Brooklyn, au New Jersey, en Indiana, avant de s'installer finalement dans le sud de la Californie quand Everett était âgé de quatorze ans.

À Los Angeles, Everett suivit un enseignement artistique. Quand il eut seize ans, il se lança dans sa première grande randonnée en solitaire. Il passa l'été 1930 à faire du stop et à marcher dans la région de Yosemite et Big Sur pour aboutir à Carmel. Deux jours après son arrivée, il sonnait à la porte d'Edward Weston, lequel fut suffisamment charmé par l'impatient jeune homme pour le recevoir avec bonne grâce. Pendant les deux mois suivants, l'éminent photographe encouragea les efforts, encore imparfaits mais prometteurs, de Ruess, dans les domaines de la peinture et de la gravure. Et il le présenta à ses deux fils, Neil et Cole.

À la fin de l'été, Everett retourna chez lui, le temps d'obtenir son diplôme de fin d'études secondaires qui lui fut remis en janvier 1931. Moins d'un mois plus tard, il était reparti sur les routes, traversant seul la région des canyons dans l'Utah, l'Arizona et le Nouveau-Mexique, État peu peuplé à l'époque et entouré d'un halo mystique, comme l'est l'Alaska aujourd'hui.

Si l'on excepte un court et malheureux passage à l'université de Los Angeles (il abandonna ses études après un semestre, ce qui consterna durablement son père), deux voyages prolongés avec ses parents et un hiver à San Francisco (où il fit notamment la connaissance du peintre Maynard Dixon), Ruess passa le reste de sa vie météorique à se déplacer le sac au dos, vivant chichement, dormant dans la saleté et, en une occasion, demeurant joyeusement affamé pendant plusieurs jours.

Pour reprendre les mots de Wallace Stegner, Ruess était « un romantique sans expérience, un esthète adolescent, un atavique voyageur dans les grands espaces » :

Dans un rêve, à dix-huit ans, il se vit en train de se frayer un chemin dans les jungles, de faire des rétablissements sur les corniches, de traverser les grands espaces romantiques du monde. Quiconque a conservé en lui une trace de son enfance se souvient de rêves semblables. Ce qu'il y avait de particulier chez Everett Ruess, c'est qu'il fit réellement ce qu'il avait rêvé, non pas simplement en passant deux semaines de vacances dans des parcs aménagés et bien entretenus, mais pendant des mois et des années, au cœur même d'une nature merveilleuse.

De façon délibérée, il endurcit son corps, développa son endurance, testa son aptitude à l'effort. Il s'engagea sur des pistes que les Indiens et les anciens lui avaient déconseillées. Il s'attaqua à des parois qui, plus d'une fois, le laissèrent en suspens à mi-pente... À propos de ses séjours près des poches d'eau, des canyons, sur les crêtes boisées des monts Navajo, il écrivit à sa famille et à ses amis de longues lettres savoureuses et enthousiastes où il condamnait les stéréotypes de la civilisation et lançait à la face du monde son cri barbare d'adolescent.

Ruess produisit de nombreuses lettres du même genre. Elles portaient le tampon des endroits perdus où il passait. À lire cette correspondance (rassemblée dans la biographie très documentée de W.L. Rusho, *Everett Ruess, Un vagabond à la recherche de la beauté*), on est frappé de trouver chez Ruess un désir passionné de fusion avec le monde naturel et une passion presque incendiaire pour les régions qu'il traversait. À son ami Cornel Tengel il confia : « J'ai vécu des moments extraordinaires dans la nature depuis ma dernière lettre, des moments très forts où je me sentais submergé. Mais dans des circonstances semblables, je me sens toujours submergé. J'en ai besoin pour que la vie ait un sens. »

La correspondance d'Everett Ruess révèle des ressemblances troublantes entre Chris McCandless et lui. Voici quelques extraits de ses lettres :

Je pense de plus en plus que je serai toujours un voyageur solitaire dans la nature. Grand Dieu, que j'aime les expéditions ! Tu ne peux comprendre l'irrésistible fascination qu'elles exercent sur moi. Après tout, partir seul est ce qu'il y a de mieux... Je ne cesserai jamais de partir à l'aventure. Et quand viendra l'heure de mourir, je trouverai l'endroit le plus sauvage, le plus solitaire, le plus désolé qui puisse exister.

La beauté de ce pays devient une part de moi-même. Je me sens plus détaché de la vie et un peu meilleur... J'ai quelques bons amis ici, mais aucun ne comprend vraiment pourquoi je suis là et ce que je fais. Je ne connais personne qui dépasse une compréhension partielle ; je suis allé trop loin dans cette voie solitaire.

La vie, telle que la plupart des gens la vivent, m'a toujours laissé insatisfait. Je veux une vie plus intense, plus riche.

Dans mes déambulations, cette année, j'ai pris plus de risques et j'ai vécu plus d'aventures que jamais auparavant. Et quelle région magnifique j'ai vue ! D'immenses étendues sauvages, des mesas perdues, des montagnes bleues s'élevant sur le sable vermillon du désert, des canyons larges de 1,50 mètre à la base et très profonds, de grosses averses se déversant sur des canyons inconnus et des centaines de maisons creusées dans la roche abandonnées depuis mille ans.

Un demi-siècle plus tard, on croit entendre un écho sinistre de Ruess dans cette carte postale de McCandless à Wayne Westerberg où il écrit : « J'ai décidé de continuer à mener la même existence pendant quelque temps. La liberté et la beauté simple de cette vie sont trop bonnes pour que je les quitte comme ça. » On croit également entendre la voix de Ruess dans la dernière lettre de McCandless à Ronald Franz.

Ruess était aussi romantique que McCandless, sinon plus, et tout aussi peu soucieux de sa sécurité. Clayborn Lockett, un archéologue qui employa temporairement Ruess comme cuisinier tandis qu'il effectuait des fouilles dans une habitation creusée dans la roche en 1934, dit à Rusho qu'il était « consterné par l'imprudence apparente avec laquelle Everett escaladait les parois dangereuses ».

À la vérité, Ruess lui-même s'en vante dans l'une de ses lettres. « Des centaines de fois j'ai risqué ma vie en escaladant des parois friables en grès, presque verticales, à la recherche d'un peu d'eau ou d'habitations. À deux reprises j'ai failli mourir encorné par un taureau sauvage. Mais je m'en suis toujours bien tiré et je suis allé vers d'autres aventures. » Dans sa dernière lettre, il confie tranquillement à son frère :

À plusieurs reprises, j'ai échappé de peu à des crotales et aussi à des parois friables. Voici ma dernière mésaventure : Chocolatero [son âne] *a dérangé un essaim d'abeilles sauvages. Quelques piqûres de plus auraient pu m'être fatales. Il m'a fallu trois ou quatre jours pour pouvoir ouvrir les yeux et me servir de mes mains.*

Tout comme McCandless, Ruess supportait bien la douleur physique ; parfois il semblait même l'accueillir avec joie. « Depuis six jours, je souffre de mon empoisonnement biannuel – mes souffrances sont loin de s'être apaisées », écrit-il à son ami Bill Jacobs, et il poursuit :

Pendant deux jours, je ne savais pas si j'étais mort ou vivant. Je me tordais dans la chaleur, couvert de fourmis et de mouches, tandis que le poison suintait sur mon visage, mes bras, mon dos, et y formait des croûtes. Je ne mangeais rien – il n'y avait rien d'autre à faire que souffrir philosophiquement...

J'attrape ça à chaque fois, mais je refuse de quitter les bois.

Et comme McCandless lorsqu'il entreprit sa dernière odyssée, Ruess adopta un nouveau nom, ou plutôt une série de nouveaux noms. Dans une lettre du 1er mars 1931, il informe sa famille qu'il a décidé de s'appeler désormais Lan Rameau et lui demande de respecter son « nom de brousse... Comment dit-on en français ? *Nomme de broushe,* c'est ça ? » Cependant, deux mois plus tard, il explique dans une autre lettre : « J'ai à nouveau changé mon nom. Ce sera Evert Rulan. Ceux qui me connaissaient trouvaient que mon nom était bizarre et qu'il avait une consonance française affectée. » Puis, en août de la même année, sans aucune explication, il reprend son nom d'Everett Ruess et le garde pendant les trois années qui suivent

– jusqu'à son expédition au ravin Davis. Là, pour une raison impossible à deviner, Everett inscrivit deux fois le nom Nemo – « personne » en latin – dans le grès tendre du pays Navajo, et ensuite il disparut. Il avait vingt ans.

Les dernières lettres qu'on ait reçues de lui furent postées le 11 novembre 1934 d'Escalante, un village mormon situé à 90 kilomètres au nord du ravin Davis. Elles sont adressées à ses parents et à son frère. Il les informe qu'il sera « incommunicado » pendant un mois ou deux. Huit jours après les avoir envoyées, il rencontra deux bergers à environ 1,5 kilomètre du ravin et passa deux nuits à leur campement ; d'après ce que l'on sait, ce sont les dernières personnes à l'avoir vu vivant.

À peu près trois mois après que Ruess eut quitté Escalante, ses parents reçurent un paquet de lettres retournées par la poste de Marble Canyon, en Arizona, où Everett aurait dû passer depuis longtemps. Inquiets, Christopher et Stella Ruess prévinrent les autorités d'Escalante, lesquelles organisèrent des recherches au début du mois de mars 1935. Partant du campement des bergers où Ruess avait été vu pour la dernière fois, elles passèrent au peigne fin la région et découvrirent très vite les deux ânes d'Everett au fond du ravin Davis. Ils broutaient tranquillement dans un corral de fortune fabriqué au moyen de branches d'arbres et de broussaille.

Les ânes étaient parqués dans la partie supérieure du canyon, juste en amont de l'endroit où les marches des mormons atteignent le fond du ravin. À une courte distance en aval on découvrit les traces non équivoques du camp de Ruess, puis, sur l'entrée d'un grenier anasazi, sous une magnifique arche naturelle, on trouva « NEMO 1934 » gravé sur la pierre. Disposées soigneusement sur un rocher tout proche, il y avait quatre poteries anasazis. Trois mois plus tard, l'équipe de recherche trouva une autre inscription un peu plus bas dans le ravin (les eaux du lac Powell, qui commença à se remplir après la construction du barrage de Glen Canyon en 1963, ont depuis longtemps effacé les deux inscriptions), mais à l'exception des ânes et de leurs harnais, aucune des affaires de Ruess – ni son matériel de camping, ni ses journaux, ni ses tableaux – ne fut jamais retrouvée.

On pense généralement qu'il fit une chute mortelle en escaladant l'une des parois du canyon. Étant donné la nature traîtresse de la topographie locale (le grès de la région navajo, sous l'effet de l'érosion, forme des précipices aux parois concaves), et le penchant de Ruess pour les escalades dangereuses, c'est un scénario crédible. Mais des recherches soigneuses sur les parois des environs n'ont révélé aucun reste humain.

Et comment expliquer qu'il ait apparemment quitté le ravin avec un équipement assez lourd, mais sans ses bêtes ? Ces circonstances troublantes ont conduit quelques enquêteurs à conclure que Ruess avait été assassiné par une équipe de voleurs de bétail dont on sait qu'ils étaient dans les parages. Ils auraient volé ses affaires et enterré son corps, ou bien l'auraient jeté dans le Colorado. Cette thèse est également plausible, mais aucune preuve ne vient l'étayer.

Peu après la disparition d'Everett, son père suggéra qu'il avait probablement choisi de s'appeler Nemo d'après le roman de Jules Verne *Vingt Mille Lieues sous les mers,* qu'il avait lu de nombreuses fois. Dans ce livre, un homme au cœur pur, le capitaine Nemo, fuit la société en coupant tout lien avec la surface de la terre. Le biographe d'Everett, W.L. Rusho, partage l'avis de Christopher Ruess : « Le retrait d'Everett de la société, son dédain des plaisirs mondains et l'inscription Nemo dans le ravin Davis, tout cela suggère fortement qu'il s'identifiait au personnage de Jules Verne. »

La fascination apparente de Ruess pour le capitaine Nemo a entretenu les spéculations d'un certain nombre de ses mythographes. Selon eux, Everett a tiré un trait sur le monde après avoir quitté le ravin Davis et il s'est installé tranquillement quelque part sous une fausse identité. Il y a un an, alors que je prenais de l'essence à Kingman, en Arizona, j'engageai une conversation au sujet de Ruess avec le pompiste. C'était un petit homme entre deux âges, avec des tics et des restes de nourriture collés aux coins de la bouche. Sur un ton de conviction persuasif, il jura qu'« un de ses potes avait vraiment rencontré Ruess » à la fin des années soixante dans une hutte indienne isolée, à l'intérieur de la réserve navajo. Selon l'ami du pompiste, Ruess était marié à une femme navajo dont il avait au moins un enfant. Il est inutile de préciser que la véracité de ce témoignage et d'autres du même genre est plus que suspecte.

Ken Sleight, qui a passé plus de temps que quiconque à enquêter sur l'énigme de la disparition de Ruess, est persuadé que le jeune homme mourut en 1934 ou au début de 1935, et il croit savoir comment. Sleight, âgé de soixante-cinq ans, est un guide de rivière professionnel et un rat du désert qui a à la fois une éducation de mormon et une réputation d'insolence. On dit qu'il a inspiré le personnage de Seldom Seen Smith dans *Le Gang de la clef à molette,* le roman picaresque sur l'écoterrorisme qui se déroule dans la région des canyons et dont l'auteur, Edward Abbey, est un de ses amis. Cela fait quarante ans qu'il vit dans le pays et il a quasiment visité tous les endroits où Ruess est allé, il a parlé à beaucoup de gens dont le chemin a croisé celui de Ruess et il a emmené le frère aîné de Ruess, Waldo, dans le ravin Davis pour lui montrer le lieu de la disparition.

« Waldo considère qu'Everett a été assassiné, dit Sleight. Mais je ne suis pas de cet avis. J'ai habité Escalante pendant deux ans. J'ai parlé aux gens qu'on accuse de l'avoir tué, et je pense vraiment qu'ils ne l'ont pas fait. Mais on ne sait jamais. On ne peut pas vraiment savoir ce qu'une personne fait en secret. Il y en a d'autres qui croient qu'Everett a fait une chute. Ouais, ça se pourrait. Mais selon moi, ce n'est pas ça qui est arrivé. Je vais vous dire, je pense qu'il s'est noyé. »

Il y a des années de cela, en descendant à pied le long du Grand Gulch, un affluent de la rivière San Juan, Sleight découvrit l'inscription Nemo tracée dans le mortier tendre d'un grenier anasazi. Il conjecture que Ruess a tracé ce nom peu de temps après son départ du ravin Davis.

« Après avoir parqué ses ânes, Ruess a caché toutes ses affaires quelque part dans une grotte et il est parti, pour jouer au capitaine Nemo. Il avait des amis indiens dans la réserve navajo, et c'est par là qu'il a dû aller. » L'itinéraire logique pour se rendre au pays navajo aurait conduit Ruess à traverser le fleuve Colorado au lieu-dit Hole-in-the-Rock, puis à suivre une piste sommaire tracée par les colons mormons en 1880. Elle traverse la Mesa Wilson et les collines d'argile, et ensuite descend le long du Grand Gulch jusqu'à la rivière San Juan au-delà de laquelle s'étend la réserve. « Everett a gravé son Nemo sur la ruine du Grand Gulch à environ 1,5 kilomètre en aval du Collins Creek, et puis il a continué jusqu'à la San Juan.

Et quand il a essayé de la traverser à la nage, il s'est noyé. Voilà ce que je crois. »

Sleight est convaincu que si Ruess, ayant traversé la rivière sain et sauf, avait atteint la réserve, il lui aurait été impossible de dissimuler sa présence, « même s'il avait continué à jouer son rôle de Nemo. Everett était un solitaire, mais il aimait trop la compagnie pour s'installer quelque part et y vivre caché pour le restant de ses jours. Il y a beaucoup de gens comme ça, je suis comme ça, Ed Abbey aussi, et il semble bien que c'était également le cas du jeune McCandless. Nous aimons la camaraderie, mais nous ne supportons pas d'avoir du monde autour de nous très longtemps. C'est pourquoi nous nous retirons, nous revenons pour un moment, et puis nous allons à nouveau au diable. C'est ce que faisait Everett.

Everett était un garçon étrange, différent des autres, mais lui et McCandless ont au moins essayé de vivre leur rêve. Ils ont essayé. Peu de gens le font. »

Lorsqu'on tente de comprendre Everett Ruess et Chris McCandless, il peut être éclairant d'examiner leurs faits et gestes dans un contexte plus large, de changer de lieux et de remonter plusieurs siècles en arrière.

Au large de la côte sud-est de l'Islande, il y a une île en forme de longue barrière appelée Papo´s. Dépourvue d'arbres et rocailleuse, battue par les vents de l'Atlantique Nord, elle tient son nom de ses premiers habitants – disparus depuis longtemps –, des moines irlandais appelés les *papar*. En marchant le long de cette côte par un après-midi d'été, je m'arrêtai devant un ensemble de rectangles enfouis dans la toundra. C'étaient les vestiges des anciennes habitations des moines, plus vieilles de plusieurs siècles que les ruines anasazis du ravin Davis.

Les moines arrivèrent ici dès les Ve et VIe siècles de notre ère, après avoir navigué à la rame et à la voile depuis les côtes occidentales de l'Irlande. Utilisant des petits bateaux sans pont appelés *curraghs* – qu'ils construisaient au moyen de peaux de vaches tendues sur des structures en osier –, ils traversèrent l'une des étendues océaniques les plus dangereuses au monde sans savoir ce qu'ils trouveraient au terme de leur voyage, ni même s'ils trouveraient quelque chose.

Si les *papar* risquèrent leur vie – et la perdirent dans des flots inconnus –, ce ne fut ni par désir de richesse ou de gloire personnelle, ni pour donner une nouvelle terre à quelque despote. Comme l'indique le grand explorateur arctique et prix Nobel Fridtjof Nansen : « Ces voyages remarquables furent principalement entrepris par désir de trouver des lieux solitaires où ces anachorètes pourraient vivre en paix, à l'abri des tumultes et des tentations du monde. » Lorsqu'une première poignée de Norvégiens fit son apparition sur les côtes d'Islande au XIXe siècle, les *papar* décidèrent qu'il y avait trop de monde dans le pays – bien qu'il fût encore fort peu habité. Leur réaction fut de monter dans leurs *curraghs* et de se diriger vers le Groenland. Ils traversèrent l'océan creusé par la tempête, entraînés vers l'ouest au-delà du monde connu par un besoin spirituel, par un désir d'une telle intensité qu'il laisse perplexe l'imagination des hommes d'aujourd'hui.

Quand on lit l'histoire de ces moines, on est ému par leur courage, par leur innocence téméraire et par la force de leur désir. Et on ne peut s'empêcher de penser à Everett Ruess et Chris McCandless.

10

Fairbanks

AGONISANT DANS LA FORÊT, UN RANDONNEUR NOTE SES DERNIERS INSTANTS.

Anchorage, 12 septembre (AP) – Dimanche dernier, un jeune randonneur, immobilisé par une blessure, a été trouvé mort dans un campement isolé de l'intérieur de l'Alaska. Personne ne sait encore avec certitude qui il était. Mais son journal intime et deux notes trouvés sur place racontent l'histoire poignante de ses efforts désespérés et bientôt futiles pour essayer de survivre.

Le journal indique que cet homme, que l'on croit être un Américain d'environ trente ans, pourrait bien s'être blessé dans une chute à la suite de laquelle il a dû rester à son camp pendant plus de trois mois. Il raconte comment il a tenté de se maintenir en vie en chassant et en consommant des plantes sauvages, sans autre résultat qu'un constant affaiblissement.

L'une de ses deux notes est un appel au secours adressé à toute personne qui viendrait à son camp pendant que lui-même chercherait de la nourriture dans les environs. La seconde note est un adieu au monde…

Une autopsie effectuée cette semaine dans les services du coroner à Fairbanks établit que l'homme est mort de dénutrition, probablement fin juillet. Les autorités ont trouvé dans ses affaires un nom qu'elles pensent être le sien. Mais jusqu'à présent elles n'ont pu confirmer son identité et, en attendant, se sont refusées à la divulguer.

The New York Times.
13 septembre 1992.

Au moment où le *New York Times* rapportait l'histoire du randonneur, cela faisait une semaine que la police montée d'Alaska essayait de découvrir son identité. Lorsqu'il mourut, McCandless portait un sweat-shirt bleu sur lequel était imprimé le logo d'une entreprise de dépannage de Santa Barbara. Quand on s'adressa à lui, le remorqueur d'épaves assura ne rien savoir de l'homme ni de la façon dont il avait acquis le vêtement. Comme le journal bref et sibyllin que l'on avait trouvé près du corps comportait en maints endroits des observations succinctes sur la flore et la faune, on se demanda si McCandless n'était pas un biologiste de terrain. Mais cela non plus ne conduisit nulle part.

Le 10 septembre, soit trois jours avant l'article du *Times,* l'*Anchorage Daily News* rapporta le fait divers en première page. Lorsque Jim Gallien vit le titre et la carte qui indiquait que le corps avait été trouvé à 40 kilomètres à l'ouest de Healy sur la piste Stampede, il sentit ses cheveux se dresser sur sa tête : c'était Alex ! Gallien gardait encore en mémoire l'image de l'étrange et sympathique jeune homme en train de descendre la piste dans des bottes trop grandes pour lui – les vieilles bottes marron qu'il avait persuadé le garçon de prendre. « D'après l'article du journal, malgré le peu d'informations, ça avait bien l'air d'être la même personne. Alors j'ai appelé la police montée et je leur ai dit : "Je pense que j'ai pris ce type en stop." "Ouais, d'accord, répliqua le policier Roger Ellis à l'autre bout du fil. Qu'est-ce qui vous fait penser ça ? Vous êtes le sixième en une heure qui prétend connaître l'identité du randonneur." »

Mais Gallien insista, et plus il parlait, plus le scepticisme d'Ellis diminuait. Gallien donna une description de plusieurs objets que l'article ne mentionnait pas et qui correspondaient à l'équipement trouvé avec le corps. Et puis Ellis fit le rapprochement avec le début mystérieux du journal intime : « Quitté Fairbanks. Galliennement installé. Mauvais jour. »

À ce moment-là, les policiers avaient déjà développé les photos du randonneur. Apparemment, elles comprenaient plusieurs autoportraits. « Quand ils m'ont apporté les photos sur mon lieu de travail, raconte Gallien, il n'y avait plus à hésiter. Le gars sur les photos, c'était Alex. »

Comme McCandless avait dit à Gallien qu'il venait du Dakota du Sud, les policiers orientèrent leurs recherches dans cette direction, afin de retrouver un de ses parents. Par coïncidence, un bulletin de recherche signalait une personne disparue nommée McCandless et venant d'une petite ville située à 32 kilomètres de Carthage. Les policiers pensèrent avoir trouvé leur homme. Mais c'était encore une fausse piste.

Westerberg n'avait eu aucune nouvelle de l'ami qu'il connaissait sous le nom d'Alex McCandless depuis la carte postale envoyée de Fairbanks au printemps précédent. Le 13 septembre, il roulait sur une route déserte après avoir quitté Jamestown, dans le Dakota du Nord, pour ramener son équipe de moissonneurs à Carthage. Il venait de boucler quatre mois de moisson dans le Montana. Soudain la radio VHF se mit à hurler : « Wayne ! crachotait une voix angoissée qui venait d'un des véhicules de l'équipe, ici Bob, tu as mis la radio ?

— Oui, Bobby, ici Wayne, qu'est-ce qui se passe ?

— Vite, allume ta radio et écoute Paul Harvey. Il parle d'un gars qui est mort de faim en Alaska. La police ne sait pas qui c'est. Ça a bien l'air d'être Alex. »

Westerberg trouva la station à temps pour entendre la fin de l'émission, et il fut forcé de l'admettre : les quelques précisions fournies faisaient terriblement penser à son ami.

Aussitôt arrivé à Carthage, Westerberg, complètement abattu, téléphona à la police montée en Alaska pour dire ce qu'il savait de McCandless. Mais déjà, dans tout le pays, les journaux avaient fait une place importante à la mort du randonneur, publiant même des extraits de son journal. Aussi les policiers étaient-ils submergés d'appels de gens qui prétendaient connaître son identité. Ils furent donc encore moins réceptifs à ce que voulait leur dire Westerberg qu'ils ne l'avaient été pour Gallien. « Le flic me dit qu'ils avaient eu plus de cent cinquante appels de personnes qui prétendaient qu'Alex était leur enfant, leur ami ou leur frère, raconte Westerberg. Ça me cassait vraiment les pieds d'entrer dans ce cirque, alors je lui ai dit : "Écoutez, je ne suis pas comme ces fêlés qui vous appellent. Je *sais* qui il est. Il a travaillé pour moi. Je pense même que j'ai son numéro de sécurité sociale quelque part." »

Westerberg fouilla dans ses dossiers jusqu'à ce qu'il retrouve les deux fiches que McCandless avait remplies. Sur la première, qui remontait à son premier séjour à Carthage en 1990, il avait griffonné : Néant, Néant, Néant, Néant. Nom : Iris Fucyu. Adresse : Ce n'est pas votre affaire. Numéro de Sécurité sociale : Je l'ai oublié.

Mais sur la seconde fiche, datée du 30 mars 1992, soit deux semaines avant son départ en Alaska, il avait indiqué son nom : Chris J. McCandless, et son numéro de Sécurité sociale : 228-31-6704. Westerberg rappela l'Alaska. Cette fois, les policiers le prirent au sérieux.

Le numéro de Sécurité sociale était exact. Il permettait de situer le domicile de McCandless dans le nord de la Virginie. La police montée se mit en rapport avec les autorités de cet État, lesquelles entreprirent de chercher des McCandless dans l'annuaire téléphonique. À cette époque, Walt et Billie étaient allés s'installer sur la côte du Maryland et n'avaient plus de numéro de téléphone en Virginie, mais le fils aîné de Walt vivait à Annandale et figurait dans l'annuaire. C'est ainsi que le 17 septembre en fin d'après-midi Sam McCandless reçut un appel de la police criminelle du comté de Fairfax.

Sam, de neuf ans plus âgé que Chris, avait vu un bref article sur le randonneur dans le *Washington Post* quelques jours plus tôt, mais, dit-il : « Il ne m'est pas venu à l'esprit qu'il puisse s'agir de Chris. Ça ne m'a même pas effleuré. L'ironie veut qu'en lisant l'article je me sois dit : "Oh, mon Dieu, quelle terrible tragédie ! La famille de ce garçon, quelle qu'elle soit, est bien à plaindre. Quelle triste histoire !" »

Sam a été élevé en Californie et dans le Colorado chez sa mère et n'est venu s'installer en Virginie qu'en 1987, après que Chris fut parti faire ses études à l'université d'Atlanta. Aussi Sam connaissait-il peu son demi-frère. Mais quand l'inspecteur se mit à lui demander si le randonneur pouvait être quelqu'un de sa connaissance, il fut persuadé qu'il s'agissait de Chris : « Le fait qu'il soit parti en Alaska et qu'il y soit allé tout seul. Tout concordait. »

À la demande de l'inspecteur, Sam se rendit dans les bureaux de la police de Fairfax, et là, un policier lui montra une photographie du randonneur, envoyée par fax de Fairbanks. « C'était un agrandissement, se souvient Sam, un portrait. Il avait les cheveux longs et portait la barbe. Chris avait presque toujours les cheveux coupés court et se rasait de près. Et sur la photo le visage était extrêmement émacié. Mais je l'ai reconnu tout de suite. Il n'y avait aucun doute possible. C'était Chris. Je suis rentré chez moi, et avec ma femme, Michele, nous sommes partis en voiture pour le Maryland pour prévenir Papa et Billie. Je ne savais pas ce que j'allais dire. Comment annoncer à des parents que leur enfant est mort ? »

11

Chesapeake

Tout avait changé soudainement. Le ton, le climat moral ; on ne savait que penser, ni qui croire. C'était comme si on nous avait conduits par la main – tels de petits enfants – toute notre vie et que soudain nous nous retrouvions seuls ; il fallait apprendre à marcher par soi-même. Il n'y avait personne auprès de nous, ni parents ni quiconque dont nous respections le jugement. Dans une telle époque, on ressentait le besoin de se consacrer à un idéal – la vie, la vérité ou la beauté –, de lui obéir, au lieu de suivre les règles humaines qui avaient été mises au rebut. Nous devions nous soumettre à un but ultime plus pleinement, avec moins de réserve que nous ne l'avions fait dans les jours paisibles et familiers de la vie passée, qui était maintenant abolie et avait disparu pour de bon.

Boris Pasternak, *Le Docteur Jivago.*

Passage souligné dans l'un des livres trouvés avec les affaires de Chris McCandless. On peut lire, écrit de sa main, dans la marge au-dessus du passage : « Besoin d'un but. »

Samuel Walter McCandless, Jr., âgé de cinquante-six ans, est un homme taciturne. Il porte la barbe, ses cheveux poivre et sel assez longs sont ramenés en arrière et dégagent son grand front. Grand, de stature solide, il porte des lunettes à monture métallique qui lui donnent l'air d'un professeur. Sept semaines après la découverte du corps de son fils enveloppé dans le sac de couchage bleu que Billie avait confectionné pour lui, Walt concentre son regard sur un voilier qui évolue devant la fenêtre de sa maison du front de mer. Contemplant sans expression la Chesapeake Bay, il pense à haute voix : « Comment se fait-il qu'un enfant qui a en lui tant de compassion puisse causer une telle douleur à ses parents ? »

La maison des McCandless à Chesapeake Beach, dans le Maryland, est décorée avec goût, parfaitement propre et sans le moindre désordre. Des portes-fenêtres donnent sur la baie brumeuse. Une grosse Chevy Suburban et une Cadillac blanche stationnent devant la porte, dans le garage il y a une Corvette 69 soigneusement restaurée et sur le quai est amarré un catamaran de croisière de 9 mètres. Sur la table de la salle à manger, cela fait de nombreux jours que sont disposées quatre grandes feuilles couvertes de photos illustrant la brève vie de Chris.

Tournant autour de cette présentation, Billie montre Chris tout petit, sur un cheval à bascule, Chris à huit ans dans un ciré jaune, pour sa première randonnée, Chris à son entrée au lycée. Walt s'arrête devant une photo qui montre son fils faisant le clown pendant les vacances. D'une voix qui tremble imperceptiblement, il dit : « Le plus dur, c'est de ne plus l'avoir auprès de soi. J'ai passé beaucoup de temps avec Chris, peut-être plus qu'avec aucun de mes autres enfants. J'aimais beaucoup sa présence, même s'il nous en privait souvent. »

Walt porte un survêtement gris, des tennis, et un blouson de base-ball en satin portant le logo du Jet Propulsion Laboratory. Malgré cette tenue de loisir, il donne une impression d'autorité. Dans son domaine, celui d'une technologie avancée des radars appelée SAR (Synthetic Aperture Radar), c'est un ponte. Depuis 1978, année où le premier satellite équipé du SAR – *Seasat* – a été mis sur orbite, cette technologie a toujours été utilisée dans les missions spatiales. Lors du lancement de *Seasat,* le directeur du projet de la NASA était Walt McCandless.

Sur la première ligne de son curriculum vitae, on peut lire : « À l'intention du Département de la Défense. Top Secret. » Un peu plus bas la mention de son expérience professionnelle commence ainsi : « En tant que consultant privé, j'offre des services concernant les projets de capteurs à distance et de satellites, en relation avec la transmission de signaux, la réduction de données et les tâches d'extraction de l'information. » Ses collègues parlent de lui comme d'un esprit brillant.

Walt est habitué à ce que les regards soient tournés vers lui. Par réflexe, inconsciemment, il garde la maîtrise de lui-même. Bien qu'il parle calmement avec ce débit tranquille des Américains de l'Ouest, il y a quelque chose de forcé dans sa voix et ses mâchoires trahissent une nervosité sous-jacente. Même dans la pièce où nous sommes, on sent qu'un courant à très haute tension parcourt ses nerfs. On comprend sans erreur possible d'où venait l'intensité de Chris.

Quand Walt parle, les gens écoutent. Si quelque chose ou quelqu'un lui déplaît, ses yeux se plissent et ses propos deviennent plus hachés. D'après les membres de sa famille, son humeur peut être sombre et changeante, bien que, d'après eux, son caractère ait beaucoup perdu de sa versatilité ces dernières années. Après le départ de Chris en 1990, Walt a changé. La disparition de son fils lui a fait peur et l'a amené à s'amender. Un côté plus doux, plus tolérant de sa personnalité a pris le dessus.

Walt a vécu son enfance dans une famille pauvre à Greeley dans le Colorado. C'est une agglomération rurale située dans les hautes plaines battues par les vents, près de la frontière du Wyoming. Il déclare sans ambages que sa famille « était du mauvais côté de la barrière ». Enfant doué et suivi de près, il obtint une bourse pour aller à l'université d'État du Colorado, dans la localité toute proche de Fort Collins. Pour joindre les deux bouts, il avait fait toute une série de travaux à temps partiel, notamment dans une morgue, mais ses revenus les plus réguliers venaient de sa participation au quartette de jazz de Charlie Novak. L'orchestre de Novak, avec Walt au piano, tournait dans toute la région, déversant sa musique de danse et ses vieux airs dans des bouges enfumés d'un bout à l'autre de la chaîne de Front. Walt est un musicien inspiré, de grand talent, et aujourd'hui encore, il joue de temps à autre en professionnel.

En 1957, les Soviétiques lancèrent leur *Spoutnik I*, répandant une peur diffuse dans toute l'Amérique. Dans l'hystérie nationale qui suivit, le Congrès déversa des millions de dollars sur l'industrie aérospatiale basée en Californie, et ce fut le début du boom. Pour le jeune Walt McCandless, à peine sorti de l'université, marié, bientôt père, le *Spoutnik* ouvrit la porte de la chance. Après l'obtention de son diplôme, il entra à la Hughes Aircraft qui l'envoya à Tucson pendant trois ans. Là, il obtint un diplôme de troisième cycle dans le domaine de la théorie des antennes à l'université d'Arizona. Aussitôt après avoir terminé sa thèse sur « l'analyse des hélices coniques », il rejoignit le grand théâtre d'opérations californien de Hughes où se passaient les choses sérieuses, avec un désir aigu d'apporter sa contribution à la conquête de l'espace.

Il acheta un petit bungalow à Torrance, travailla dur et grimpa rapidement les échelons. Sam naquit en 1959 ; quatre autres enfants suivirent rapidement : Stacy, Shawna, Shelly et Shannon. Walt fut nommé directeur des essais et directeur de département pour la mission de *Surveyor 1*, le premier engin spatial à se poser en douceur sur la Lune. Son étoile brillait, et montait.

Mais, en 1967, son mariage commença à battre de l'aile. Marcia et lui se séparèrent. Walt se mit à fréquenter une secrétaire de chez Hughes nommée Wilhelmina Johnson – tout le monde l'appelait Billie – qui avait vingt-deux ans et de remarquables yeux noirs. Ils s'éprirent l'un de l'autre et vécurent ensemble. Billie attendit un enfant. Très menue, elle ne prit que 4 kilos en neuf mois et ne porta jamais de vêtements de grossesse. Le 12 février 1968, Billie donna naissance à un fils. Son poids était insuffisant, mais il était en bonne santé et vif. Walt offrit à Billie une guitare Gianini sur laquelle elle jouait des berceuses pour calmer le nouveau-né. Vingt-deux ans plus tard, les gardes du parc national trouveraient cette même guitare sur le siège arrière d'une Datsun jaune abandonnée près de la rive du lac Mead.

Il est impossible de savoir quelle obscure combinaison chromosomique, quelle dynamique parents-enfant ou quelle configuration astrale en fut responsable, mais Christopher Johnson McCandless vint au monde avec des dons hors du commun et une volonté qui ne déviait pas facilement de sa trajectoire. À l'âge de deux ans, il se leva au milieu de la nuit, parvint à sortir sans réveiller ses parents et pénétra dans la maison d'un voisin pour prendre des confiseries dans un tiroir.

À l'école, comme il obtenait des notes élevées, on le mit dans un cycle accéléré destiné aux meilleurs élèves. « Ça ne lui fit pas plaisir, se souvient Billie, parce qu'il lui fallait travailler plus. Il passa une semaine à tenter de quitter ce cycle. Ce petit gamin essaya de convaincre le professeur, le principal, et tous ceux qui voulaient bien l'entendre que ses notes résultaient d'une erreur et que ce n'était pas sa place. Nous en eûmes un écho lors de la réunion de parents. Son professeur nous prit à part et nous dit : "Chris suit une musique différente", et puis elle hocha simplement la tête. »

« Même quand on était petits, dit Carine, née trois ans après Chris, il aimait être seul. Il n'était pas asocial – il avait des amis et tout le monde l'appréciait –, mais il pouvait partir et s'occuper tout seul pendant des heures. Il semblait n'avoir pas besoin d'amis ou de jouets. Il pouvait être seul sans souffrir de la solitude. »

Alors que Chris avait six ans, on offrit à Walt un poste à la NASA, ce qui entraîna un déménagement dans la capitale fédérale. La famille fit l'acquisition d'une maison à deux niveaux dans Willet Drive, à Annandale. Elle avait des volets verts, une baie vitrée, une jolie cour. Quatre ans après leur arrivée en Virginie, Walt quitta la NASA pour créer avec Billie une entreprise de conseil, la User Systems, installée à leur domicile.

Ils n'avaient pas beaucoup d'argent. Non seulement ils avaient échangé des salaires réguliers pour les revenus aléatoires des travailleurs indépendants mais Walt, à cause de sa séparation d'avec sa première femme, devait entretenir deux familles. Pour y arriver, raconte Carine, « Papa et Maman avaient des journées de travail incroyablement longues. Quand nous nous réveillions le matin pour aller à l'école, Chris et moi, ils travaillaient dans le bureau. Quand nous rentrions l'après-midi, ils travaillaient dans le bureau. Quand nous allions nous coucher, ils travaillaient dans le bureau. Ensemble, ils ont mis sur pied une bonne entreprise, et ensuite ils ont commencé à gagner beaucoup d'argent, mais ils travaillaient tout le temps. »

C'était une existence pleine de tension. Walt et Billie sont tous deux nerveux, émotifs, peu disposés à donner des explications. De temps en temps éclataient des disputes et dans ces moments de colère, l'un ou l'autre menaçait de divorcer. Ces conflits étaient plus de la fumée que du feu, explique Carine, mais « je pense que c'est une des raisons pour lesquelles Chris et moi étions si proches. Nous avons appris à compter l'un sur l'autre quand Papa et Maman ne s'entendaient pas. »

Mais il y avait aussi de bons moments. Les week-ends ou pendant les vacances scolaires, la famille prenait la route. Ils allaient à Virginia Beach et sur la côte de la Caroline, dans le Colorado pour rendre visite aux enfants de Walt, dans les Grands Lacs, dans les montagnes de Blue Ridge. « Nous campions à l'arrière de la camionnette, la Chevy Suburban, raconte Walt. Plus tard nous avons acheté une caravane. Chris adorait ces expéditions, plus ça durait, mieux c'était. La famille a toujours eu le goût des voyages, et il a été manifeste assez tôt que Chris en a hérité. »

Au cours de leurs périples, ils séjournèrent à Iron Mountain, dans le Michigan. C'est une petite ville minière, située dans la forêt de la péninsule supérieure, où se trouve la maison natale de Billie. Elle avait cinq frères et sœurs. Loren Johnson, son père, travaillait officiellement comme chauffeur routier, « mais il ne gardait jamais longtemps le même travail », dit-elle.

Walt explique : « Le père de Billie ne s'intégrait pas vraiment à la société. Par beaucoup de points, Chris et lui se ressemblaient. »

Loren Johnson était fier, obstiné et rêveur. C'était un homme des bois, un musicien autodidacte, un poète. Dans les environs d'Iron Mountain, son amour des animaux était célèbre. « Il prônait toujours la vie sauvage, dit Billie. Quand il trouvait un animal pris au piège, il le ramenait, amputait le membre blessé, le soignait et ensuite, il remettait l'animal en liberté. Une fois, il a heurté avec son camion une biche, dont le faon restait orphelin. Atterré, il le ramena et l'éleva à l'intérieur de la maison, derrière le poêle à bois, comme si c'était un de ses enfants. »

Pour entretenir sa famille, Loren se lança dans une série d'aventures commerciales. Aucune ne donna de bons résultats. Pendant un temps, il éleva des poulets, puis des visons et des chinchillas. Il installa une écurie et proposa des promenades à cheval aux touristes. La plus grande partie de la nourriture qui arrivait sur la table provenait de la chasse, en dépit du fait que ça lui déplaisait de tuer des animaux. « Mon père pleurait chaque fois qu'il tirait un cerf, dit Billie, mais il fallait bien que nous mangions, alors il le faisait. »

Il travaillait aussi comme guide pour la chasse, ce qui l'attristait encore plus. « Des gens de la ville venaient dans leurs grosses Cadillac et mon père les emmenait sur son terrain de chasse pendant une semaine, pour qu'ils rapportent un trophée. Il le leur garantissait. Mais la plupart d'entre eux étaient de si piètres tireurs et buvaient tant qu'ils manquaient tout, alors, généralement, c'est lui qui devait tuer le cerf à leur place. Il détestait cela. »

Loren, ce qui n'est pas étonnant, était conquis par Chris. Et Chris adorait son grand-père. L'expérience que le vieil homme avait de la vie dans les bois, son affinité avec la nature firent une impression profonde sur l'enfant.

Quand Chris eut huit ans, Walt l'emmena faire une randonnée de trois jours – c'était la première fois – dans le Shenandoah pour escalader l'Old Rag. Ils atteignirent le sommet et pendant tout le parcours Chris porta lui-même son sac à dos. Les randonnées dans la montagne devinrent une tradition pour le père et le fils. Après cette première escalade, presque chaque année, ils firent ensemble l'ascension de l'Old Rag.

Lorsque Chris fut un peu plus âgé, Walt emmena Billie et les enfants de ses deux mariages sur le pic Longs dans le Colorado. S'élevant à 4 345 mètres, c'est le plus haut sommet du parc national des montagnes Rocheuses. Chris, Walt et le plus jeune fils de son premier mariage atteignirent l'altitude de 3 962 mètres. Là, sur une brèche proéminente appelée Keyhole, Walt décida de faire demi-tour. Il était fatigué et sentait les effets de l'altitude. Et puis, plus haut, la voie semblait pierreuse, peu sûre et même dangereuse. « Chris, explique Walt, voulait continuer vers le sommet. Je lui ai répondu qu'il n'en était pas question. Il n'avait que douze ans à l'époque, aussi se contenta-t-il de protester. S'il avait eu quatorze ou quinze ans, il aurait tout simplement continué sans moi. »

Walt devient plus calme, son regard se perd dans le lointain. Après une longue pause, il dit : « Tout petit déjà, Chris était intrépide. Il ne croyait pas que le danger le concernait. On était toujours obligé de le retenir par la chemise. »

Chris réussissait tout ce qu'il lui prenait la fantaisie d'entreprendre. Au lycée, il obtenait des A sans beaucoup d'effort. Une seule fois, il eut une note inférieure à B : un F en physique. Quand Walt vit le carnet de notes, il demanda un rendez-vous avec le professeur pour savoir ce qui n'allait pas. « C'était un colonel de l'armée de l'air à la retraite, se souvient Walt, un vieux bonhomme, traditionaliste, assez rigide. Il avait expliqué au début du semestre que, comme il avait à peu près deux cents élèves, les comptes-rendus d'expériences devaient être rédigés en respectant une certaine disposition de façon à faciliter la notation. Chris, trouvant cela stupide, décida de ne pas en tenir compte. Il rédigea son compte-rendu mais dans une présentation différente. C'est pourquoi le professeur lui mit un F. Après m'être entretenu avec l'enseignant, je suis rentré et j'ai dit à Chris qu'il avait eu la note qu'il méritait. »

Chris et Carine avaient tous les deux hérité du don de Walt pour la musique. Chris s'essaya à la guitare, au piano et au cor. « C'était étrange à voir chez un gamin de cet âge, dit Walt, mais il aimait Tony Bennett. Il chantait beaucoup de ses chansons comme *Tender is the night* tandis que je l'accompagnais au piano. Il était très bon. » Et de fait, dans une cassette vidéo réalisée par Chris à l'université, on peut le voir chanter à pleins poumons *Summers by the sea/Sailboats in Capri* avec un panache impressionnant et avec le charme d'un chanteur de cabaret professionnel.

Doué pour le cor d'harmonie, il fut membre dans son adolescence de l'American University Symphony mais il n'y resta pas. Selon Walt, il n'était pas d'accord avec les règles imposées par le chef d'orchestre. Carine pense qu'il y avait autre chose : « Il est parti parce qu'il n'aimait pas qu'on lui dise ce qu'il devait faire, mais aussi à cause de moi. Je voulais ressembler à Chris, alors je me suis mise au cor. Et il est apparu que c'était le seul domaine où j'étais meilleure que lui. Quand j'étais cadette et lui senior, j'obtins la première place dans l'orchestre des seniors et il ne voulait à aucun prix s'asseoir derrière sa satanée petite sœur. »

Toutefois, cette rivalité musicale ne semble pas avoir nui à leur relation. Depuis leur plus jeune âge ils s'entendaient très bien, passant des heures à construire des forts avec des coussins et des couvertures dans le salon de la maison d'Annandale. « Il était toujours gentil avec moi, dit Carine, et très protecteur. Il me tenait la main quand nous marchions dans la rue. Quand il entra au lycée, il sortait plus tôt que moi, mais il m'attendait dans la maison de son ami Brian Paskowitz pour que nous puissions rentrer ensemble. »

Chris avait hérité les traits angéliques de Billie, et plus particulièrement ses yeux d'un noir profond qui exprimaient la moindre émotion. Bien qu'il fût de petite taille – sur les photographies de classe, il est toujours au premier rang –, il était fort et ses mouvements étaient bien coordonnés. Il s'essaya à de nombreux sports mais n'avait pas la patience d'en apprendre un à fond. Quand il skiait, pendant les vacances familiales dans le Colorado, il effectuait rarement des virages. Il se contentait de s'accroupir, dans une position de gorille, les pieds bien écartés pour assurer sa stabilité, et il filait droit vers le bas de la pente. « De la même façon, dit Walt, quand j'ai essayé de lui apprendre à jouer au golf, il refusa d'admettre que tout est dans le style. À chaque fois, il lançait le plus grand swing qu'on ait jamais vu. Parfois, il envoyait la balle à 300 mètres, mais le plus souvent elle allait dans le fairway suivant. Il avait beaucoup de talent, mais si on essayait de le diriger, d'affiner ses aptitudes, d'apporter une amélioration, un mur s'élevait. Il résistait à toute instruction. Je suis un bon joueur de racquet-ball et j'ai appris à Chris à y jouer quand il avait onze ans. À quinze ou seize ans, il me battait régulièrement. Il était très, très rapide et avait beaucoup de puissance. Mais quand je lui suggérais de travailler les faiblesses de son jeu, il refusait d'entendre. Une fois, dans un tournoi, il fut opposé à un homme de quarante-cinq ans qui avait beaucoup d'expérience. Dès le départ, Chris gagna quelques points, mais le type l'étudiait méthodiquement, cherchant ses faiblesses. Dès qu'il eut compris quelles balles gênaient le plus Chris, il joua de cette façon et tout fut dit. »

Les finesses, la stratégie, et tout ce qui allait au-delà des rudiments n'intéressaient pas Chris. Sa seule façon d'affronter une épreuve était de foncer droit devant avec toute son extraordinaire énergie. En conséquence, il était souvent déçu. Ce ne fut qu'avec la course à pied – qui exige plus de volonté que de finesse ou d'habileté – qu'il trouva sa voie dans le sport. À l'âge de dix ans, il participa à sa première compétition, une course de dix kilomètres sur route. Il finit soixante-neuvième et battit plus d'un millier d'adultes. Dès lors, il avait trouvé sa voie. Pendant son adolescence, il fut l'un des meilleurs coureurs de fond de la région.

Chris avait douze ans quand Walt et Billie achetèrent un chien à Carine, un shetland nommé Buckley. Chris prit l'habitude d'emmener Buckley dans ses entraînements quotidiens à la course. « Buckley était censé être mon chien, dit Carine, mais Chris et lui devinrent inséparables. Buck était rapide, il battait toujours Chris quand ils rentraient à la maison en courant. Je me souviens de l'excitation de Chris le jour où il rentra le premier. Il pleurait et criait dans toute la maison : "Je bats Buck ! Je bats Buck !" »

Au lycée Woodson – un grand établissement public de Fairfax, qui a une bonne réputation pour les études et le sport –, Chris était le capitaine du groupe de cross-country. Il aimait beaucoup ce rôle et il imagina un entraînement nouveau, dur, dont ses camarades se souviennent encore.

« Il voulait vraiment se dépasser, explique Gordy Cucullu, qui était un membre plus jeune de l'équipe. Chris inventa un entraînement qu'il appela "les Guerriers de la route". Il nous faisait faire de longues courses tuantes à travers champs, sur des chantiers de construction, dans des endroits où nous n'étions pas censés aller, et il essayait de nous égarer. Nous courions aussi loin et aussi vite que nous pouvions, le long de rues étranges, dans les bois, partout. Son idée était de nous faire perdre nos repères, de nous obliger à aller sur un terrain inconnu. Alors on courait à un rythme un peu moins rapide, jusqu'à ce qu'on ait trouvé une route que nous connaissions, et la course reprenait à pleine vitesse. D'une certaine façon, c'est comme ça que Chris menait sa vie. »

Pour McCandless, la course à pied était un exercice spirituel intense, proche de la religion. « Chris se servait de l'aspect spirituel pour nous motiver, se souvient Eric Hathaway, un autre membre de l'équipe. Il nous disait de penser au mal dans le monde, à la haine, et d'imaginer que nous courions contre les forces du mal qui tentaient de nous empêcher de courir de notre mieux. Il croyait que la réussite venait entièrement du mental, qu'il suffisait de mobiliser toute l'énergie disponible. Nous étions de jeunes lycéens impressionnables, ce genre de discours nous épatait. »

Mais la course à pied n'était pas exclusivement une pratique spirituelle. C'était aussi une compétition. Quand McCandless courait, il voulait gagner. « Chris prenait la course à pied très au sérieux », dit Kris Maxie Gillmer, une camarade de son équipe qui fut sans doute son amie la plus proche à Woodson. « Je me souviens de l'avoir regardé courir, depuis la ligne d'arrivée, sachant à quel point il voulait faire un bon temps et combien il serait déçu s'il ne parvenait pas au résultat attendu. Après une mauvaise course, ou même une mauvaise séance d'entraînement, il s'en voulait beaucoup. Et il ne voulait pas en parler. Si j'essayais de le consoler, il prenait un air ennuyé et me repoussait. Il intériorisait sa déception. Il partait tout seul quelque part pour se faire des reproches.

Ce n'était pas seulement la course que Chris prenait au sérieux, ajoute Gillmer. Il était comme ça pour tout. On n'est pas censé réfléchir à de grands problèmes au lycée. Mais moi je le faisais, et lui aussi. C'est la raison pour laquelle nous nous sommes compris. Pendant la récréation, nous allions près de son casier et nous parlions de la vie, de l'état du monde, d'autres choses sérieuses. Je suis noire et je n'ai jamais pu comprendre pourquoi tout le monde accorde tant d'importance à la race. Chris me parlait de tout cela. Il comprenait. Il abordait toujours les problèmes de la même manière. Je l'aimais beaucoup. C'était vraiment un brave garçon. »

McCandless prenait à cœur les injustices de la vie. Pendant sa dernière année à Woodson, il était obsédé par la discrimination raciale en Afrique du Sud. À ses amis, il parlait très sérieusement d'entrer clandestinement dans le pays avec des armes et de se joindre à la lutte contre l'apartheid. « Une fois nous en avons discuté, se souvient Hathaway. Chris n'aimait pas passer par les canaux habituels, collaborer avec le système, attendre son tour. Il disait : "Allez, Eric, on peut rassembler assez d'argent pour partir en Afrique du Sud par nos propres moyens, tout de suite. Il s'agit seulement d'en prendre la décision." Je répliquais en lui rappelant que nous n'étions que deux gamins et que notre présence ne changerait rien. Mais avec lui on ne pouvait pas argumenter. Il répondait quelque chose comme : "Oh ! Je suppose que tu te moques de ce qui est bien et de ce qui est mal." »

Les week-ends, alors que ses camarades de lycée regardaient des stupidités ou essayaient de se faufiler dans les bars de Georgetown, McCandless se promenait dans les quartiers les plus misérables de Washington, bavardant avec des prostituées et des sans-abri, leur achetant de la nourriture et leur suggérant très sérieusement des moyens d'améliorer leur existence.

« Chris ne comprenait pas comment on peut permettre que des gens aient faim, tout particulièrement dans notre pays, dit Billie. Il pouvait tenir pendant des heures sur ce genre de sujet. »

Une fois, Chris rencontra un homme qui vivait dans la rue à Washington. Il l'amena dans le prospère Annandale et l'installa en secret dans la caravane que ses parents avaient parquée auprès de leur garage. Walt et Billie ne surent jamais qu'ils avaient hébergé un vagabond.

Une autre fois, Chris alla chez Hathaway en voiture et lui annonça qu'ils allaient faire un tour en ville. Hathaway se souvient d'avoir pensé : « Chouette ! » « C'était un vendredi soir, et je croyais que nous allions chez des amis à Georgetown. Au lieu de cela, Chris gara la voiture dans la 14e Rue, qui, à l'époque, était un coin très mal famé. Puis il dit : "Tu vois, Eric, on peut lire des livres sur ces choses-là, mais on ne peut vraiment les comprendre qu'en les vivant. C'est ce que nous allons faire ce soir." Nous avons passé les heures suivantes dans des endroits à donner la chair de poule, à discuter avec des maquereaux, des prostituées, avec la faune des bas-fonds. J'étais littéralement effrayé.

Vers la fin de la soirée, Chris me demanda combien d'argent j'avais sur moi. Je lui dis : "5 dollars." Il en avait 10. "OK, toi, tu achètes l'essence, me dit-il, moi, je vais chercher de la nourriture." Avec ses 10 dollars il rapporta un grand sac plein de hamburgers et nous tournâmes en voiture dans le quartier, tendant des hamburgers à des types puants qui dormaient sur des grilles. Ce fut le plus étrange vendredi soir de ma vie. Mais Chris faisait souvent ce genre de chose. »

Au début de son année de terminale à Woodson, Chris informa ses parents qu'il n'avait aucune intention d'aller à l'université. Quand Walt et Billie firent valoir qu'il avait besoin d'un diplôme pour accéder à une carrière qui lui plaise, Chris répondit que la carrière était une « invention avilissante du XXe siècle », un assujettissement plus qu'un atout, et que tout irait bien en s'en passant, merci.

« Nous avons ressenti une sorte de panique, admet Walt. Billie et moi venons de familles ouvrières. Nous ne prenons pas les diplômes à la légère, et nous avons travaillé dur pour pouvoir envoyer nos enfants dans de bonnes écoles. Alors, Billie l'a fait asseoir et lui a dit : "Chris, si tu veux vraiment changer les choses, si tu veux aider les déshérités, il faut d'abord que tu en acquières les moyens. Va à l'université, obtiens un diplôme de droit et, ensuite, tu pourras vraiment être efficace." »

« Chris rapportait de bonnes notes à la maison, raconte Hathaway. Il n'avait pas d'ennuis, c'était un fonceur, il faisait ce qu'il était censé faire. Ses parents n'avaient pas vraiment de raisons de se plaindre. Mais ils se sont braqués au sujet de l'université ; je ne sais pas ce qu'ils lui ont dit mais ça a marché. Il a fini par aller à Emory tout en considérant que ça n'avait aucun sens, que c'était une perte de temps et d'argent. »

Il est assez étonnant que Chris ait cédé au sujet de l'université, alors que dans tant d'autres domaines il avait refusé de les écouter. Mais dans les relations entre Chris et ses parents, les contradictions apparentes ne manquaient pas. Quand Chris allait voir Kris Gillmer, il s'emportait souvent contre Walt et Billie, les dépeignant comme des tyrans déraisonnables. Mais avec les garçons – Hathaway, Cucullu et Andy Horowitz, une autre star de la piste – il ne se plaignait presque pas. « J'ai eu l'impression que ses parents étaient très gentils, dit Hathaway, guère différents de mes propres parents ou des parents des autres. Simplement, Chris n'aimait pas qu'on lui dise ce qu'il devait faire. Je pense qu'il aurait été malheureux avec n'importe quels parents. C'est avec l'*idée* de parents qu'il était en conflit. »

La personnalité de McCandless était d'une complexité déroutante. Il avait un sens aigu de son domaine privé mais pouvait également se montrer convivial ou même sociable à l'extrême. Et en dépit de sa conscience sociale hyperdéveloppée, ce n'était pas une de ces bonnes consciences à la mine sérieuse qui froncent les sourcils à tout amusement. Au contraire, il aimait bien boire un verre de temps en temps et c'était un incorrigible cabotin.

Ses sentiments à l'égard de l'argent constituent peut-être sa plus profonde contradiction. Walt et Billie avaient tous les deux connu la pauvreté dans leur enfance, et après s'être battus pour en sortir ils ne voyaient rien de mal à profiter du fruit de leur travail. « Nous avons travaillé très très dur, insiste Billie. Quand les enfants étaient petits nous avons vécu très modestement, nous avons économisé ce que nous gagnions et investi pour l'avenir. » Lorsque, finalement, ils ont atteint une modeste aisance, ils n'en ont pas fait étalage. Ils ont acheté de beaux vêtements, quelques bijoux pour Billie et une Cadillac. Puis ils ont acquis la maison sur la baie et le bateau. Ils ont emmené les enfants en Europe, leur ont fait faire du ski à Breckenridge et une croisière dans les Caraïbes. « Tout cela, remarque Billie, mettait Chris mal à l'aise. »

Le jeune disciple de Tolstoï trouvait que la richesse est honteuse, corruptrice et donc mauvaise. L'ironie, c'est que Chris était un capitaliste-né qui avait une étrange facilité pour gagner de l'argent. Billie dit en riant : « Chris a toujours été un chef d'entreprise, toujours. »

À huit ans, il se mit à cultiver des légumes derrière la maison, à Annandale ; ensuite il les vendait en faisant du porte-à-porte dans le voisinage. « Et voilà ce mignon petit garçon tirant une charrette pleine de haricots, de tomates et de poivrons tout frais, raconte Carine. Qui aurait pu résister ? Chris le savait. Il avait sur le visage cette expression : “Regardez comme je suis mignon ! Voulez-vous acheter des haricots ?” Quand il rentrait, la charrette était vide, et il avait une liasse de billets dans la main. »

À douze ans, il imprima des affichettes et se mit à faire des photocopies pour les gens du quartier : « Chris – copies rapides – enlèvement de documents et livraison gratuits. » Il se servait de la photocopieuse de Walt et Billie, donnait à ses parents quelques cents par copie et faisait payer au client deux cents de moins qu'à la boutique du coin. Il en tirait un profit substantiel.

En 1985, alors qu'il était au lycée à Woodson, Chris fut engagé par un entrepreneur local pour proposer aux propriétaires de maisons à vendre des environs des travaux de revêtement et de rénovation de cuisine. Il se révéla étonnamment efficace ; c'était un vendeur hors pair. En l'espace de quelques mois, il en vint à diriger une équipe de six lycéens et mit sur son compte en banque une somme de sept mille dollars. C'est une partie de cet argent qu'il utilisa pour acheter sa Datsun jaune d'occasion.

Chris avait un don tellement exceptionnel pour la vente qu'au printemps 1986, à l'approche de la fin de ses études secondaires, le patron de l'entreprise de construction téléphona à Walt pour lui proposer de payer les études supérieures de Chris si Walt parvenait à persuader son fils de rester à Annandale et de continuer à travailler tout en suivant sa scolarité, au lieu de partir à Emory.

« Lorsque j'ai informé Chris de cette offre, dit Walt, il n'a même pas voulu y réfléchir. Il a répondu à son patron qu'il avait d'autres projets. » Dès la fin de l'année scolaire, Chris déclara qu'il allait passer l'été à parcourir le pays au volant de sa nouvelle voiture. Personne ne devina que ce voyage serait le premier d'une série d'aventures transcontinentales. Et nul dans sa famille ne pouvait prévoir qu'une découverte due au hasard pendant ce voyage initial l'amènerait à se replier sur lui-même et à s'en aller, provoquant ainsi chez lui et chez ceux qui l'aimaient un mélange de ressentiment, d'incompréhension et de peine.

12

Annandale

Plutôt que l'amour, l'argent, la gloire, donne-moi la vérité. Je me suis assis à une table où il y avait de riches mets et des vins en abondance servis par des domestiques obséquieux, mais où la sincérité et la vérité étaient absentes ; et j'ai quitté cette table si peu accueillante la faim au ventre. Leur hospitalité était froide comme de la glace.

Henry David Thoreau,
Walden ou la vie dans les bois.

Passage souligné dans l'un des livres trouvés parmi les affaires de Chris McCandless. En haut de la page, le mot *vérité* est écrit de sa main en majuscules.

Car les enfants sont innocents et aiment la justice, alors que, pour la plupart, nous sommes mauvais, ce qui fait que, naturellement, nous préférons la pitié.

G. K. Chesterton.

En 1986, par un week-end de printemps chaud et lourd, Chris obtint son diplôme du lycée Woodson, et Walt et Billie donnèrent une soirée en son honneur.

L'anniversaire de Walt tombant quelques jours plus tard, le 10 juin, Chris offrit à son père un très beau télescope.

« Je me souviens du jour où il a offert le télescope à Papa, raconte Carine. Chris avait déjà bu quelques verres ce soir-là, il était un peu parti. Ça le rendait très ému. Il retenait ses larmes tout en disant à Papa que, bien qu'avec les années des différences soient apparues entre eux, il lui était reconnaissant de tout ce qu'il avait fait pour lui. Puis il ajouta qu'il l'admirait d'être parti de rien, d'avoir entrepris des études tout en travaillant, de s'être donné à fond pour élever huit enfants. Ce fut un discours émouvant. Tout le monde avait la gorge nouée. Et ensuite, il a fait son voyage. »

Walt et Billie ne tentèrent pas d'empêcher leur fils de partir. Mais ils le persuadèrent d'accepter une carte de crédit Texaco à toutes fins utiles et ils obtinrent sa promesse qu'il téléphonerait tous les trois jours. « On a eu le cœur qui battait pendant tout le temps de ce voyage, dit Walt, mais il n'y avait aucun moyen de l'empêcher de s'en aller. »

Chris quitta la Virginie en direction du sud puis de l'ouest. Il traversa les grandes plaines du Texas, passa par la canicule du Nouveau-Mexique et de l'Arizona et arriva sur la côte du Pacifique. Au début, il téléphonait régulièrement, puis, à mesure que l'été avançait, les appels se firent plus espacés. Il ne fut de retour à la maison que deux jours avant le début du trimestre d'automne à Emory. Quand il pénétra dans la maison d'Annandale, il portait une barbe broussailleuse, ses cheveux étaient longs et emmêlés et son corps déjà mince avait perdu quinze kilos.

« Dès que j'ai su qu'il était rentré, dit Carine, je me suis précipitée dans sa chambre pour lui parler. Il était sur son lit, endormi. Il était si maigre qu'il ressemblait à certaines peintures de Jésus sur la croix. Quand Maman a vu à quel point il avait maigri, elle a été anéantie. Elle s'est mise à cuisiner comme une folle pour essayer de faire revenir un peu de chair sur ses os. »

Il apparut que, vers la fin de son périple, Chris s'était égaré dans le désert Mojave et avait presque succombé à la déshydratation. En apprenant comment il avait frôlé la catastrophe, ses parents furent extrêmement alarmés, mais ils ne savaient comment persuader Chris de se montrer plus prudent à l'avenir. « Chris réussissait dans tout ce qu'il entreprenait, explique Walt, ce qui le rendait trop confiant en lui-même. Quand on lui parlait, il ne discutait pas. Il acquiesçait poliment et ensuite, il faisait ce qu'il voulait. C'est pourquoi je n'ai pas immédiatement évoqué la question du danger. J'ai joué au tennis avec lui, nous avons parlé d'autres choses et puis, enfin, nous en sommes venus aux risques qu'il avait pris. Je savais déjà par expérience qu'une approche trop directe du genre : "Bon Dieu, ne recommence jamais un truc comme ça !" ne marchait pas avec Chris. J'ai essayé de lui expliquer que nous n'avions pas d'objection à ce qu'il voyage mais que nous lui demandions d'être un peu plus prudent et de nous dire où il était. »

À la grande déception de Walt, cette dose légère de conseil paternel hérissa Chris. Il n'en devint que plus enclin à ne pas faire connaître ses projets.

« Chris, dit Billie, pensait que nous étions stupides de nous inquiéter pour lui. »

Au cours de son voyage, il avait acheté une machette et une carabine .30-06. Quand Walt et Billie le conduisirent à Atlanta pour la rentrée universitaire, il insista pour emporter l'immense coutelas et le fusil. Walt raconte en riant : « Lorsque nous avons pénétré dans la pièce, j'ai cru que les parents de son camarade de chambre allaient avoir une attaque cardiaque. Ce garçon était un petit gamin du Connecticut bien comme il faut, habillé à la dernière mode, et voilà qu'entre Chris, la barbe hirsute, les vêtements élimés, portant avec un air de Jeremiah Johnson une machette et une carabine pour la chasse au cerf. Mais figurez-vous que, trois mois plus tard, le camarade BCBG avait abandonné alors que Chris obtenait les meilleures notes. »

Ses parents eurent la bonne surprise de constater qu'à mesure que l'année avançait, Chris semblait enchanté d'être à Emory. Il se rasait de près, se peignait et avait repris l'aspect soigné qu'il avait au lycée. Ses notes atteignaient presque la perfection. Il se mit à écrire dans le journal des étudiants. Il était même enthousiaste à l'idée de faire par la suite des études de droit. À un moment, Chris déclara à Walt : « Je pense que mes notes seront assez bonnes pour que j'entre à l'école de droit de Harvard. »

L'été qui suivit cette première année, il retourna à Annandale pour travailler avec ses parents. Il devait créer un logiciel. « Le programme qu'il mit au point était parfait, dit Walt. Nous nous en servons encore aujourd'hui et nous l'avons vendu à de nombreux clients. Mais quand je lui ai demandé de me montrer comment il avait fait, de m'expliquer comment il fonctionnait, il a refusé. "Tout ce que tu as besoin de savoir, c'est que ça marche, répondit-il, peu importe le comment et le pourquoi." En répondant ainsi, Chris était semblable à lui-même, mais cela me rendit furieux. Il aurait fait un excellent agent de la CIA, je parle sérieusement, je connais des types qui y travaillent. Chris nous a révélé ce que nous devions savoir, rien de plus. Il était comme ça pour tout. »

Bien des aspects de la personnalité de Chris déconcertaient ses parents. Il était capable de générosité et d'attention, mais il avait aussi un côté sombre caractérisé par la monomanie, l'impatience et un égocentrisme sous-jacent. Ces défauts semblèrent s'intensifier au cours des années d'université.

« J'ai revu Chris à une soirée après sa deuxième année à Emory, se souvient Eric Hathaway, et il me parut évident qu'il avait changé. Il semblait très introverti, presque froid. Quand je lui ai dit : "Salut, ça fait plaisir de te revoir, Chris !", il m'a répondu avec cynisme : "Oui, c'est ce que tout le monde dit." Il était difficile de l'amener à s'ouvrir. Dans la conversation, il ne s'intéressait qu'à ses études. À Emory, la vie sociale tourne autour des associations d'étudiants et d'étudiantes ; Chris ne voulait pas y participer. Je pense que les autres ont commencé à ne plus le comprendre, alors il s'est coupé de ses vieux camarades et s'est enfoncé encore plus complètement en lui-même. »

Entre la deuxième et la troisième année, pendant l'été, Chris retourna à Annandale et travailla comme livreur de pizzas pour la société Domino's. « Il se souciait peu que ce soit un dur travail, dit Carine. Il s'est fait beaucoup d'argent. Je me souviens qu'il rentrait chaque soir et déposait la recette sur la table de la cuisine. Il ne tenait pas compte de la fatigue. Il calculait combien de kilomètres il avait parcourus, combien Domino's lui donnait pour l'essence, quel était le prix de l'essence, à combien s'élevait le bénéfice net, et il comparait ce dernier à celui du même jour de la semaine précédente. Il gardait trace de tout et me montrait comment gérer une affaire. Il ne s'intéressait pas tant à l'argent qu'au fait qu'il réussissait à en gagner. C'était comme un jeu, l'argent servait à évaluer le résultat. »

Les relations de Chris avec ses parents, qui avaient été inhabituellement courtoises depuis la fin du lycée, se détériorèrent notablement cet été-là et Walt et Billie n'en comprenaient pas la raison. Selon Billie : « Il avait de plus en plus souvent l'air furieux contre nous, et il devint plus renfermé – non, ce n'est pas le mot juste. Chris n'était jamais *renfermé.* Mais il ne voulait pas nous dire ce qu'il avait dans la tête et il passait plus de temps tout seul. »

Il apparut plus tard que la colère silencieuse de Chris était alimentée par une découverte qu'il avait faite deux étés auparavant au cours de son voyage. À son arrivée en Californie, il était allé rendre visite à des voisins d'El Segundo, la ville où il avait passé ses six premières années. Grâce aux réponses qu'ils donnèrent à ses questions, il reconstitua les circonstances qui avaient entouré le premier mariage de son père et son divorce, circonstances qu'on ne lui avait pas révélées.

Walt ne s'était pas séparé de sa première femme de façon nette et à l'amiable. Longtemps après s'être épris de Billie, longtemps même après la naissance de Chris, Walt avait continué à rencontrer Marcia en secret. Il partageait son temps entre ses deux familles. Il y eut des mensonges, qui furent découverts, et d'autres mensonges pour expliquer les premiers. Deux ans après la naissance de Chris, Walt eut un autre fils, Quinn McCandless, avec Marcia. Quand cette double vie fut mise au jour, les révélations infligèrent à toutes les parties de profondes blessures et de terribles souffrances.

Finalement, Walt, Billie, Chris et Carine allèrent s'installer sur la côte Est. Le divorce avec Marcia fut enfin prononcé, ce qui permit à Walt et Billie d'officialiser leur union. Chacun tira, comme il put, un trait sur ce passé tourmenté et continua à vivre. Vingt ans passèrent. La sagesse fit son chemin. La faute, les blessures, la jalousie s'estompèrent et la tempête s'apaisa. Et voilà qu'en 1986, Chris se rendit à El Segundo, fit le tour des anciens voisins et apprit les pénibles circonstances de cet épisode.

« Chris était le genre de personne à ruminer dans son coin, observe Carine. Quand quelque chose le tracassait, il ne venait pas en parler directement. Il le gardait en lui, il cachait son ressentiment et laissait se développer les sentiments hostiles. » Il semble que ce soit précisément ce qui s'est passé après la découverte qu'il avait faite à El Segundo.

Les enfants peuvent juger très durement leurs parents et se montrer peu enclins à la clémence. Ce fut particulièrement vrai dans le cas de Chris. Plus encore que la plupart des adolescents, il avait tendance à voir les choses en noir et blanc. Il mesurait son entourage et lui-même à l'aune d'un code moral beaucoup trop rigoureux.

Curieusement, Chris n'appliquait pas à tout le monde ces critères très stricts. L'un des individus qu'il affirma admirer au cours des deux dernières années de sa vie était un grand buveur et un incorrigible coureur de jupons qui battait régulièrement ses petites amies. Chris était parfaitement informé des travers de cet homme et pourtant il les lui pardonna. Il pouvait aussi pardonner, ou négliger, les défauts de ses écrivains préférés : Jack London était un ivrogne notoire ; Tolstoï, en dépit de son fameux plaidoyer en faveur du célibat, avait eu de nombreuses aventures dans sa jeunesse et par la suite eut au moins treize enfants dont certains furent conçus au moment même où le sévère aristocrate fulminait dans ses écrits contre la sexualité.

Apparemment, à l'instar de beaucoup de gens, Chris jugeait les artistes et les amis proches non d'après leur vie mais d'après leurs œuvres. Cependant, il était incapable d'étendre une telle bienveillance à son père. Chaque fois que Walt McCandless, à sa façon sérieuse, adressait quelque admonestation paternelle à Chris, à Carine ou à leurs demi-frères et sœurs, Chris revenait à la conduite peu exemplaire que son père avait eue de nombreuses années auparavant et le dénonçait silencieusement comme un moralisateur hypocrite. De tout cela, Chris tenait un compte scrupuleux et, avec le temps, se mit à bouillonner en lui une indignation trop sûre d'elle-même qu'il lui devenait impossible de contenir.

Après que Chris eut déterré les détails du divorce de Walt, il se passa deux ans avant que sa colère ne commence à paraître, mais elle finit par le faire. L'enfant ne parvenait pas à pardonner l'erreur que son père avait commise dans sa jeunesse, et il excusait moins encore la tentative de la dissimuler. Il déclara plus tard à Carine et à d'autres que la tromperie commise par Walt et Billie « faisait de toute son enfance une fiction ». Mais il ne discuta pas avec ses parents de ce qu'il savait, ni sur le moment, ni plus tard. Il fit le choix de garder pour lui, secrètement, ce qu'il pensait de ces sombres événements et d'exprimer sa rage indirectement, en silence et dans une retraite ombrageuse.

En 1988, tandis que son ressentiment envers ses parents se durcissait, Chris sentit grandir en lui un sens plus aigu de l'injustice qui règne dans le monde.

« Cet été-là, se souvient Billie, il se mit à se plaindre de tous les étudiants riches d'Emory. » De plus en plus, les cours qu'il choisissait traitaient de problèmes sociaux comme le racisme, la faim dans le monde et l'inégalité dans la distribution des richesses. Mais malgré son aversion pour l'argent et pour la consommation ostentatoire, ses tendances politiques ne le portaient pas vers la gauche.

En fait, il se faisait un plaisir de ridiculiser la politique du parti démocrate et il admirait ouvertement Ronald Reagan. À Emory, il alla jusqu'à participer à la fondation d'un club universitaire républicain. Cette position politique apparemment anormale trouve son meilleur résumé dans ce passage de *La Désobéissance civile* de Thoreau : « J'approuve de tout cœur le principe selon lequel "moins le gouvernement gouverne, meilleur il est". » Pour le reste, il est difficile de connaître ses opinions.

En tant que rédacteur de l'*Emory Wheel,* il rédigea de nombreux commentaires. En les lisant, cinq ans après, on se rend compte à quel point McCandless était jeune et passionné. Ses considérations, argumentées avec une logique très personnelle, portaient sur la terre entière. Il tournait en dérision Jimmy Carter et Joe Binden, demandait la démission de l'attorney général Edwin Meese, faisait la leçon aux Combattants de la Bible et de la Chrétienté, invitait à la vigilance contre le péril soviétique, condamnait le Japon pour la chasse à la baleine et prenait la défense de Jesse Jackson comme candidat à la présidence. On peut lire, en ouverture de son éditorial du 1er mars 1988, une déclaration qui illustre bien son manque de modération : « Le troisième mois de l'année 1988 commence et cette année s'annonce déjà comme la plus corrompue politiquement et la plus scandaleuse de l'histoire moderne… » Le rédacteur en chef, Chris Morris, évoque McCandless comme quelqu'un de « passionné ».

Aux yeux de ses camarades, de moins en moins nombreux, McCandless semblait de plus en plus passionné à mesure que les mois passaient. Dès la fin des cours, au printemps 1989, il se lança avec sa Datsun dans un nouveau périple. « Nous n'eûmes que deux cartes de lui pendant tout l'été, dit Walt. La première annonçait : "Je pars pour le Guatemala." Quand j'ai lu ça, je me suis dit : "Mon Dieu, il veut combattre avec les insurgés. On va le mettre contre un mur et le fusiller." Puis, vers la fin de l'été, la seconde carte arriva. Elle disait seulement : "Je quitte Fairbanks demain. Je serai de retour dans deux semaines." Il avait changé d'avis et, au lieu d'aller vers le sud, il avait pris la direction de l'Alaska. »

La fastidieuse et poussiéreuse remontée de l'autoroute de l'Alaska fut la première visite de Chris dans le Grand Nord. Ce fut un voyage écourté. Il ne passa que quelques jours autour de Fairbanks, puis il redescendit à toute vitesse vers le sud afin d'arriver à Atlanta pour le début des cours d'automne, mais il avait été ébloui par l'étendue du pays, par l'aspect fantomatique des glaciers et par la limpidité du ciel subarctique. Il voulait y retourner, cela ne faisait aucun doute.

Pendant sa dernière année à Emory, Chris s'installa à l'écart du campus dans une chambre nue, spartiate, avec un simple matelas posé sur le sol. Peu de ses camarades le rencontrèrent en dehors des cours. L'un de ses professeurs lui donna la clé de la bibliothèque et c'est là qu'il passait la plus grande partie de son temps libre. Andy Horowitz, son camarade de lycée et coéquipier de cross-country, le rencontra dans les rayons, un matin de bonne heure, peu de temps avant la remise des diplômes. Bien qu'ils fussent étudiants dans la même université, ils ne s'étaient pas vus depuis deux ans. Ils parlèrent, un peu embarrassés, pendant quelques minutes, puis McCandless s'éclipsa pour rejoindre sa table.

Chris contacta rarement ses parents au cours de cette année-là, et comme il n'avait pas le téléphone, Walt et Billie ne pouvaient pas le joindre. Ils s'inquiétaient de plus en plus de la distance affective croissante qui s'établissait entre leur fils et eux. Dans une lettre à Chris, Billie se faisait implorante : « Tu as complètement laissé tomber ceux qui t'aiment et se soucient de toi. Quelle qu'en soit la raison, avec qui que tu sois, penses-tu que c'est bien ? » Chris trouva que sa mère se mêlait de ce qui ne la regardait pas et qualifia la lettre de « stupide » quand il en parla à Carine.

« Que veut-elle dire par "avec qui que tu sois" ? se moqua Chris. Elle déraille complètement. Tu sais ce que je crois ? Ils pensent que je suis homosexuel. D'où tirent-ils cette idée ? Ce sont deux imbéciles. »

Au printemps 1990, quand Walt, Billie et Carine assistèrent à la cérémonie de remise des diplômes, ils se dirent qu'il avait l'air heureux. Mais peu de temps après, il devait couper tout contact, même avec Carine à laquelle, croyait-on, il était très attaché.

« Nous nous sommes tous beaucoup inquiétés quand nous n'avons plus eu de ses nouvelles, dit Carine, mais je pense que mes parents étaient aussi froissés et en colère. Moi, je ne me suis pas sentie froissée qu'il ne m'écrive pas. Je savais qu'il était heureux et qu'il faisait ce qui lui plaisait ; je comprenais qu'il était important pour lui de voir jusqu'à quel point il pouvait être indépendant. Et puis il savait que s'il m'avait écrit ou s'il m'avait téléphoné, Papa et Maman auraient découvert où il était et y seraient allés pour le ramener à la maison. »

Walt n'en disconvient pas : « Ça ne fait aucun doute dans mon esprit. Si nous avions eu la plus petite idée de l'endroit où il pouvait se trouver, j'y serais allé en coup de vent, j'aurais fermé son logement et je serais revenu avec mon garçon. »

À mesure que passaient les mois, puis les années, sans que Chris donne de ses nouvelles, l'angoisse augmentait. Chaque fois que Billie sortait de chez elle, elle laissait un mot sur la porte pour Chris. « Quand nous apercevions un auto-stoppeur sur la route, dit-elle, s'il ressemblait à Chris, nous faisions demi-tour. C'était terrible. La nuit, c'était pire encore, surtout quand il faisait froid, quand la tempête soufflait, on se demandait : Où est-il ? A-t-il chaud ? Est-il souffrant ? Est-il seul ? Va-t-il bien ? »

En juillet 1992, deux ans après le départ de Chris d'Atlanta, Billie dormait à Chesapeake Beach. Soudain, elle s'est brusquement redressée au milieu de la nuit, ce qui réveilla Walt. « J'étais sûre d'avoir entendu Chris m'appeler, dit-elle tandis que des larmes coulent sur ses joues. Je ne sais pas comment je pourrai jamais surmonter cela. Je ne rêvais pas. Ce n'était pas de l'imagination. J'ai entendu sa voix ! Il me suppliait : "Maman, aide-moi !", mais je ne pouvais rien faire, je ne savais pas où il était. Il a simplement dit : "Maman, aide-moi !" »

13

Virginia Beach

L'aspect physique du pays avait sa contrepartie en moi. Les pistes que je suivais conduisaient – quant à l'extérieur – vers des collines, dans des marais, mais elles menaient aussi à l'intérieur de moi-même. L'étude de ce que j'avais à mes pieds, la lecture, la réflexion entraînaient une forme particulière d'exploration où le pays et ce que j'étais se rejoignaient. Avec le temps, les deux ne firent plus qu'un dans mon esprit. J'observais en moi-même une aspiration passionnée et tenace qui grandissait avec la force d'une réalité essentielle se développant à partir d'un fonds ancien. C'était l'aspiration à rejeter à jamais la pensée et le trouble qu'elle engendre pour ne conserver que le désir le plus immédiat, le désir direct et avide. Je voulais prendre la piste sans un regard en arrière, à pied, en raquettes ou en traîneau, m'enfoncer dans les collines estivales encore couvertes de leur ombre glacée. Un grand feu, des traces dans la neige indiqueraient le chemin que j'avais pris. Que le reste de l'humanité me retrouve, s'il le pouvait.

John Haines, *Les Étoiles, la Neige, le Feu. Vingt-cinq ans dans la solitude du Nord.*

Chez Carine McCandless à Virginia Beach, il y a deux photographies encadrées sur le manteau de la cheminée : l'une représente Chris lycéen, l'autre le montre à sept ans en costume, la cravate de travers, à côté de Carine dans une robe à fanfreluches, un chapeau de Pâques tout neuf sur la tête. « Ce qui est stupéfiant, dit Carine en examinant les photos de son frère, c'est que malgré le temps qui sépare ces deux photos – elles ont été prises à dix ans d'intervalle – son expression est la même. »

Elle a raison. Sur les deux clichés, Chris fixe l'objectif avec le même regard pensif et récalcitrant, comme s'il avait été interrompu en plein milieu d'une pensée importante et était ennuyé de perdre son temps devant un appareil photo. Son expression est encore plus frappante sur la photo de Pâques parce qu'elle contraste avec le sourire exubérant de Carine. « C'est tout à fait lui, dit-elle avec un sourire affectueux, tout en passant le bout de ses doigts sur l'image. Il avait souvent cet air-là. »

Buckley, le shetland que Chris aimait tant, est étendu aux pieds de Carine. Il a treize ans, maintenant. Son museau grisonne et il clopine comme un arthritique. Cependant, quand Max, le rottweiler de dix-huit mois de Carine, fait une incursion sur son territoire, le petit chien malade n'hésite pas à administrer à l'intrus, avec un puissant aboiement, une série de morsures bien placées qui font détaler le gros animal de 65 kilos.

« Chris adorait Buck, se souvient Carine. L'été où il a disparu, il voulait l'emmener avec lui. Après la cérémonie à Emory, il a demandé à Maman et à Papa s'ils étaient d'accord, mais ils ont refusé parce que Buckley venait d'être heurté par une voiture et était encore souffrant. Aujourd'hui, bien sûr, ils voient les choses autrement, même s'il est vrai que la blessure de Buck était sérieuse. Le vétérinaire disait qu'il ne pourrait plus remarcher. Mais mes parents ne peuvent s'empêcher de penser – et moi avec eux, d'ailleurs – que les choses auraient pu tourner autrement si Chris avait eu Buck avec lui. Chris n'hésitait pas à mettre sa vie en péril, mais il n'aurait jamais voulu faire courir un danger à Buckley. Il n'aurait pas pris les mêmes risques. »

Carine McCandless a à peu près la même taille que son frère et lui ressemble assez pour que les gens aient souvent demandé s'ils étaient jumeaux. Parlant avec animation, elle écarte ses longs cheveux avec un mouvement de la tête et fait des gestes de ses petites mains expressives. Elle est pieds nus. Elle porte au cou une croix en or. Son jean impeccable est repassé.

Comme Chris, Carine est énergique et sûre d'elle-même. C'est une fonceuse, prompte à formuler une opinion. Et comme Chris également, elle a rompu brutalement avec ses parents au moment de son adolescence. Mais entre le frère et la sœur les différences sont plus grandes que les ressemblances.

Carine se réconcilia avec ses parents peu après la disparition de Chris, et maintenant, à l'âge de vingt-deux ans, elle qualifie leurs relations de « très bonnes ». Elle est beaucoup plus sociable que Chris ne l'était et ne peut envisager de partir seule dans la nature – ou ailleurs. Et bien qu'elle partage avec Chris le sens de la justice dans le domaine racial, elle n'a aucune objection – morale ou autre – contre la richesse. Elle vient d'acheter une coûteuse maison et elle passe régulièrement quatorze heures par jour dans l'atelier de réparation automobile – CAR Services – qu'elle possède avec son mari, Chris Fish. Elle espère atteindre encore jeune son premier million de dollars.

Avec un rire d'autodérision, elle admet : « Je me plaignais toujours que Papa et Maman travaillent tout le temps et ne soient jamais là, et vous voyez, maintenant je fais la même chose. » Chris, confie-t-elle, avait l'habitude de la taquiner au sujet de son penchant capitaliste en l'appelant la duchesse d'York. Mais il n'allait pas au-delà d'une moquerie bienveillante. Chris et Carine étaient inhabituellement proches. Dans une lettre où il détaillait ses querelles avec Walt et Billie, Chris lui écrivit un jour : « De toute façon, j'aime parler de cela avec toi parce que tu es la *seule* personne au monde qui puisse comprendre ce que je veux dire. »

Dix mois après la mort de Chris, Carine souffre toujours profondément. « Je ne parviens pas à passer un jour sans pleurer, dit-elle avec un regard désemparé. Je ne sais pas pourquoi, le pire, c'est quand je suis seule en voiture. Pas une seule fois je n'ai pu faire les vingt minutes de trajet entre la maison et l'atelier sans penser à Chris et fondre en larmes. Je m'en remets, mais sur le moment, c'est dur. »

Le 17 septembre 1992, en fin d'après-midi, Carine donnait un bain à son rottweiler devant la maison quand Chris Fish apparut dans l'allée. Elle fut étonnée de le voir rentrer si tôt ; d'habitude il travaille à l'atelier jusque tard dans la soirée.

« Il se comportait d'une façon curieuse. Il est entré dans la maison avec un air terrible, en est ressorti et s'est mis à m'aider à laver Max. C'est à ce moment que j'ai compris que quelque chose n'allait pas. Fish ne lave jamais le chien. »

« Il faut que je te parle », lui dit-il. Carine le suivit à l'intérieur, rinça le collier de Max dans l'évier et alla dans le salon. « Fish était assis sur le canapé, dans l'obscurité, la tête penchée. Il semblait complètement abattu. Essayant de le tirer de sa mauvaise humeur, je lui ai dit : "Qu'est-ce qui t'arrive ?" Je m'imaginais que ses employés lui avaient joué un tour, peut-être lui avaient-ils dit qu'ils m'avaient vue avec un autre homme ou quelque chose comme ça. J'ai ri et je lui ai demandé : "Est-ce que tes gars t'ont donné du fil à retordre ?" Mais il n'a pas ri. Quand il a levé son regard vers moi, j'ai vu qu'il avait les yeux rouges. »

« Il s'agit de ton frère, dit Fish. On l'a retrouvé, il est mort. » Sam, le fils aîné de Walt, avait prévenu Fish en lui téléphonant à l'atelier.

Les yeux de Carine se voilèrent et elle sentit que son champ visuel se rétrécissait. Involontairement, elle se mit à balancer la tête d'avant en arrière. « Non, dit-elle, Chris n'est pas mort », puis elle se mit à hurler. Son cri était si fort, si continu que Fish craignit que les voisins, pensant qu'il la battait, n'appellent la police.

Carine se recroquevilla sur le canapé dans une position fœtale en gémissant sans cesse. Quand Fish essaya de la réconforter, elle le repoussa et lui cria de la laisser tranquille. Elle demeura cinq heures dans cet état hystérique, mais vers onze heures du soir elle se calma suffisamment pour pouvoir jeter quelques affaires dans un sac, monter dans la voiture et partir avec lui vers la maison de Walt et Billie, à quatre heures de route de là.

Avant de quitter Virginia Beach, Carine demanda à Fish de s'arrêter à l'église. « J'entrai et restai assise devant l'autel pendant environ une heure. Fish m'attendait dans la voiture. Je voulais une réponse de Dieu, mais je n'en obtins pas. »

Plus tôt dans l'après-midi, Sam avait confirmé que la photo du randonneur inconnu faxée de l'Alaska était bien celle de Chris, mais le coroner de Fairbanks demandait aussi son dossier dentaire afin de parvenir à une identification certaine. La comparaison des radios prit plus d'une journée. Billie refusa de regarder la photo avant qu'il soit avéré que le jeune homme mort de faim près de la rivière Sushana était son fils.

Le lendemain, Carine et Sam prirent l'avion pour Fairbanks afin de ramener les restes de Chris. Dans le bureau de la coroner, on leur donna les affaires trouvées près du corps : la carabine de Chris, une paire de jumelles, la canne à pêche que Franz lui avait offerte, l'un des couteaux suisses de Jan Burres, le livre de botanique dans lequel il avait écrit son journal, un appareil photo et 5 pellicules – c'était à peu près tout. La coroner leur tendit des papiers au-dessus de son bureau. Sam les signa et les lui rendit.

Moins de vingt-quatre heures après leur atterrissage à Fairbanks, Carine et Sam reprirent l'avion pour Anchorage où le corps de Chris avait été incinéré après l'autopsie pratiquée par le laboratoire de médecine légale. La morgue leur fit porter à leur hôtel les cendres de Chris placées dans une boîte en plastique. « Je fus surprise que la boîte soit si grande, dit Carine. L'étiquette indiquait Christopher R. McCandless. Or son initiale est J. Cette erreur me tracassa. Puis j'ai pensé : "Chris s'en serait moqué. Il aurait trouvé cela amusant." »

Le lendemain matin, ils prirent l'avion pour le Maryland. Carine transportait les cendres de son frère dans son bagage à main.

Pendant le vol, Carine mangea tout ce que les stewards placèrent devant elle : « C'étaient ces trucs horribles qu'on sert dans les avions, mais je ne pouvais supporter l'idée de jeter de la nourriture alors que Chris était mort de faim. »

Cependant, au cours des semaines qui suivirent, son appétit disparut et elle perdit 5 kilos, au point que ses amis craignirent qu'elle ne devienne anorexique.

À Chesapeake Beach, Billie avait aussi cessé de s'alimenter. Cette petite femme de quarante-huit ans aux traits juvéniles perdit 4 kilos avant de retrouver l'appétit. Walt, au contraire, ne pouvait s'empêcher de manger et il prit 4 kilos.

Un mois après, Billie est assise à la table de sa salle à manger, essayant de concentrer son regard sur les photos des derniers jours de Chris. De temps en temps, elle éclate en sanglots et elle pleure comme seule une mère qui a survécu à son enfant peut pleurer. L'esprit ne parvient pas à prendre la mesure d'une perte si énorme, si irréparable. Quand on a observé une telle détresse de près, les plus éloquentes apologies des activités dangereuses semblent creuses et niaises.

« Je ne comprends pas pourquoi il fallait qu'il prenne ces risques, proteste Billie à travers ses larmes, non, je ne comprends pas. »

14

La Calotte de glace de Stikine

J'ai grandi avec un corps plein d'énergie mais aussi avec un esprit tendu et insatisfait qui désirait quelque chose de plus, quelque chose de tangible. Il recherchait passionnément la réalité, comme si elle n'était pas là...

Mais vous voyez tout de suite ce que je fais. Je grimpe.

John Menlove Edwards, *Lettre d'un homme.*

C'était il y a si longtemps que je ne peux dire exactement dans quelles circonstances j'ai fait ma première ascension. Je me souviens seulement que j'ai frissonné en cheminant (j'ai le vague souvenir d'avoir passé la nuit dehors, tout seul) et qu'ensuite je suis monté avec régularité le long d'une crête rocheuse à demi revêtue d'arbres chétifs et hantée par des bêtes sauvages, jusqu'au moment où je me suis perdu dans l'air supérieur et les nuages en ayant l'impression de franchir la ligne imaginaire qui sépare une colline, simple élévation de terrain, d'une montagne et de pénétrer dans une grandeur, dans un sublime supraterrestres. Ce qui distingue ce sommet de l'horizon terrestre, c'est qu'il est majestueux, terrible, intact. Il ne devient jamais familier ; au moment où vous y posez le pied, vous êtes perdu. Vous connaissez le sentier, mais vous avancez, heureux, sur la roche nue et sans repère comme si c'était de l'air et des nuages solidifiés. Ce sommet rocheux couvert de brume, caché dans les nuages, était plus délicieusement terrible et sublime que le cratère d'un volcan crachant des flammes.

Henry David Thoreau, *Journal*.

Dans sa dernière carte postale à Wayne Westerberg, McCandless avait écrit : « Si cette aventure tourne mal et que tu n'entendes plus parler de moi, je veux que tu saches que je te considère comme quelqu'un de formidable. Maintenant, je m'enfonce dans la forêt. » Quand il fut avéré que l'aventure avait eu une fin tragique, cette déclaration mélodramatique alimenta l'hypothèse que le jeune homme avait été dès le départ suicidaire et qu'en entrant dans le sous-bois, il avait l'intention de n'en plus revenir. Pour ma part, je n'en suis pas si sûr.

Ce qui me fait soupçonner que la mort de McCandless était fortuite, que c'était un terrible accident, c'est la lecture des quelques documents qu'il laissait ainsi que mes entretiens avec les hommes et les femmes qui l'ont fréquenté pendant la dernière année de sa vie. Mais ma saisie intuitive de ses intentions tient aussi à une considération plus personnelle.

On m'a dit que dans ma jeunesse j'était têtu, renfermé, enclin à des actes téméraires, versatile. D'une façon générale, je décevais mon père. Tout comme pour McCandless, ceux qui représentaient l'autorité paternelle faisaient naître en moi un mélange de fureur contenue et de désir de plaire. Si quelque chose s'emparait de mon imagination, je m'y consacrais avec un zèle proche de l'obsession et depuis l'âge de dix-sept ans jusqu'à l'approche de la trentaine, ce quelque chose, c'était l'escalade.

Je consacrais la plus grande partie de ma journée à imaginer, et plus tard à entreprendre, l'ascension de montagnes éloignées en Alaska et au Canada – d'obscures cimes raides et effrayantes, dont personne au monde n'avait entendu parler, à l'exception de quelques mordus de la grimpe. Cela eut des effets bénéfiques. En fixant mes vues sur un sommet après l'autre, je finis par traverser sans dommage l'épais brouillard de ma post-adolescence. Il *était important* que je grimpe. Le danger baignait toute chose – la courbe des rochers, la couleur orange et jaune des lichens, la texture des nuages – dans une lueur qui lui conférait un relief brillant. La vie vibrait un ton plus haut. Le monde devenait réel.

En 1977, je broyais du noir au comptoir d'un bar du Colorado, grattant moralement les croûtes de ma pauvre existence, lorsque me vint l'idée d'escalader une montagne appelée le Devils Thumb (le Pouce des démons). C'est une intrusion de diorite sculptée par d'anciens glaciers en un pic de proportions immenses et spectaculaires. La face nord du Thumb est particulièrement imposante : un grand mur, jamais escaladé, s'élève net et lisse à 1 800 mètres au-dessus du glacier qui en forme le socle. C'est deux fois la hauteur du El Capitan dans le parc Yosemite. C'était décidé : j'irais en Alaska, à partir de la mer je skierais sur 48 kilomètres de glace et je ferais l'ascension de cette puissante face nord. Bien plus, j'irais seul.

J'avais vingt-trois ans. Un an de moins que Chris McCandless quand il alla en Alaska. Ma raison, si on peut l'appeler ainsi, était enflammée par le tiraillement des passions de la jeunesse et par un régime de lectures trop riche en œuvres de Nietzsche, de Kerouac et de John Menlove Edwards. Ce dernier était un écrivain et un psychiatre profondément tourmenté qui, avant de se donner la mort en 1958 au moyen d'une capsule de cyanure, avait été l'un des tout premiers alpinistes britanniques de l'époque. Edwards voyait dans l'escalade une « tendance névrotique ». Il ne grimpait pas pour le sport, mais pour trouver un refuge face aux tourments intérieurs qui façonnaient son existence.

Tandis que mon projet se précisait, j'étais obscurément conscient qu'il pourrait me coûter la vie. Mais cela ne faisait qu'accroître son intérêt. L'important, justement, c'est que ce ne serait pas facile.

J'avais un livre qui contenait une photographie du Devils Thumb, une image en noir et blanc prise par un spécialiste des glaciers nommé Maynard Miller. Sur la photo aérienne de Miller, la montagne avait un air particulièrement sinistre : un immense éperon en pierre exfoliée, sombre, avec des taches de glace. J'en éprouvais une fascination presque pornographique. Je me demandais ce que cela ferait de se trouver en équilibre sur la pointe de ce sommet en forme de lame, soucieux à cause de nuages orageux qui se constituaient au loin, arc-bouté contre le vent, résistant aux attaques du froid, contemplant le vide des deux côtés. Pouvait-on museler sa terreur assez longtemps pour atteindre le sommet et redescendre ?

Et si je réussissais ?... Je ne voulais pas me laisser aller à imaginer le triomphe qui en découlerait, de crainte d'attirer la malchance. Mais je ne doutais pas que cette ascension transformerait ma vie. Comment pouvait-il en être autrement ?

À cette époque, je travaillais comme charpentier itinérant, construisant des charpentes d'immeubles pour 3,5 dollars l'heure. Un après-midi, après avoir entassé des poutres et planté des clous pendant neuf heures, j'annonçai à mon patron que je partais : « Non, pas dans quinze jours, Steve, j'ai l'intention de partir tout de suite. » Il ne me fallut que quelques heures pour retirer mes outils et mes affaires de la minable caravane de chantier où je logeais. Puis je montai dans ma voiture et pris le chemin de l'Alaska. Comme toujours, j'étais surpris qu'il soit si facile de s'en aller, et que ce soit si bon. Soudain, le monde devenait riche de toutes sortes de possibilités.

Le Devils Thumb marque la frontière entre l'Alaska et la Colombie-Britannique à l'est de Petersburg, bourgade de pêcheurs qui n'est accessible que par bateau ou par avion. Il y avait des vols réguliers pour Petersburg mais mon avoir se composait d'une Pontiac 1960 et de 200 dollars, ce qui ne suffisait même pas pour un aller simple. C'est pourquoi je roulai jusqu'à Gig Harbor, dans l'État de Washington, abandonnai la voiture et me fis accepter sur un senneur à saumon dont le port d'attache était au nord.

L'*Ocean Queen* était un bateau large et pratique construit en épaisses planches de cèdre jaune de l'Alaska, équipé pour la haute mer et doté d'une senne. En échange du voyage, on me demandait de tenir la barre pendant les quarts – quatre heures toutes les douze heures – et d'aider à nouer d'interminables filets à flétan. La lente remontée du passage intérieur donna libre cours à une rêverie éthérée pleine d'anticipation. J'étais en route, entraîné par un impératif qu'il m'était impossible de comprendre ou de dominer.

Quand nous franchîmes le détroit de Géorgie, la lumière du soleil scintillait sur l'eau. De chaque côté, une pente montait à pic, portant une sombre couronne de sapins et de cèdres. Des mouettes tournoyaient au-dessus de nos têtes. Devant Malcolm Island, le bateau sépara un groupe de sept orques, dont la nageoire dorsale, de la longueur d'un homme pour certains, fendait la surface lisse tout près du bord.

Au cours de la seconde nuit, deux heures avant l'aube, je tenais la barre lorsqu'une tête de cerf apparut dans la lumière des projecteurs. L'animal était au milieu du détroit de Fitz Hugh. Il nageait dans l'eau noire et glacée à plus de 1,5 kilomètre de la côte du Canada. Ses yeux devinrent rouges dans la lumière qui l'aveuglait. Il avait l'air épuisé et affolé. Je lançai la barre à tribord et le bateau le dépassa en glissant doucement. Le cerf fut soulevé deux fois par les remous de notre sillage avant de disparaître dans les ténèbres.

La plus grande partie du passage intérieur suit d'étroits goulets semblables à ceux des fjords. Mais, après l'île Dundas, la vue s'élargit soudainement. À l'ouest, c'est l'océan, le Pacifique dans toute son étendue. Le bateau tanguait et roulait dans une houle d'ouest avec des creux de 3,50 mètres. Les vagues venaient se briser sur le pont. Au loin, à tribord, apparut un ensemble confus de pics escarpés, bas sur l'horizon. Mon pouls battit plus fort. Ces montagnes symbolisaient l'approche de mon objectif. Nous arrivions en Alaska.

Cinq jours après avoir quitté Gig Harbor, l'*Ocean Queen* accosta à Petersburg pour faire de l'eau et du gas-oil. Je franchis le plat-bord d'un saut, mis mon lourd sac à dos sur mes épaules, et longeai le quai sous la pluie. Ne sachant que faire, je trouvai refuge sous le porche de la bibliothèque municipale et m'assis sur mon bagage.

Petersburg est une petite ville, très convenable selon les critères de l'Alaska. Une grande femme à la démarche souple s'arrêta pour engager la conversation. Elle s'appelait Kai, me dit-elle, Kai Sandburn. Elle était ouverte, gaie, d'un commerce agréable. Je lui avouai mon projet d'ascension et à mon grand soulagement elle ne s'en moqua pas et n'eut pas l'air de le trouver anormal. « Quand le temps est clair, dit-elle, on peut voir le Thumb d'ici. Il est beau. C'est juste là, au-delà du détroit de Frederick. » Je suivis la direction de son doigt qui désignait un écran de nuages bas vers l'est.

Kai m'invita chez elle pour dîner. Ensuite, je déroulai mon sac de couchage sur le plancher et, longtemps après qu'elle se fut endormie, je restai éveillé dans la pièce voisine, écoutant sa respiration paisible. Je m'étais convaincu depuis bien des mois que le manque de relations intimes, l'absence de tout véritable lien personnel m'importaient peu. Mais le plaisir que m'avaient donné la compagnie de cette femme, la note claire de son rire, sa façon innocente de poser sa main sur mon bras me faisait sentir combien je m'étais trompé sur moi-même et me laissait avec un douloureux sentiment de vide.

Petersburg est sur une île, le Devils Thumb sur la côte. Il émerge d'une montagne nue et gelée connue sous le nom de Calotte de glace de Stikine. Immense et labyrinthique, la calotte de glace recouvre l'épine dorsale des chaînes frontalières comme une carapace à partir de laquelle les longues langues bleues d'innombrables glaciers descendent lentement vers la mer sous le poids des ans. Pour atteindre le pied de la montagne, il me fallait me faire transporter sur

40 kilomètres d'eau salée, puis remonter à ski, sur 50 kilomètres, l'un de ces glaciers, le Baird. C'était une vallée de glace qui, j'en étais sûr, n'avait pas connu d'empreintes humaines depuis très, très longtemps.

Je partageai avec trois forestiers le prix du transport jusqu'à l'extrémité de la baie de Thomas, où je fus déposé sur une plage de gravier. On pouvait distinguer à 1,5 kilomètre la base encombrée de débris du glacier. Une demi-heure plus tard, je franchissais ses saillies gelées et commençais ma longue progression vers le Thumb. La glace, dépourvue de neige, renfermait des gravillons noirs qui craquaient sous la pointe de mes crampons.

Après 4 ou 5 kilomètres, je parvins à la neige et, là, j'échangeai les crampons pour les skis. Le fait de mettre les planches aux pieds allégea mon horrible charge de 7 kilos et me permit d'aller plus vite. Mais, sur le glacier, la neige dissimulait de nombreuses et dangereuses crevasses.

Prévoyant ce risque, j'avais acheté à Seattle une paire de tringles à rideaux en aluminium longues de 3 mètres. J'attachai les tringles en forme de croix puis les passai dans la ceinture basse de mon sac à dos. Ainsi, elles étaient disposées horizontalement au-dessus de la neige. Avançant avec difficulté sous mon sac trop chargé, portant cette ridicule croix métallique, j'avais l'impression de me soumettre à une étrange pénitence. Mais si je devais passer au travers de la couche de neige et tomber dans une crevasse, j'espérais fortement que les tringles à rideaux m'empêcheraient de tomber dans les profondeurs glacées du Baird.

Pendant deux jours, je progressai régulièrement vers le haut de la vallée de glace. Le temps était beau, l'itinéraire était simple et ne comportait pas d'obstacles majeurs. Mais comme j'étais seul, même le banal me semblait chargé de sens. La glace paraissait plus froide et plus mystérieuse et le ciel d'un bleu plus pur. Les pics inconnus qui s'élevaient au-dessus du glacier avaient un aspect plus massif, plus beau et infiniment plus menaçant que si une autre personne m'avait accompagné. Et, de la même façon, mes émotions étaient amplifiées. L'espoir s'élevait au plus haut, le désespoir se faisait sombre et profond. Pour un jeune homme grisé par le dévoilement de sa propre existence, tout cela comportait un immense attrait.

Trois jours après avoir quitté Petersburg, j'arrivai au pied de la Calotte de glace de Stikine, à l'endroit où le long bras du Baird se joint au corps principal de glace. Là, le glacier déborde abruptement d'un plateau élevé, descendant vers la mer par une échancrure entre deux montagnes dans une fantasmagorie de glace concassée. Je contemplais ce spectacle dont le lointain tumulte parvenait jusqu'à moi et pour la première fois depuis mon départ du Colorado je ressentis la peur.

La coulée de glace était parsemée de crevasses et de séracs vacillants. De loin, on avait l'impression d'un train qui déraille. De fantomatiques wagons blancs en grand nombre passaient par-dessus le bord de la calotte et dégringolaient le long de la pente. Plus je m'approchais, plus ce spectacle m'était désagréable. Mes tringles à rideaux semblaient une piètre protection contre des crevasses larges de 12 mètres et fort profondes. Avant que j'aie eu le temps de préparer un itinéraire pour traverser cette chute de glace, le vent se leva et la neige se mit à tomber obliquement avec force. Elle me frappait le visage et réduisait la visibilité à presque rien.

Pendant la plus grande partie de la journée, j'avançai en tâtonnant dans cette blancheur aveuglante, revenant sur mes pas dans les voies sans issue. À chaque fois je pensais avoir trouvé un passage, mais j'échouais en haut d'un pilier de glace isolé ou bien je devais faire demi-tour au fond d'un cul-de-sac. Les bruits qui provenaient du sol donnaient à mes efforts un caractère d'urgence. Un madrigal de craquements et de sons aigus – semblable à ce qui se produit quand on courbe une branche de sapin jusqu'au point où elle se brise – me rappelait qu'il est dans la nature des glaciers de se déplacer et dans celle des séracs de s'effondrer.

Je mis le pied sur un arc de neige qui dissimulait une fente si profonde que je ne pouvais en voir le fond. Un peu plus tard, je traversai un autre arc jusqu'à la ceinture. Les tringles m'empêchèrent de tomber dans une crevasse de 30 mètres. Une fois que je me fus dégagé, la nausée me plia en deux. Je me représentais ce que ce serait d'être au fond de cette crevasse, attendant la mort sans que personne ne puisse savoir quand et comment ma vie avait pris fin.

La nuit était presque là quand j'émergeai du sommet du sérac pour me hisser sur l'étendue vide, battue par le vent du haut plateau de glace. En état de choc, et frissonnant jusqu'aux os, je m'éloignai suffisamment à ski pour ne plus entendre le grondement de la chute de glace. Je plantai ma tente, me glissai dans mon sac de couchage et, en tremblant, me laissai aller à un sommeil intermittent.

J'avais prévu de passer entre trois semaines et un mois sur la Calotte de glace de Stikine. Peu désireux de transporter sur tout le trajet d'approche une charge de nourriture pour quatre semaines, un équipement pour le camping hivernal et le matériel d'escalade, j'avais donné 150 dollars – mes dernières économies – à un pilote de Petersburg pour qu'il largue 6 cartons de vivres lorsque j'aurais atteint le pied du Thumb. Je lui avais indiqué sur sa carte le point exact où je pensais être et lui avais demandé de me laisser trois jours pour y parvenir. Il m'avait promis de le faire, dès que le temps le permettrait.

Le 6 mai, j'installai mon camp de base sur la calotte de glace, au nord-est du Thumb, et j'attendis le largage. Pendant les quatre jours qui suivirent, il neigea, ce qui réduisait à néant toute possibilité de vol. Trop effrayé par les crevasses pour m'éloigner du camp, je passai la plus grande partie de mon temps allongé sous la tente – elle était trop basse pour permettre de se tenir assis –, faisant face à un chœur de doutes de plus en plus insistants.

À mesure que les jours passaient, mon angoisse augmentait. Je n'avais pas de radio ni aucun autre moyen de communiquer avec le monde extérieur. Cela faisait de nombreuses années que personne n'était venu dans cette partie de la Calotte de glace de Stikine et très probablement il s'en écoulerait encore plus avant que quelqu'un se présente. Je n'avais presque plus de fioul pour mon poêle et j'en étais réduit à un seul morceau de fromage, à mon dernier paquet de pâtes et à une demi-boîte de gâteaux au chocolat. Avec cela, je pensais pouvoir tenir encore trois ou quatre jours si c'était nécessaire, mais ensuite ? Il ne me fallait que deux jours pour redescendre le Baird jusqu'à la baie de Thomas, mais il faudrait attendre encore une semaine ou plus avant qu'un pêcheur passant par là puisse m'emmener à Petersburg (les forestiers campaient à 25 kilomètres, au-delà d'une côte parsemée de promontoires, infranchissable, et on ne pouvait les rejoindre que par bateau ou par avion).

Quand je me couchai, le soir du 10 mai, il continuait à neiger et à venter fortement. Quelques heures plus tard, j'entendis pendant un instant un chuintement très faible, à peine plus fort que le bruit d'un moustique. J'écartai la toile à l'entrée de la tente. La plupart des nuages étaient partis mais aucun avion n'était en vue. Puis le chuintement revint, plus insistant cette fois. Et enfin je l'aperçus : une petite tache rouge et blanc dans le ciel vers l'ouest. Il venait vers moi.

Quelques minutes plus tard, l'avion passa directement au-dessus de ma tête. Le pilote n'était pas habitué aux glaciers et il avait mal évalué les distances. Ne voulant pas être pris dans une turbulence en volant trop bas, il restait à au moins 300 mètres audessus de moi, persuadé d'avoir dépassé le point de largage et n'apercevant pas ma tente dans la lumière rasante du soir. Mes grands gestes et mes cris ne servaient à rien. À cette altitude, il ne pouvait me distinguer des rochers. Pendant l'heure qui suivit il décrivit des cercles au-dessus de la calotte de glace, scrutant sans succès ses contours dépouillés. Mais il faut dire au crédit du pilote qu'il comprenait combien ma situation était grave et il n'abandonna pas. Frénétiquement, j'attachai mon sac de couchage à l'extrémité d'une des tringles et me mis à l'agiter autant que je le pouvais. L'avion effectua un virage serré et vint droit sur moi. Le pilote survola ma tente à trois reprises, lâchant deux cartons à chaque passage, puis l'avion disparut au-delà d'une crête. J'étais seul. À nouveau le silence régnait sur le glacier, je me sentais vulnérable, perdu, abandonné. Je m'aperçus que je sanglotais. Gêné, je mis fin à mes larmes en hurlant des obscénités jusqu'à en être enroué.

Je me réveillai le 11 mai sous un ciel clair et dans une température relativement douce de – 6 °C. Surpris par le beau temps, pas encore prêt mentalement à entreprendre l'ascension, je préparai fébrilement un sac à dos et me mis à skier vers le pied du Thumb. Deux précédentes expéditions en Alaska m'avaient appris qu'on ne pouvait pas se permettre de gâcher l'un des rares jours de beau temps.

Un petit glacier qui déborde la calotte de glace monte vers la face nord du Thumb comme une passerelle. Mon plan consistait à le suivre jusqu'à un rocher proéminent qui forme une proue au milieu de la paroi et de là j'exécuterais la montée finale en contournant l'horrible moitié inférieure balayée par des avalanches.

Il se révéla que la passerelle était constituée d'une succession de champs de glace couverts d'une neige poudreuse qui montait jusqu'aux genoux et parsemés de crevasses. La profondeur de la neige rendait la progression lente et épuisante. Finalement, quelque trois ou quatre heures après avoir quitté le camp, je me trouvai face à la paroi terminale. J'étais épuisé, et la véritable escalade n'avait pas encore commencé. C'était juste au-dessus, à l'endroit où le glacier cède la place à la roche verticale.

Manquant de prises et recouverte de givre friable, celle-ci n'était pas encourageante, mais juste à gauche il y avait une encoignure peu profonde vitrifiée par de l'eau de ruissellement gelée. Ce ruban de glace conduisait directement 100 mètres plus haut. Si la glace était assez épaisse pour supporter la pointe de mon piolet, l'itinéraire pourrait être praticable. Je me glissai jusqu'à la base de l'encoignure et, avec précaution, je frappai au moyen d'un de mes instruments la glace épaisse de 5 centimètres. Solide, ferme, elle était plus fine que je ne l'aurais souhaité mais c'était tout de même encourageant.

La pente était raide et si dangereuse que cela me donnait le vertige. Sous mes semelles Vibram la paroi descendait sur cent mètres jusqu'au glacier du Chaudron des sorcières dont le cirque était sali et abîmé par les avalanches. Au-dessus de moi, le promontoire jaillissait avec autorité jusqu'au bord du sommet, 800 mètres plus haut à la verticale. Chaque fois que je plantais un de mes piolets dans la glace, cette distance diminuait de 30 centimètres.

Tout ce qui me retenait à la montagne, tout ce qui me retenait au monde, c'étaient deux fines pointes de molybdène chromé enfoncées de 1,5 centimètre dans de l'eau gelée, et pourtant plus je montais, mieux je me sentais. Au début d'une ascension difficile, surtout en solitaire, on a constamment l'impression que l'abîme vous tire par le dos. Y résister exige un effort de volonté énorme ; on ne doit pas baisser la garde un seul instant. Le chant des sirènes du vide vous fait vaciller ; il rend les mouvements maladroits, peu fermes, saccadés. Mais à mesure que l'ascension se poursuit, on s'habitue au danger, à frôler les ténèbres, et l'on en vient à faire confiance à ses mains, à ses pieds, à sa tête. On apprend la maîtrise de soi.

Bientôt l'attention devient si intense qu'on en oublie les articulations douloureuses, les crampes dans les cuisses, la fatigue d'avoir à rester constamment concentré. Un état quasi hypnotique s'installe au-delà de l'effort. L'escalade devient un rêve éveillé. Les heures passent comme des minutes. Tout le fatras de la vie quotidienne – les intermittences de la lucidité, les factures impayées, les occasions manquées, la poussière sur le canapé, l'enfermement dans une configuration génétique –, tout cela est momentanément oublié, chassé de l'esprit par la puissante clarté du but à atteindre et par le sérieux de la tâche.

À de tels moments quelque chose qui ressemble au bonheur s'éveille dans votre poitrine, mais ce n'est pas le genre d'émotion qu'on a envie d'examiner de près. Dans l'escalade en solitaire, ce qui soude l'entreprise, c'est à peine plus que le simple culot, lequel n'est pas ce qu'il y a de plus fiable. À la fin de cette journée sur la face nord du Thumb, au moment où je frappai avec mon piolet, je sentis que ce ciment commençait à se désintégrer.

J'avais progressé d'à peine 200 mètres, toujours à la pointe des crampons et des piolets. Le ruban d'eau de ruissellement gelée avait pris fin au bout de 100 mètres. Il était suivi par une carapace friable de paillettes gelées. Bien qu'à peine assez consistant pour supporter mon poids, ce givre était plaqué au roc sur une épaisseur de 30 à 60 centimètres. Aussi continuai-je à enfoncer mes pointes et à monter. Cependant, imperceptiblement, la paroi devenait encore plus raide et la couche de gel plus fine. J'étais entré dans un rythme de progression lent, hypnotique – piolet – piolet – crampon – crampon – piolet – piolet – crampon – crampon –, quand soudain mon piolet gauche frappa la roche, de la diorite, qui se trouvait sous le givre.

J'essayai à droite, puis à gauche, c'était toujours de la roche. Il m'apparut alors que les paillettes gelées qui me soutenaient étaient épaisses de 12 centimètres à peu près et qu'elles avaient la consistance du pain rassis. Sous moi il y avait plus de 1 000 mètres d'air et je me trouvais en équilibre sur un château de cartes. Le goût amer de la panique me monta à la gorge. Mes yeux se voilèrent, ma respiration s'accéléra, mes genoux se mirent à trembler. Je me hissai un peu plus haut sur la droite, espérant trouver une glace plus épaisse, mais je ne fis que tordre mon piolet sur la roche.

Rendu maladroit et raide par la peur j'amorçai la redescente. La glace devenait progressivement plus épaisse et après avoir descendu environ 25 mètres je retrouvai des prises relativement fermes. Je fis une longue pause pour laisser mes nerfs se calmer, puis inclinai ma tête en arrière et examinai la paroi au-dessus de moi à la recherche d'une couche de glace solide, d'une variation dans le substrat rocheux ou de tout ce qui permettait de franchir la pierre gelée. Je regardai jusqu'à en avoir mal au cou, mais il n'y avait rien. L'escalade était terminée. Il n'y avait plus qu'à redescendre.

15

La Calotte de glace de Stikine

Mais nous savons peu de chose tant que nous n'avons pas fait l'expérience de ce qu'il y a d'incontrôlable en nous. Parcourons les glaciers et les torrents, escaladons de dangereuses montagnes et laissons l'opinion prononcer ses interdictions.

John Muir, *Les Montagnes de Californie.*

Avez-vous remarqué la légère incurvation au coin de la bouche de Sam II quand il vous regarde ? Cela signifie d'abord qu'il ne veut pas que vous l'appeliez Sam II et aussi qu'il a une jambe de bois à gauche et un crochet menaçant à droite et qu'il est prêt à vous tuer avec l'un ou l'autre s'il en a l'occasion. Le père est mis à l'écart. Ce qu'il dit habituellement dans ce genre de confrontation, c'est : « J'ai changé tes couches, petit morveux. » Mais ce n'est pas ce qu'il faudrait dire. D'abord parce que ce n'est pas vrai (les mères changent neuf couches sur dix) et ensuite parce que cela rappelle immédiatement à Sam II ce qui le rend enragé, qu'il est petit alors que vous êtes grand, mais non, ce n'est pas ça, qu'il est faible alors que vous êtes puissant, mais non, ce n'est pas ça non plus, il est furieux d'être contingent alors que vous êtes nécessaire, non, pas tout à fait, ce qui le rend malade c'est qu'il vous aimait et que vous n'y avez même pas fait attention.

Donald Barthelme, *Le Père mort.*

Après être descendu du flanc du Devils Thumb, une neige abondante accompagnée de vents violents m'obligea à rester sous la tente pendant la plus grande partie des trois jours suivants. Les heures passaient lentement. Pour tenter de les faire passer plus vite, je fumai cigarette sur cigarette tant que ma provision le permit, et je lus. Quand je n'eus plus rien à lire, j'en fus réduit à étudier le dessin des renforts du plafond de la toile de tente. Je le fis pendant des heures, allongé sur le dos, tout en menant avec moi-même un chaud débat : devrais-je redescendre jusqu'à la côte dès que le temps s'améliorerait, ou bien fallait-il attendre l'occasion d'entreprendre une nouvelle tentative ?

En vérité, mon escapade sur la face nord m'avait secoué et je n'avais plus envie d'escalader le Thumb. Mais l'idée de retourner à Boulder sur cette défaite n'était pas non plus très attrayante. Je ne pouvais que trop facilement imaginer l'expression satisfaite de ceux qui – persuadés de mon échec dès le départ – viendraient m'exprimer leurs condoléances.

Le troisième jour de tempête, je n'y tins plus. Je ne pouvais plus supporter les flocons de neige gelée qui venaient me piquer le dos, le contact du nylon humide de la tente contre mon visage, l'incroyable odeur qui sortait des profondeurs de mon sac de couchage. Je farfouillai dans mes affaires en désordre à mes pieds jusqu'à ce que je trouve un petit sac vert dans lequel il y avait une boîte de pellicule. Elle contenait les ingrédients de ce que je voulais considérer comme une sorte de cigare de la victoire. J'avais eu l'intention de le préserver jusqu'à mon retour du sommet, mais qu'importe – il ne semblait pas que j'irais au sommet avant longtemps. Je versai la plus grande partie du contenu de la boîte dans une feuille de papier à cigarette, roulai maladroitement un joint et le fumai rapidement jusqu'au filtre.

Bien évidemment, la marijuana ne fit que rendre la tente plus étroite, plus suffocante, plus impossible à supporter. Elle me donna aussi une terrible faim. Je décidai qu'une assiette de flocons d'avoine me remettrait sur pied. Mais pour la préparer le processus était long et ridiculement compliqué. Il fallait sortir dans la tempête pour recueillir un bol de neige, assembler et allumer le réchaud, retrouver les flocons et le sucre, ôter de mon bol les restes du dîner de la veille. J'avais mis le réchaud en marche et j'y faisais fondre la neige lorsque je sentis une odeur de brûlé. Autour du réchaud tout allait bien. Je m'apprêtais à attribuer mon alerte au fait que mon imagination était stimulée par la drogue quand j'entendis quelque chose craquer derrière moi.

Je me retournai à temps pour voir un sac poubelle – dans lequel j'avais jeté l'allumette dont je m'étais servi pour allumer le réchaud – s'enflammer dans une petite conflagration. J'étouffai le feu avec mes mains en quelques secondes, mais déjà une large partie du mur intérieur de la tente s'était évanouie devant moi. La toile principale avait échappé aux flammes, aussi restait-elle plus ou moins étanche, mais maintenant la température avait baissé d'environ 20 degrés à l'intérieur.

Ma paume gauche commençait à me piquer. En l'examinant, je remarquai la tache rose d'une brûlure. Mais ce qui m'ennuya le plus, ce fut que la tente n'était pas à moi. J'avais emprunté cet abri coûteux à mon père. Avant mon voyage, elle était toute neuve. Il avait retiré les étiquettes à regret. Pendant plusieurs minutes je restai assis, frappé de stupeur, contemplant dans une odeur de cheveu grillé et de nylon fondu ce qui avait été la forme gracieuse de la tente. « Il fallait que tu me la donnes ! », pensai-je. J'avais le chic pour réaliser les pires craintes du vieux.

Mon père était un homme versatile et extrêmement compliqué. Son comportement impétueux masquait un profond sentiment d'insécurité. De toute sa vie, pas une seule fois je ne l'ai entendu admettre qu'il avait tort. Mais c'est lui – un alpiniste du dimanche – qui m'apprit l'escalade. Quand j'eus huit ans, il m'acheta ma première corde et mon premier piolet et m'emmena dans la chaîne des Cascades pour monter à l'assaut de la South Sister, un tranquille volcan de 3 000 mètres peu éloigné de notre domicile dans l'Oregon. Pas un seul instant il ne lui vint à l'esprit que je pourrais un jour vouloir faire de l'escalade le centre de ma vie.

Lewis Krakauer était un homme gentil et généreux. Il aimait profondément ses cinq enfants, à la manière autocratique des pères, mais sa vision du monde était déformée par un esprit de compétition impitoyable. Pour lui, la vie était un combat. Il avait lu et relu les œuvres de Stephen Potter – l'écrivain anglais qui forgea les termes de *one-upmanship* (volonté d'être le premier) et de *gamesmanship* (art de gagner) – non pas en y voyant une satire sociale mais comme un traité pratique de stratagèmes. Il était ambitieux à l'extrême et, comme Walt McCandless, il étendait ses aspirations à sa progéniture.

Avant même que j'entre au jardin d'enfants, il commença à me préparer pour une brillante carrière médicale ou, à défaut, et en manière de dérisoire consolation, à une carrière juridique. À Noël, à mes anniversaires, je recevais en cadeau un microscope, des accessoires de chimie, l'*Encyclopaedia Britannica.* Depuis l'école élémentaire jusqu'à la fin du lycée, mes frères et sœurs et moi, nous fûmes exhortés jusqu'au harcèlement à réussir dans toutes les matières, à obtenir des récompenses dans les concours scientifiques, à être majors de promotion, à être élus délégués de classe. Ce n'était qu'ainsi, nous enseigna-t-il, que nous pouvions espérer parvenir dans la bonne université qui, elle-même, nous mènerait à l'école de médecine d'Harvard : seul moyen assuré d'obtenir un succès significatif et d'atteindre un bonheur durable.

Mon père avait une foi inébranlable dans ce programme. Après tout, c'était le chemin qu'il avait lui-même suivi et qui l'avait mené à la prospérité. Mais je n'étais pas un clone de mon père. Pendant mon adolescence, au moment où je devais réaliser ce plan, je déviai d'abord graduellement du cours prévu, puis carrément. Mon insoumission entraîna une grande quantité de hurlements. Les vitres de notre maison vibraient dans le tonnerre des ultimatums. À l'époque où je quittai Corvalis, dans l'Oregon, pour entrer dans une lointaine université où le lierre ne poussait pas, je ne parlais à mon père que les mâchoires serrées, ou bien pas du tout. Quatre ans plus tard, lorsque j'obtins mon diplôme, non pour entrer à Harvard ou dans toute autre école de médecine, mais pour devenir un charpentier passionné d'escalade, le gouffre infranchissable qui nous séparait s'était encore élargi.

Très tôt, j'avais joui d'une liberté et d'une autonomie pour lesquelles j'aurais dû éprouver de la reconnaissance, mais ce n'était pas le cas. Je me sentais oppressé par les attentes de mon père. Il m'avait inculqué l'idée que, en dehors de la victoire, il n'y avait que l'échec. En fils impressionnable, je ne prenais pas cela comme une simple formule. Je le prenais à la lettre. C'est pourquoi, plus tard, lorsque certains secrets soigneusement dissimulés furent révélés, lorsque je constatai que ce père de droit divin qui exigeait la perfection était lui-même rien moins que parfait, qu'il n'avait rien de divin, je fus incapable de garder la distance nécessaire. Une rage aveugle s'empara de moi. La révélation qu'il n'était qu'un être humain, terriblement humain, dépassait ma capacité de pardon.

Vingt ans après ma découverte, la rage s'en était allée depuis longtemps déjà. Elle avait été remplacée par une sympathie triste et par quelque chose qui ressemblait à de l'affection. J'en vins à comprendre que j'avais désorienté et irrité mon père au moins aussi souvent qu'il l'avait fait pour moi. Je compris que je m'étais montré égoïste, rigide, et que j'avais été un casse-pieds de première catégorie. Il voulait construire une voie privilégiée pour moi, un pont vers une vie heureuse, et je l'en avais remercié en détruisant tout et en souillant même les débris de son rêve.

Mais une nouvelle lumière ne survint qu'après l'intervention du temps et du malheur, au moment où l'existence pleine d'autosatisfaction de mon père avait déjà commencé à se déliter. D'abord, son corps le trahit. Trente ans après une attaque de poliomyélite, les symptômes réapparaissaient. Les muscles fondaient, les synapses ne fonctionnaient plus, les jambes refusaient de marcher. Il découvrit dans des revues médicales qu'il souffrait d'une maladie récemment identifiée : le syndrome post-polio. La douleur, atroce par moments, remplissait ses journées comme un bruit aigu et constant.

Pour tenter d'entraver les progrès de la maladie, il eut la mauvaise idée de se soigner lui-même. Il ne se déplaçait plus sans un bagage en similicuir rempli de dizaines de flacons de gélules orange. Toutes les heures ou toutes les deux heures, il farfouillait dans le sac à médicaments, examinait les étiquettes, et extrayait des comprimés de Dexedrine, de Percodan, de Prozac, de Deprenyl. Il gobait les pilules par poignées, sans eau, avec une grimace. Il se servait aussi de seringues. Des ampoules vides apparurent sur le lavabo. De plus en plus, sa vie tournait autour de cette pharmacopée auto-administrée de stéroïdes, d'amphétamines, d'antidépresseurs, d'antalgiques, et toutes ces potions finirent par altérer son esprit autrefois si puissant.

À mesure que sa conduite devenait plus irrationnelle, plus coupée de la réalité, ses derniers amis s'éloignaient. Ma mère, après un long tourment, n'eut d'autre choix que de s'en aller. Mon père entra alors dans la folie et tenta de se suicider. Pour commettre cet acte, il fit en sorte que je sois présent.

À la suite de sa tentative de suicide, il fut placé dans un hôpital psychiatrique près de Portland. Lorsque je lui rendis visite là-bas, ses bras et ses jambes étaient attachés aux montants de son lit. Il protestait de façon incohérente et il s'était sali. Ses yeux avaient des lueurs furieuses. Tantôt lançant des éclairs de défiance, tantôt envahis par une incompréhensible terreur, ils roulaient jusqu'au blanc dans leurs orbites, donnant ainsi un aperçu clair et effrayant de l'état de torture de son esprit. Quand les aides-soignantes tentèrent de changer ses draps, il débita des ordures à ceux qui le retenaient, les maudit, me maudit aussi, maudit le destin. Que sa vie si rationnelle l'ait finalement conduit dans ce lieu de cauchemar faisait naître en moi des pensées ironiques qui ne me donnaient aucun plaisir et que d'ailleurs il ne soupçonna pas.

Il passa également à côté de cette autre observation ironique : ses efforts pour me modeler à son image avaient fini par l'emporter. Ce vieux renard avait réussi à instiller en moi une grande, une brûlante ambition. Elle avait simplement trouvé sa voie dans une quête inattendue. Il ne put jamais comprendre que le Devils Thumb était, sous une forme différente, la même chose que l'école de médecine.

Je suppose que c'est cette ambition héritée et dévoyée qui m'empêchait d'admettre ma défaite sur la Calotte de glace de Stikine après l'échec de ma première tentative et même après avoir presque mis le feu à ma tente. Trois jours après la première tentative, je remontai vers la face nord. Mais cette fois, mon escalade s'arrêta à 30 mètres. Le manque de prises et une bourrasque de neige me forcèrent à faire demi-tour.

Au lieu de redescendre à mon camp de base sur la calotte de glace, je décidai de passer la nuit sur le flanc de la montagne, juste au-dessous de l'endroit où je m'étais arrêté. Cela s'avéra une erreur. À la fin de l'après-midi, la bourrasque se transforma en une forte tempête. La neige tombait si abondamment qu'elle s'épaississait sur le sol de plusieurs centimètres par heure. Alors que je m'étais couché dans mon sac de bivouac sous le rebord de la base du pic, des avalanches descendirent de la paroi et me recouvrirent comme des vagues. Elles enterraient lentement la corniche où je me trouvais.

En une vingtaine de minutes les tourbillons de neige avaient recouvert mon sac de bivouac – une fine enveloppe de nylon qui a exactement la forme d'un sachet pour sandwich – jusqu'au niveau de l'ouverture par laquelle je respirais. Quatre fois je fus enseveli, quatre fois je me dégageai. Après mon cinquième ensevelissement, j'en eus assez. Je fourrai tout mon équipement dans mon sac et décidai de me frayer un chemin jusqu'à mon campement.

La descente fut terrifiante. À cause des nuages, du blizzard qui soufflait au sol et de la lumière déclinante, le ciel et la pente formaient un tout indistinct. Je craignais avec raison de m'avancer sur un sérac et de tomber au fond du Chaudron des sorcières, 800 mètres plus bas à la verticale. Quand je parvins enfin sur le plan glacé de la calotte, je découvris que mes traces avaient été balayées depuis longtemps. Dans le vide de ce plateau de glace, je ne disposais d'aucun repère pour localiser ma tente. Avec l'espoir de tomber sur mon camp par hasard, je décrivis des cercles à ski pendant une heure, jusqu'au moment où, ayant mis le pied dans une petite crevasse, je compris que je me comportais comme un idiot et qu'il fallait me mettre à l'abri là où j'étais en attendant la fin de la tempête.

Je creusai un trou peu profond, m'enveloppai dans mon sac de bivouac et m'assis sur mon paquetage dans les tourbillons de neige. Celle-ci s'amoncela autour de moi. Mes pieds s'engourdirent. Un froid humide descendit sur ma poitrine depuis la base de mon cou, là où des flocons s'étaient introduits dans ma parka et avaient trempé ma chemise. Si seulement j'avais une cigarette, une seule, je pourrais trouver la force de caractère de faire bonne figure dans cette situation et dans toute cette expédition. Je resserrai le sac de bivouac autour de mes épaules, le vent me frappait dans le dos. Toute honte bue, j'enfouis ma tête dans mes bras et plongeai dans une orgie d'auto-apitoiement.

Je savais que certains meurent en montagne. Mais, à l'âge de vingt-trois ans, l'idée de ma propre mort restait largement hors de portée de mon esprit. Quand j'avais quitté Boulder pour l'Alaska, la tête noyée dans des rêves de gloire et de rédemption sur le Devils Thumb, il ne m'était pas apparu que, tout comme les autres, je dépendais de relations de cause à effet. Et comme j'avais un si puissant désir d'escalader cette montagne, comme j'avais si intensément pensé au Thumb depuis si longtemps, il me semblait impossible qu'un obstacle mineur – le temps, les crevasses ou la roche couverte de givre – puisse finalement contrecarrer ma volonté.

Au coucher du soleil, le vent cessa et le plafond s'éleva à 50 mètres au-dessus du glacier, ce qui me permit d'apercevoir mon campement. Je revenais intact à la tente mais il n'était plus possible d'ignorer que le Thumb avait mis mes projets en miettes. J'étais forcé d'admettre que la seule volonté, aussi déterminée soit-elle, ne me permettrait pas de parvenir au sommet de la face nord. Finalement, je le voyais bien, c'était absolument impossible.

Cependant, il y avait encore une possibilité de réussir cette expédition. Une semaine auparavant, j'avais été à ski jusqu'à la face sud-est pour repérer l'itinéraire de redescente après la montée de la face nord. C'était le chemin suivi par le célèbre Fred Beckley lors de la première ascension du pic en 1946. Au cours de ma reconnaissance, j'avais remarqué, à la gauche de celui de Beckley, un autre passage : un réseau de plaques de glace sur la face sud-est qui, cela me frappa, constituait une voie assez facile pour atteindre le sommet. À ce moment, je l'avais considérée comme indigne de moi. Mais maintenant, au lendemain de mes relations calamiteuses avec la paroi nord, j'étais prêt à des vues plus modestes.

L'après-midi du 15 mai, lorsque le blizzard cessa enfin, je retournai à la face sud-est et grimpai jusqu'à une étroite corniche accolée à la partie supérieure du pic comme l'arc-boutant d'une cathédrale gothique. Je décidai de passer la nuit sur cette crête à environ 500 mètres au-dessous du sommet. Le ciel du soir était froid et sans nuages. Ma vue allait jusqu'à la mer et au-delà. Au crépuscule, figé, je regardai les lumières de Petersburg qui scintillaient vers l'ouest. Ces petites lumières lointaines – mon plus proche contact humain depuis le largage des vivres – déclenchèrent un flot d'émotion qui me prit par surprise. J'imaginais les habitants de la ville regardant un match de base-ball à la télévision, dînant d'un poulet rôti dans des cuisines bien éclairées, buvant de la bière, faisant l'amour. Quand je m'allongeai pour dormir, je me sentis envahi par une solitude poignante. Jamais je n'avais été aussi seul.

Cette nuit-là, je fis des rêves désagréables. Une descente de police, des vampires, une exécution sommaire à la manière des gangsters. J'entendis quelqu'un murmurer : « Je crois qu'il est là… » Je me redressai en sursaut et ouvris les yeux. Le soleil était sur le point de paraître. Le ciel était entièrement pourpre. Il était clair, mais une mince couche de cirrus semblable à de l'écume avait envahi l'atmosphère supérieure et la ligne noire des bourrasques était visible au-dessus de l'horizon au sud-ouest. J'enfilai mes chaussures et fixai rapidement mes crampons. Cinq minutes après mon réveil, je grimpais déjà au-dessus du bivouac.

Je n'avais emporté ni corde, ni tente, ni matériel, à l'exception de mes piolets. Je voulais être léger et rapide pour atteindre le sommet et en redescendre avant que le temps ne se gâte. Me dépêchant, toujours à bout de souffle, je me ruai vers le haut sur la gauche, traversant des plaques de neige reliées par des fissures pleines de glace et par de petites marches dans le roc. C'était presque un plaisir de monter. La roche était parsemée de grandes prises intactes et la glace, bien que mince, ne présentait jamais une inclinaison supérieure à 70 degrés. Cependant, j'étais inquiet à cause des nuages de tempête qui, accourant du Pacifique, obscurcissaient le ciel.

Je n'avais pas de montre mais, dans ce qui me parut un très bref espace de temps, j'atteignis la plaque de glace finale. À ce moment, le ciel était rempli de nuages. Il paraissait plus facile de prendre par la gauche, mais plus rapide de monter tout droit. Craignant d'être surpris par la tempête en haut du pic et sans possibilité de m'abriter, j'optai pour le chemin le plus direct. La glace devint plus fine et la pente plus raide. Mon piolet gauche toucha la roche. Je visai un autre point et là encore il frappa la diorite impénétrable avec un son sourd. J'essayai encore, et encore. C'était la répétition de ma première tentative sur la face nord. Jetant un regard entre mes jambes, j'aperçus le glacier à plus de 600 mètres au-dessous. Mon estomac se contracta.

À 13 mètres au-dessus de moi, la paroi redevenait facile sur le bord du sommet. Immobile, je me cramponnais à mes piolets, tenaillé par l'indécision et la peur. À nouveau je regardai en bas la longue chute vers le glacier, puis en haut, puis je grattai la patine de glace au-dessus de ma tête. J'accrochai la pointe de mon piolet à une entaille fine comme une lame de nickel et tirai. Elle tenait. Je retirai mon piolet droit de la glace, me hissai et mis la pointe de biais dans une fissure oblique d'un peu plus de 1 centimètre jusqu'à ce qu'elle accroche. Respirant à peine, je déplaçai mes pieds en cherchant une prise sur le verglas avec la pointe de mes crampons. M'élevant le plus possible grâce à mon bras gauche, je balançai doucement le piolet vers la surface brillante et opaque sans savoir ce qu'elle dissimulait. La pointe pénétra avec un bruit rassurant. Quelques minutes plus tard, je me tenais sur une large corniche. Le sommet proprement dit, une mince aiguille rocheuse émergeant d'une grotesque meringue de glace, se dressait 6 mètres au-dessus.

Les paillettes gelées, presque inconsistantes, qui le recouvraient rendirent ces 6 derniers mètres pénibles, coûteux, effrayants. Et puis brusquement, il n'y eut plus d'endroit où grimper. Mes lèvres craquelées se tendirent en un sourire douloureux. J'étais au sommet du Devils Thumb.

Comme il fallait s'y attendre, le sommet était un endroit étrange, inquiétant, une pointe de roc et de givre. Il n'incitait pas à s'attarder. Lorsque je pris position sur le point le plus élevé, la face sud descendait au-dessous de mon pied droit sur 750 mètres. Au-dessous de mon pied gauche, la face nord descendait à deux fois cette distance. Je pris quelques photos pour prouver que j'avais bien atteint le sommet et mis quelques minutes à redresser la pointe tordue de mon piolet. Puis je me relevai, fis soigneusement un tour d'horizon et pris le chemin du retour.

Une semaine plus tard, je campais sous la pluie, au bord de la mer, en m'émerveillant à la vue de la mousse, des saules, des moustiques. L'air salé apportait une riche odeur de vie marine. Bientôt, une petite embarcation à moteur entra dans la baie de Thomas et accosta pas très loin de ma tente. Le conducteur du bateau se présenta. Il s'appelait Jim Freeman et il était bûcheron à Petersburg. C'était son jour de congé, me dit-il, il faisait un tour pour montrer le glacier à sa famille et chasser l'ours. Il me demanda si j'avais été à la chasse.

« Non, répondis-je d'un air penaud. En fait je suis simplement monté sur le Devils Thumb. Cela fait vingt jours que je suis ici. »

Freeman joua avec un taquet de son bateau et ne dit rien. Il était clair qu'il ne me croyait pas. Et de plus, il ne semblait approuver ni mes cheveux emmêlés qui tombaient jusqu'aux épaules ni mon odeur après trois semaines sans bain et dans le même linge. Quand je lui demandai s'il pouvait me ramener en ville, il répondit à contrecœur : « Pourquoi pas ? »

L'eau était un peu agitée et la traversée du détroit de Frederick prit deux heures. Progressivement, à mesure que nous parlions, Freeman devint plus chaleureux. Il n'était toujours pas convaincu que j'avais fait l'ascension du Thumb, mais lorsqu'il dirigea le bateau dans la passe de Wrangell, il prétendit qu'il me croyait. Arrivé à quai, il voulut m'offrir un cheese-burger et il m'invita à passer la nuit dans un vieux fourgon garé dans sa cour.

Je m'allongeai à l'arrière du véhicule mais ne pus trouver le sommeil. Alors je me levai et allai dans un bar nommé le Kito's Kave. L'euphorie, la sensation débordante de soulagement qui avait dans un premier temps accompagné mon retour à Petersburg s'estompa et une mélancolie inattendue la remplaça. Les gens avec lesquels je bavardai chez Kito ne semblaient pas mettre en doute que j'avais atteint le sommet du Thumb mais, simplement, ça leur était égal. À mesure que la nuit avançait, l'endroit se vida et il ne resta plus que moi et un vieux Tlingit édenté à une table du fond. Je buvais seul en mettant des pièces dans le juke-box qui jouait sempiternellement les cinq mêmes chansons. À la fin, la serveuse cria avec colère : « Hé, laisse-le un peu tranquille ! » Je marmonnai une excuse, me dirigeai vers la porte et rentrai au fourgon de Freeman. Là, dans une douce odeur de vieille huile de moteur, je m'allongeai sur le plancher tout contre un arbre de transmission mis à nu et sombrai dans le sommeil.

Moins d'un mois après m'être assis sur le sommet du Thumb, j'étais de retour à Boulder et je clouais des revêtements sur les immeubles municipaux de Spruce Street, des habitations en copropriété semblables à celles dont j'avais construit la charpente avant de partir en Alaska. J'obtins une augmentation qui fit passer mon salaire à 4 dollars l'heure et, à la fin de l'été, je quittai la caravane du chantier pour un studio bon marché situé à l'ouest de l'avenue principale.

Quand on est jeune, on est aisément persuadé que ce qu'on désire correspond à ce qu'on mérite, et on suppose que, si on veut vraiment quelque chose, on a le droit de l'obtenir par grâce divine. Quand j'avais décidé d'aller en Alaska au cours de ce mois d'avril, comme Chris McCandless, j'étais un jeune homme mal dégrossi qui confondait passion et perspicacité et se comportait selon une logique obscure et bancale. Je pensais que l'ascension du Devils Thumb éliminerait tout ce qui n'allait pas dans ma vie. Bien entendu, cela ne changea presque rien. Mais j'en vins à considérer que les montagnes ne sont pas faites pour accueillir les rêves.

Dans ma jeunesse, j'étais différent de McCandless à bien des égards. En particulier, je n'avais ni ses dons intellectuels ni son idéal élevé. Mais je pense que nous étions tous deux semblablement affectés par des relations faussées avec notre père. Et je soupçonne que nous avions la même passion, la même insouciance devant le danger, la même agitation dans l'âme.

Si j'ai survécu à mon aventure en Alaska et si McCandless n'a pas survécu, ce fut en grande partie une question de chance. À supposer que je ne sois pas revenu de la Calotte de glace de Stikine en 1977, on n'aurait pas tardé à dire de moi, comme on le dit maintenant de lui, que j'avais eu la mort que je souhaitais.

Dix-huit ans après, je reconnais que j'avais peut-être une ambition démesurée, et certainement une affligeante innocence, mais je n'étais pas suicidaire.

À ce stade de ma jeunesse, la mort restait un concept abstrait comme la géométrie non euclidienne ou le mariage. Je n'appréciais pas encore sa terrible nécessité ni la douleur qu'elle pouvait causer à ceux qui avaient donné leur affection aux défunts. Mais j'étais tourmenté par le sombre mystère de la mort et je ne pouvais m'empêcher de jeter un regard furtif vers le fond des ténèbres en essayant d'apercevoir quelque chose au-delà de l'abîme. Ce qui était dissimulé derrière ces ombres me terrifiait, mais je saisissais en un clin d'œil une énigme élémentaire et interdite qui était non moins irrésistible que les doux pétales secrets d'un sexe de femme.

Dans mon cas et, je crois, dans le cas de McCandless, c'était très différent du désir de mourir.

16

L'intérieur de l'Alaska

Je voulais acquérir la simplicité, les sentiments primitifs et les vertus de la vie sauvage ; me libérer des habitudes factices, des préjugés et des imperfections de la civilisation ;... et trouver, parmi la grandeur et la solitude des terres de l'Ouest, des vues plus exactes sur la nature humaine et sur les intérêts véritables de l'homme. La saison des neiges avait ma préférence, elle me donnait le plaisir de souffrir et l'expérience nouvelle du danger.

Esterick Evans, *Quatre Mille Milles à pied dans les États et Territoires de l'Ouest pendant l'hiver et le printemps 1818.*

La nature attirait ceux qui étaient fatigués ou dégoûtés de l'homme et de ses œuvres. Elle n'offrait pas seulement un moyen d'échapper à la société, mais elle permettait aussi aux esprits romantiques de pratiquer le culte, souvent célébré par eux, de leur propre âme. La solitude et la liberté totale dans la nature créaient des conditions parfaites, à la fois pour la mélancolie et pour la jubilation.

Roderick Nash,
La Nature et l'esprit américain.

Le 15 avril 1992, Chris McCandless quitta Carthage dans la cabine du camion chargé de graines de tournesol. Sa « grande odyssée en Alaska » commençait. Trois jours plus tard, il traversa la frontière canadienne à Roosville, en Colombie-Britannique. De là, il fit du stop en direction du nord, passant par Skookumchuck, Radium Junction, Lake Louise, Jasper, Prince George. Arrivé à Dawson Creek, il prit dans le centre-ville une photo du panneau indicateur qui marque le début de l'autoroute de l'Alaska. On y lit : « Mile 0 – Fairbanks 1 523 miles », soit 2 450 kilomètres.

Faire de l'auto-stop est devenu difficile sur l'autoroute de l'Alaska. Il n'est pas rare de voir dans les environs de Dawson Creek une douzaine ou plus d'hommes et de femmes tendant le pouce avec un air malheureux. Certains attendent une semaine, voire plus. Mais McCandless ne connut pas une telle attente. Le 21 avril – à peine six jours après son départ de Carthage –, il arriva à Liard River, au seuil du territoire du Yukon.

Il y a à Liard River un terrain de camping d'où part une allée qui traverse un marécage et conduit à une série de bassins naturels de sources chaudes. C'est la halte la plus fréquentée sur l'autoroute de l'Alaska, et McCandless décida de s'y arrêter pour prendre un bain dans ces eaux bienfaisantes. Quand ce fut fait, il essaya de repartir vers le nord, mais la chance avait tourné, personne ne voulut le prendre. Et deux jours après son arrivée, il était toujours là, plein d'impatience.

À 6 h 30, par un frais jeudi matin qui laissait le sol complètement gelé, Gaylord Stuckey emprunta l'allée qui conduisait au plus grand des bassins avec l'espoir d'y avoir la place pour lui tout seul. Mais, à sa surprise, quelqu'un était déjà dans l'eau fumante, un jeune homme qui se présenta sous le prénom d'Alex.

Stuckey – chauve avec un large visage chaleureux –, était un Indien de soixante-trois ans qui, depuis l'Indiana, venait en Alaska pour livrer un camping-car neuf à un détaillant de Fairbanks. C'était un travail à temps partiel auquel il se consacrait depuis qu'il avait pris sa retraite après avoir passé quarante ans dans la restauration. Quand il indiqua sa destination à McCandless, le jeune homme s'exclama : « C'est là que je vais, moi aussi ! Mais ça fait maintenant deux jours que je suis coincé ici à essayer de trouver une voiture. Ça vous ennuie si je voyage avec vous ? »

« Ben, c'est que… j'aimerais bien, fiston, mais c'est pas possible. La société qui m'emploie est très stricte sur l'auto-stop. Je pourrais me faire virer. » Cependant, tandis qu'il bavardait avec McCandless dans la vapeur sulfureuse, Stuckey commença à changer d'avis. « Alex était bien rasé et avait les cheveux courts, et je voyais bien à sa façon de parler que c'était un type vraiment intelligent. Ce n'était pas ce qu'on appelle l'auto-stoppeur typique. Généralement, je m'en méfie. Je me dis qu'il doit y avoir quelque chose qui ne va pas chez un type qui ne peut même pas se payer un billet d'autocar. En tout cas, au bout d'une demi-heure environ, je lui ai dit : "Écoute, Alex, Liard est à 1 600 kilomètres de Fairbanks. Je vais t'emmener jusqu'à Whitehorse, qui est à mi-chemin, et de là tu pourras trouver quelqu'un pour faire le reste du trajet." »

Un jour et demi plus tard, quand ils furent arrivés à Whitehorse – capitale du territoire du Yukon, c'est la ville la plus grande et la plus cosmopolite sur l'autoroute de l'Alaska –, Stuckey en était venu à tellement apprécier la compagnie de McCandless qu'il changea d'avis et accepta de le conduire à sa destination. « Au début, Alex restait dans son coin et ne parlait pas beaucoup. Mais la route est longue, et il faut rouler lentement. En tout, nous avons passé trois jours ensemble sur cette chaussée ondulée comme une planche à linge, et à la fin, il a baissé sa garde, en quelque sorte. Je vais vous dire, c'était un garçon épatant. Vraiment bien élevé, il ne jurait pas, n'employait pas beaucoup de mots d'argot. On voyait qu'il venait d'une bonne famille. Il parlait surtout de sa sœur. Je suppose qu'il ne s'entendait pas trop bien avec ses vieux. Il m'a dit que son père était un génie, un spécialiste des fusées de la NASA, mais que pendant un temps il avait été bigame et que cela le choquait. Ça faisait deux ans qu'il n'avait pas vu ses parents, depuis qu'il avait obtenu son diplôme universitaire. »

McCandless parla franchement à Stuckey de son intention de passer l'été seul dans la nature. « Il m'a dit que c'était quelque chose qu'il avait envie de faire depuis qu'il était petit. Il ne voulait voir personne, pas d'avions, rien qui rappelle la civilisation. Il voulait se prouver à lui-même qu'il pouvait se débrouiller tout seul, sans l'aide de personne. »

Stuckey et McCandless arrivèrent à Fairbanks l'après-midi du 25 avril. Le vieil homme emmena son compagnon dans une épicerie pour lui acheter un grand sac de riz. « Ensuite, Alex m'a dit qu'il voulait aller à l'université pour étudier les plantes qu'il pourrait manger. Les baies, les choses comme ça. Je lui ai dit : "Alex, c'est trop tôt, il y a entre 60 et 90 centimètres de neige sur le sol. Rien ne pousse pour l'instant." Mais il était tout à fait décidé. Il était impatient de sortir d'ici et de trouver une voiture. »

Stuckey le conduisit sur le campus de l'université d'Alaska, à l'extrémité ouest de Fairbanks, et il le déposa à 17 h 30.

« Avant de le laisser partir, je lui ai dit : "Alex, je t'ai conduit pendant 1 600 kilomètres. Je t'ai offert à manger pendant trois jours. Le moins que tu puisses faire, c'est de m'envoyer un mot quand tu seras revenu de l'Alaska." Et il m'a promis qu'il le ferait.

Je lui ai aussi demandé de prévenir ses parents. Je ne peux rien imaginer de pire que d'avoir un fils et de ne pas savoir où il est pendant des années et des années, pas même s'il est vivant ou mort. Je lui ai dit : "Voilà mon numéro de carte bancaire, s'il te plaît, appelle-les !" Mais tout ce qu'il a répondu, c'est : "Je le ferai peut-être, peut-être pas." Après l'avoir quitté, j'ai pensé : "Quel dommage que je n'aie pas le numéro de ses parents, je les aurais appelés moi-même !" Mais tout s'est passé si vite. »

Après avoir déposé McCandless à l'université, Stuckey retourna en ville pour livrer le camping-car au détaillant. On lui répondit que le responsable des véhicules neufs était déjà parti et qu'il ne reviendrait pas avant le lundi matin. Ce qui obligeait Stuckey à rester deux jours à Fairbanks avant de pouvoir prendre l'avion pour l'Indiana. Le dimanche matin, ayant du temps à revendre, il retourna au campus. « J'espérais trouver Alex et passer encore un jour avec lui, l'emmener visiter les environs ou quelque chose comme ça. Je l'ai cherché pendant deux heures en allant un peu partout, mais pas la moindre trace de lui. Il était déjà parti. »

Après avoir pris congé de Stuckey, le samedi après-midi, McCandless passa deux jours et trois nuits dans les parages de Fairbanks, principalement à l'université. Dans la librairie du campus, remisé sur l'étagère du bas de la section de l'Alaska, il découvrit un ouvrage exhaustif de recherche universitaire sur les plantes comestibles de la région : *La Botanique des Tanaina, Dena'ina et K'et'una, étude ethnobotanique des Indiens Dena'ina du centre sud de l'Alaska,* par Priscilla Russell Kari. Il prit sur un présentoir près de la caisse deux cartes postales représentant un ours polaire, sur lesquelles il adressa depuis le bureau de poste du campus ses derniers messages à Wayne Westerberg et à Jan Burres.

En parcourant les petites annonces, il trouva une carabine d'occasion à vendre, une Remington 22 LR avec une lunette au grossissement de 4 x 20 et une crosse en plastique. Ce modèle appelé la Nylon 66 a été l'une des carabines favorites des trappeurs de l'Alaska en raison de sa légèreté et de sa fiabilité. Il conclut le marché dans un parking, en payant l'arme environ 125 dollars et, ensuite, il acheta dans une armurerie voisine 4 boîtes de 100 cartouches à tête creuse.

Ayant achevé ses préparatifs à Fairbanks, McCandless prit son sac à dos pour faire du stop en direction de l'ouest. En quittant le campus, il passa devant l'institut de géophysique, un immeuble de verre et de béton surmonté par une grande antenne parabolique. Cette antenne, l'un des signes distinctifs du paysage aérien de Fairbanks, a été installée là pour recevoir les informations des satellites équipés du SAR de Walt McCandless. Ce dernier s'est d'ailleurs rendu à Fairbanks au moment de la mise en route de la station de réception et a créé certains logiciels indispensables à son fonctionnement. Si l'institut de géophysique a amené Chris à penser à son père au moment où il passait devant, il n'en a laissé aucune indication.

À 6 kilomètres à l'ouest de la ville, alors que l'air devenait plus froid en cette fin d'après-midi, McCandless planta sa tente sur une parcelle de terrain à demi gelée et entourée de bouleaux, non loin du bord d'un promontoire surplombant « les Boissons gazeuses et spiritueux Gold Hill ». À 40 mètres de là passe la bretelle de l'autoroute George Parks, qu'il allait emprunter pour parvenir à la piste Stampede. Au matin du 28 avril, il se réveilla de bonne heure, descendit jusqu'à l'autoroute dans les lueurs naissantes de l'aube et eut l'agréable surprise de voir le premier véhicule s'arrêter pour le prendre. C'était un pick-up Ford gris avec à l'arrière un autocollant qui déclarait : « JE PÊCHE DONC JE SUIS. PETERSBURG. ALASKA. » Le conducteur était un électricien qui se rendait à Anchorage. Il n'était pas tellement plus âgé que McCandless et s'appelait Jim Gallien.

Trois heures plus tard, Gallien bifurqua vers l'ouest en quittant l'autoroute et avança aussi loin qu'il put sur une voie abandonnée. Quand il laissa McCandless sur la piste Stampede, la température dépassait à peine 1 °C – elle tomberait à –12° au cours de la nuit – et 30 centimètres d'une neige de printemps craquante recouvraient le sol. Le jeune homme pouvait à peine contenir son excitation. Enfin, il allait être seul dans les vastes étendues désertes de l'Alaska !

Tandis qu'il descendait impatiemment la piste dans une parka à fausse fourrure, la carabine à l'épaule, la seule nourriture qu'il emportait était un sac de 5 kilos de riz long, et les deux sandwichs ainsi que le paquet de chips que Gallien lui avait donnés. Un an auparavant, il avait subsisté pendant plus d'un mois près du golfe de Californie avec 2,5 kilos de riz et grâce au poisson qu'il avait attrapé. Il espérait bien faire de même en Alaska.

Ce qu'il y avait de plus lourd dans son sac à dos à demi plein, c'était sa bibliothèque : 9 ou 10 livres de poche dont la plupart lui avaient été donnés par Jan Burres à Niland. Il y avait là des œuvres de Thoreau, Tolstoï, Gogol, mais McCandless n'était pas un snob littéraire, il emportait ce qu'il avait envie de lire, y compris les ouvrages grand public de Michael Crichton, Robert Pirsig et Louis L'Amour. Ayant négligé d'emporter du papier, il commença un journal laconique sur quelques pages blanches à la fin de *La Botanique des Tanaina.*

Du côté de Healy, pendant l'hiver, la piste Stampede n'est empruntée que par une poignée d'amateurs de traîneaux tirés par des chiens, de skieurs de fond et de fanatiques des engins de neige, mais cela ne dure que jusqu'au commencement de la débâcle, fin mars ou début avril. Au moment où McCandless pénétrait dans la forêt, l'eau coulait librement dans la plupart des cours d'eau importants et personne ne s'était aventuré très loin sur la piste depuis deux ou trois semaines. Il ne pouvait suivre que les traces à peine distinctes d'une autoneige.

Il atteignit la rivière Teklanika le lendemain. Bien que les rives fussent bordées par un rempart irrégulier d'eau gelée, aucun pont de glace ne traversait la rivière. Aussi fut-il obligé d'entrer dans l'eau. Il y avait eu un fort dégel au début d'avril et la débâcle avait commencé de bonne heure en cette année 1992, mais le temps était redevenu froid, si bien que le niveau de la rivière était encore bas. L'eau montait probablement à hauteur de cuisse, ce qui lui permit de passer sans difficulté. Il ne soupçonnait pas qu'il était en train de franchir le Rubicon. Son œil inexpérimenté ne pouvait remarquer que deux mois plus tard, quand les glaciers et les champs de neige de la haute Teklanika auraient fondu à la chaleur de l'été, le volume de son débit serait multiplié par neuf ou dix, ce qui transformerait la rivière en un torrent profond et violent qui n'aurait plus rien à voir avec le gentil cours d'eau qu'il avait traversé dans l'insouciance au mois d'avril.

Par son journal, nous savons que, le 29 avril, McCandless passa à travers la glace quelque part. Cela arriva sans doute au moment où il traversait une série de nids de castors entremêlés juste après la rive occidentale de la Teklanika, mais rien n'indique qu'il ait eu à souffrir de cet incident. Le lendemain, au sommet d'une côte sur la piste, il aperçut pour la première fois les hauts contreforts, d'un blanc éblouissant, du mont McKinley et, un jour plus tard, le 1er mai, à quelque 32 kilomètres de l'endroit où Gallien l'avait déposé, il tomba sur le vieil autobus près de la rivière Sushana. Il était équipé d'une banquette et d'un poêle, et des visiteurs précédents avaient laissé dans cet abri improvisé des allumettes, de l'insecticide et d'autres produits essentiels. Il écrivit dans son journal : « Jour de l'autobus magique. » Il décida de s'installer quelque temps dans le véhicule et de profiter de son confort élémentaire.

Il était fou de joie. À l'intérieur de l'autobus, sur un morceau de contreplaqué délavé qui obstruait une fenêtre dont la vitre manquait, il griffonna en pleine exultation une déclaration d'indépendance :

Depuis deux ans, il marche sur la terre. Pas de téléphone, pas de piscine, pas d'animaux de compagnie, pas de cigarettes. Liberté ultime. Être un extrémiste. Un voyageur esthète dont le domicile est la route. *Échappé d'Atlanta. Tu n'y retourneras pas parce que « l'Ouest est ce qu'il y a de mieux ». Et maintenant, après deux années de déambulations c'est l'aventure finale, la plus grande. La bataille décisive pour tuer l'être faux à l'intérieur de soi et conclure victorieusement le pèlerinage spirituel. Dix jours et dix nuits de trains de marchandises et d'auto-stop m'amènent dans le Grand Nord blanc. Il ne sera plus empoisonné par la civilisation qu'il fuit et il marche seul pour* se perdre dans la nature.

Alexandre Supertramp.
Mai 1992.

Mais la réalité ne tarda pas à faire irruption dans la rêverie de McCandless. Il avait du mal à tuer du gibier et le journal de cette première semaine indique « faiblesse », « cloué par la neige » et « désastre ». Le 2 mai, il aperçut un grizzly mais ne le tira pas ; le 4, il tira mais manqua des canards ; finalement, le 5, il tua et mangea une grouse ; puis il ne tira plus rien jusqu'au 9 mai. Ce jour-là, il tua un petit écureuil et précisa dans son journal : « 4e jour de famine. »

Mais peu après, le sort tourna brusquement en sa faveur. À midi le soleil s'élevait haut dans le ciel, déversant sa lumière sur la taïga. Il ne descendait sous l'horizon au nord que quatre heures par vingt-quatre heures, et à minuit le ciel était encore si clair qu'on pouvait lire. Partout, sauf sur les pentes exposées au nord et dans l'ombre des ravines, la neige avait fondu sur le sol, laissant paraître les premières pousses de rosiers et les baies que McCandless récolta et mangea en grande quantité.

Il eut aussi beaucoup plus de succès à la chasse et, pendant les six semaines qui suivirent, il mangea régulièrement des écureuils, des grouses, des canards, des oies et des porcs-épics. Le 22 mai, il perdit la couronne d'une de ses molaires, mais cela ne semble pas avoir beaucoup altéré son moral car, le lendemain, il monta sur la butte de 1 000 mètres en forme de bosse qui s'élève juste au nord de l'autobus, ce qui lui permit de voir dans son entier l'étendue glacée de la chaîne de l'Alaska et l'immensité de cette région inhabitée. À la date de ce jour, son journal est laconique comme d'habitude mais c'est avec une joie manifeste qu'il écrit : « Escaladé la montagne ! »

McCandless avait dit à Gallien qu'il avait l'intention de se déplacer pendant son séjour dans la forêt. « Je vais continuer à marcher vers l'ouest, peut-être jusqu'à la mer de Béring. » Le 5 mai, après s'être arrêté cinq jours dans l'autobus, il reprit son périple. D'après les photos retrouvées avec son Minolta, il apparaît qu'il perdit (ou quitta intentionnellement) la piste Stampede devenue indistincte et se dirigea vers l'ouest et vers le nord à travers les collines qui dominent la rivière Sushana, chassant du gibier au passage.

Il avançait lentement. Pour se nourrir, il devait consacrer une grande partie de chaque journée à la chasse. Mais en outre, à mesure que le sol dégelait, sa route se transformait en un lugubre mélange de marais bourbeux et de bosquets d'aulnes impénétrables. Il découvrait tardivement l'un des axiomes fondamentaux (bien que contraire à l'intuition) du Nord : c'est l'hiver et non l'été qui est la meilleure saison pour traverser le sous-bois.

Mis en face de la folie évidente de son ambition première de parcourir 800 kilomètres jusqu'à la mer, il reconsidéra ses projets. Le 19 mai, n'ayant pas dépassé la rivière Toklat à moins de 24 kilomètres à l'ouest de l'autobus, il fit demi-tour. Une semaine plus tard, il était de retour dans le véhicule en ruine, sans regret apparent. Il considérait que le bassin de la

Sushana était bien assez sauvage pour lui et que l'autobus 142 constituerait un bon camp de base pour le reste de l'été.

Ironiquement, les environs de l'autobus – cette parcelle verdoyante où McCandless voulait se « perdre dans la nature » – seraient à peine qualifiés de nature sauvage selon les critères de l'Alaska. À moins de 48 kilomètres à l'est passe une grande voie de communication, l'autoroute George Parks. À 25 kilomètres à peine au nord, après un escarpement de la chaîne Extérieure, des centaines de touristes déambulent quotidiennement à l'intérieur du parc du Denali sur des routes contrôlées par les surveillants du parc national. Et, sans que notre voyageur esthète le sache, dans un rayon de 10 kilomètres autour de l'autobus, il y a 4 cabanes (bien qu'aucune n'ait été occupée pendant l'été 1992).

Mais, en dépit de la relative proximité de la civilisation, pour toutes sortes de raisons pratiques, McCandless était coupé du reste du monde. Il passa en tout presque quatre mois dans la forêt et, pendant cette période, il ne rencontra pas âme qui vive. Et finalement, la Sushana s'avéra suffisamment retirée pour lui coûter la vie.

Pendant la dernière semaine de mai, après avoir placé ses quelques affaires dans l'autobus, il rédigea une liste de consignes ménagères sur un morceau d'écorce de bouleau : ramasser et emmagasiner de la glace dans la rivière pour conserver la viande, obstruer les fenêtres sans vitres avec du plastique, mettre à l'abri du bois pour le feu, enlever les vieilles cendres du poêle. Et sous le titre « Long terme », il énumère des tâches plus ambitieuses : faire une carte des environs, fabriquer une douche, mettre de côté des peaux et des plumes pour faire des vêtements, construire un pont sur un ruisseau voisin, réparer la gamelle, tracer un réseau de pistes de chasse.

Le journal, après le retour à l'autobus, énumère un festin de viandes de gibier. 28 avril : « Canard de gourmet ! » 1er juin : « 5 écureuils. » 2 juin : « Porc-épic, lagopède, 4 écureuils, poule de bruyère. » 3 juin : « Encore un porc-épic ! 4 écureuils, 2 poules de bruyère, oiseau cendré. » 4 juin : « Un troisième porc-épic ! Écureuil, poule de bruyère. » Le 5 juin, il tua une oie du Canada aussi grosse qu'une dinde de Noël. Puis, le 9 juin, il attrapa le plus gros de tous : « ÉLAN ! », note-t-il dans son journal. Fou de joie, le fier chasseur prit un photo de lui-même à genoux devant son trophée et levant triomphalement sa carabine au-dessus de sa tête. Ses traits sont déformés par un rictus d'étonnement et d'extase. On dirait un concierge au chômage qui a gagné un million de dollars dans un casino de Reno.

Bien que McCandless ait été assez réaliste pour comprendre que la chasse est inévitable quand on veut vivre seul dans la nature, tuer des animaux avait toujours soulevé en lui des sentiments ambivalents. Cette ambivalence se transforma en remords après qu'il eut tué l'élan. C'était une bête relativement petite, pesant entre 300 et 350 kilos, mais cela représentait néanmoins une énorme quantité de viande. Convaincu qu'il était moralement indéfendable de laisser se perdre une partie de l'animal, il passa six jours à s'efforcer de conserver toute cette viande. Il découpa la carcasse au milieu d'une nuée de mouches et de moustiques, fit bouillir les organes puis creusa laborieusement une galerie sur la berge rocailleuse de la rivière, juste à la hauteur de l'autobus, et il essaya d'y fumer les immenses tranches de viande rouge.

Les chasseurs de l'Alaska savent que le moyen le plus facile de conserver de la viande est de la découper en tranches très fines et de la faire sécher à l'air sur une claie de fortune. Mais McCandless, dans sa naïveté, se fiait aux avis des chasseurs qu'il avait interrogés dans le Dakota du Sud et qui lui avaient conseillé de fumer la viande, ce qui n'était guère aisé dans les circonstances présentes. « Découper la viande est extrêmement difficile, note-t-il dans son journal à la date du 10 juin. Hordes de mouches et de moustiques. Retiré les intestins, le foie, les reins, un poumon, les steaks. J'ai mis les pattes arrière à la rivière. »

11 juin : « Retiré le cœur et l'autre poumon. Les deux pattes avant et la tête. Mis le reste à la rivière. Tiré jusqu'à la galerie. J'essaie de conserver la viande en la fumant. »

12 juin : « Retiré la moitié de la cage thoracique et les steaks. Je ne peux le faire que la nuit. J'entretiens le dispositif de fumage. »

13 juin. « Mis le reste de la cage thoracique, l'épaule et le cou dans la galerie. Commencé le fumage. »

14 juin. « Déjà des asticots ! Le fumage se révèle inefficace. Je ne sais pas, ça ressemble à un désastre. Maintenant, je voudrais n'avoir jamais tué cet élan. C'est l'une des plus grandes tragédies de ma vie. »

À ce moment, il renonça à conserver le plus gros de la viande et abandonna la carcasse aux loups. Bien qu'il se soit sévèrement reproché d'avoir inutilement détruit une vie, le lendemain, il semble avoir retrouvé une certaine distance, car il note : « À partir de maintenant, je saurai accepter mes erreurs, aussi grandes soient-elles. »

Peu après l'épisode de l'élan, il commença la lecture de *Walden*. Dans le chapitre intitulé « Des lois supérieures » où Thoreau réfléchit sur la valeur morale de l'acte de manger, McCandless souligna : « Quand j'eus attrapé, nettoyé, cuit et mangé mon poisson, j'eus l'impression qu'il ne m'avait pas nourri essentiellement. C'était sans signification et sans nécessité, et coûtait plus que cela n'apportait. »

Il inscrivit dans la marge : L'élan. Et dans le même passage il cocha :

La répugnance pour la nourriture animale n'est pas le résultat de l'expérience, c'est un instinct. Il semblait plus beau de vivre en bas et de payer le prix fort à bien des égards, et même si je ne l'ai jamais fait, je suis allé suffisamment loin pour contenter mon imagination. Je pense que tout homme qui a le souci de conserver dans le meilleur état ses aptitudes poétiques ou ses facultés les plus hautes est particulièrement enclin à s'abstenir de nourriture animale et de tout excès de nourriture…

Il est difficile de suivre un régime tellement simple et sain qu'il ne nuit pas à l'imagination ; mais c'est elle, je pense, qu'il faut nourrir quand nous alimentons le corps. L'une et l'autre devraient s'asseoir à la même table. Peut-être est-ce possible ? Les fruits en quantité modérée ne nous rendent pas honteux de notre appétit et ne nuisent pas aux activités les plus élevées. Mais si vous ajoutez un condiment inutile dans votre assiette, il vous empoisonnera.

« Oui », écrit McCandless et, deux pages plus loin : « *Conscience* de la nourriture. Cuisiner et manger avec *concentration*… Sainte nourriture. »

Sur les pages de son journal, il déclare :

Je suis né à nouveau. C'est mon aube. La vraie *vie vient de commencer.*

Vivre avec réflexion : *Attention consciente aux bases de la vie, et attention constante à ton environnement immédiat et à ses intérêts. Exemples : un métier, un travail, un livre ; toute chose nécessitant concentration et efficacité (les circonstances n'ont aucune importance. Ce qui compte, c'est la façon* dont on vit *une situation. Toute signification véritable réside dans une relation personnelle avec un phénomène et dans ce que cette situation signifie pour toi).*

La grande bénédiction de la nourriture, *la chaleur vitale.*

Positivisme, *l'insurpassable joie de l'esthétique de la vie.*

Vérité et honnêteté absolue.

Réalité.

Indépendance.

Finalité – Stabilité – Consistance.

À mesure que McCandless cessait de se reprocher la mort inutile de l'élan, le bien-être qui avait commencé à la mi-mai revint et sembla continuer au début de juillet. Puis, en plein milieu de son idylle, survinrent deux échecs décisifs.

Apparemment satisfait de ce qu'il avait appris pendant ses deux mois de vie solitaire dans la nature, il décida de retourner à la civilisation. Il était temps de mettre un terme à sa « dernière et plus grande aventure » et de retourner dans le monde des humains où il pourrait boire une bière, parler philosophie et étonner les autres avec le récit de ses voyages. Il paraissait avoir dépassé le besoin d'asseoir résolument son autonomie et de se séparer de ses parents. Peut-être était-il prêt à leur pardonner leurs imperfections ? Peut-être même était-il prêt à se pardonner les siennes ? Et peut-être à retourner chez lui ?

Mais peut-être pas. Nous ne pouvons que spéculer sur ce qu'il voulait faire après avoir quitté la forêt. Néanmoins, qu'il ait eu l'intention de la quitter ne fait aucun doute.

Sur une écorce de bouleau, il inscrivit ces consignes : « Réparer le jean, se raser ! Faire le sac… » Peu après, il posa son Minolta sur un bidon d'huile vide et se photographia, tenant un rasoir jaune, souriant vers l'objectif, bien rasé, son jean crasseux rapiécé aux genoux avec des morceaux de couverture de l'armée. Il semble en bonne santé mais d'une maigreur inquiétante. Ses joues sont creuses, les tendons de son cou saillent comme des cordes.

Le 2 juillet, il termina *Le Bonheur conjugal* de Tolstoï. Il avait coché plusieurs passages :

Il avait raison de dire que vivre pour les autres est le seul bonheur assuré dans la vie…

J'ai beaucoup vécu, et maintenant je pense avoir trouvé ce qui est nécessaire au bonheur. Une vie tranquille et retirée, avec la possibilité d'être utile à ceux qu'il est facile d'aider et qui ne sont pas habitués à ce qu'on le fasse. Et puis travailler, ce qui, espère-t-on, peut servir à quelque chose. Ensuite rechercher le repos, la nature, les livres, la musique, l'amour de son prochain – telle est mon idée du bonheur. Et, au-dessus de tout cela, toi comme compagne, et des enfants, peut-être – que peut désirer de plus le cœur d'un homme ?

Le 3 juillet, il mit son sac sur son dos et commença à marcher vers le tronçon de route entretenu, à 32 kilomètres de là. Deux jours plus tard, à mi-chemin, il arriva sous une forte pluie aux nids de castors qui barraient l'accès à la rivière Teklanika. En avril, comme ils étaient couverts de glace, ils n'avaient pas représenté un obstacle. Maintenant, il y avait lieu de s'inquiéter devant le petit lac qui recouvrait la piste. Pour éviter d'avoir à patauger jusqu'à la poitrine dans l'eau boueuse, il contourna les nids en passant à flanc de colline et retrouva ensuite la rivière.

Quand il l'avait traversée la première fois, soixante-sept jours plus tôt, dans les basses températures d'avril, c'était un cours d'eau tranquille et il avait pu passer à pied. Mais, le 5 juillet, la Teklanika, gonflée par les pluies et par la fonte des glaciers de la chaîne de l'Alaska, coulait à plein débit, froide et rapide.

S'il pouvait atteindre l'autre rive, le reste du chemin jusqu'à l'autoroute serait facile, mais, pour cela, il fallait d'abord franchir les 300 mètres qui le séparaient de l'autre berge. L'eau, opaque à cause des sédiments et à peine moins froide que la glace qu'elle était encore peu de temps auparavant, avait la couleur du béton humide. Trop profonde pour qu'on puisse passer à gué, elle grondait comme un train de marchandises. Le puissant courant l'aurait vite renversé et entraîné.

McCandless n'était pas un bon nageur et il avait avoué à plusieurs personnes qu'il avait peur de l'eau. Tenter de traverser à la nage ce torrent dont l'eau froide l'aurait engourdi et même passer sur un radeau improvisé lui paraissait trop risqué. Un peu en aval de l'endroit où la piste croise la rivière, la Teklanika, franchissant une gorge étroite, se transforme en un chaos d'eau bouillonnante.

Il écrit dans son journal : « Trempé par la pluie. La rivière paraît impossible. Seul, effrayé. » Il considérait, à juste raison, qu'il serait emporté par le courant et noyé s'il tentait de traverser la Teklanika à cet endroit et dans ces conditions. Ce serait suicidaire. Inutile de l'envisager.

S'il avait remonté la rivière sur 1,5 kilomètre, il aurait découvert qu'elle s'élargit pour se diviser en un dédale de bras entrelacés. S'il les avait explorés soigneusement en effectuant ici et là des essais, il aurait trouvé un gué où traverser en n'ayant de l'eau que jusqu'à la poitrine. Avec le courant, il aurait certainement été déséquilibré, mais, en nageant comme un chien et en se traînant au fond du lit, on peut penser qu'il aurait pu réussir à traverser avant d'être emporté dans la gorge ou de succomber à une hypothermie.

Mais enfin, cela aurait comporté beaucoup de risques et, dans la situation où il se trouvait, il n'avait aucune raison de les prendre. Il s'était plutôt bien débrouillé jusque-là. Il comprenait que, s'il avait la patience d'attendre, la rivière finirait par baisser jusqu'au niveau où il serait possible de la passer à gué. Après avoir bien pesé les différentes possibilités, il choisit la solution la plus prudente. Il fit demi-tour et reprit sa marche vers l'ouest, vers l'autobus et vers le cœur inconstant de la forêt.

17

La piste Stampede

Ici, la nature était une chose sauvage, effroyable, et pourtant belle. Je regardais avec une crainte mêlée d'admiration le sol sur lequel je marchais pour observer la forme, le matériau et le travail des Puissances. C'était là cette terre dont on nous a parlé, faite de chaos et de ténèbres. Ici, nul jardin pour l'homme, mais le globe intact. Ni pelouse, ni pâture, ni prairie, ni bois, ni pré, ni terre labourée, ni friche, c'était la surface fraîche et naturelle de la planète terre, telle qu'elle fut faite pour l'éternité des temps afin d'être, croyons-nous, la demeure de l'homme. Ainsi la Nature l'a conçue et ainsi l'homme en use, s'il le peut. Mais il n'a pas été créé pour lui être associé. C'était une matière vaste et terrifiante – et non la Terre mère –, elle n'était pas faite pour qu'on y marche et pour qu'on y soit enterré. Non, ce serait encore se montrer trop familier que de laisser ses os y reposer. Si c'était une demeure, c'était celle de la nécessité et du destin. On pouvait clairement sentir à cet endroit la présence d'une force qui n'était pas tenue de se montrer bienveillante envers l'homme. C'était un lieu de paganisme et de rites superstitieux destiné à des êtres plus proches des rochers et des bêtes sauvages que nous ne le sommes... Que sont les myriades d'objets singuliers d'un musée auprès de la surface d'une étoile, auprès de quelque objet dur dans sa gangue ? Je suis là et je regarde avec respect mon corps ; cette matière à laquelle je suis lié me semble maintenant tellement étrange. Je ne crains pas les esprits, les fantômes – j'en suis un –, comme pourrait le faire mon corps, je crains les corps, je tremble d'en rencontrer. Qu'est-ce que ce Titan qui me possède ? Parlons des mystères ! Pensons à notre vie dans la nature, dont nous voyons la matière et avec laquelle nous sommes en contact chaque jour – rocs, arbres, souffle du vent sur nos joues ! La terre solide ! Le monde réel ! Le sens commun ! En contact, en contact ! Qui sommes-nous ? Où sommes-nous ?

Henry David Thoreau, *Ktaadn*.

Un an et une semaine après que Chris McCandless eut décidé de ne pas traverser la Teklanika, je me tiens sur la rive opposée – celle qui est du côté de l'autoroute –, regardant les tourbillons d'eau. Moi aussi, j'espère traverser la rivière. Je veux aller à l'autobus. Je veux voir l'endroit où McCandless a trouvé la mort, pour mieux en comprendre la raison.

C'est un après-midi humide, chaud, et la rivière est blême de cette même neige compactée et fondante qui recouvre encore les glaciers dans les parties les plus élevées de la chaîne de l'Alaska. Aujourd'hui, le niveau de l'eau semble bien plus bas que sur les photos que McCandless a prises douze mois plus tôt. Néanmoins, à cet endroit et en ce milieu d'été, il serait impensable de traverser à pied ce flot grondant. L'eau est trop profonde, trop froide, trop rapide. Debout sur la berge, j'entends des galets gros comme des boules de bowling rouler dans le fond du lit, entraînés par un courant puissant. Si je m'avançais dans l'eau, je serais balayé au bout de quelques mètres et emporté vers la gorge où la rivière se transforme en rapides ininterrompus sur 8 kilomètres.

Mais, à la différence de McCandless, j'ai dans mon sac à dos une carte topographique où 1 centimètre représente 1 kilomètre. Parfaitement détaillée, elle indique qu'à 800 mètres en aval, dans le creux de la gorge, il y a une station de l'Institut géologique américain. Également à la différence de McCandless, je suis accompagné par trois personnes : Roman Dial et Dan Solie, qui habitent l'Alaska, et un ami de Roman, Andrew Liske, qui vient de Californie. À l'endroit où la piste Stampede débouche sur la rivière, on ne peut pas voir la station, mais, après vingt minutes d'efforts pour se tailler un chemin dans un fouillis d'épicéas et de bouleaux nains, Roman s'écrie : « Je la vois ! là ! À 100 mètres ! »

Quand nous y arrivons, nous trouvons un câble de 2,5 centimètres d'épaisseur qui traverse la gorge. De notre côté, il est fixé à une tour et de l'autre côté, distant de 120 mètres, il est accroché à un rocher. Ce câble fut installé en 1970 pour relever les fluctuations saisonnières de la Teklanika ; les hydrologues faisaient l'aller et retour au-dessus de la rivière dans une nacelle en aluminium suspendue au câble par des poulies. Depuis la nacelle, ils faisaient descendre un fil lesté de plomb afin de mesurer la profondeur de l'eau. Il y a neuf ans, faute de crédits, la station fut désaffectée. À cette époque, la nacelle était censée être attachée par une chaîne et un cadenas sur la tour. Mais quand nous y montâmes, elle n'y était pas. Je l'aperçus en regardant sur l'autre rive.

Des chasseurs du coin avaient coupé la chaîne, utilisé la nacelle pour passer de l'autre côté et l'avaient dissimulée pour qu'il soit plus difficile aux « étrangers » de franchir la rivière et de pénétrer sur leur terrain. Quand McCandless avait tenté de s'en aller, un an auparavant, la nacelle était au même endroit, de son côté. S'il en avait été informé, il lui aurait été facile de traverser la Teklanika. Mais comme il ne disposait pas d'une carte topographique, il n'avait aucun moyen de savoir que le salut était à portée de sa main.

Andy Horowitz, son camarade de lycée, avait dit d'un air songeur : « Chris n'était pas fait pour ce siècle. Il recherchait l'aventure et la liberté dans une mesure qui excédait beaucoup celle qu'autorise la société d'aujourd'hui. » En venant en Alaska, McCandless désirait marcher dans une terre vierge, découvrir un point blanc sur la carte. Mais en 1992, il n'y avait plus de points blancs sur les cartes, ni en Alaska, ni ailleurs. Alors Chris, avec sa logique particulière, trouva une solution élégante : il supprima la carte, tout simplement. C'est dans son esprit, par conséquent, à défaut d'autre chose, que la *terra* resterait *incognita.*

Et n'ayant pas de bonne carte, le câble traversant la rivière lui resta aussi incognito. En voyant le débit violent de la Teklanika, il fit l'erreur de conclure qu'on ne pouvait passer sur l'autre rive. Puis, constatant que son itinéraire de sortie avait été coupé, il retourna à l'autobus, ce qui, compte tenu de son ignorance de la topographie, était ce qu'il avait de mieux à faire. Mais pourquoi resta-t-il ensuite dans l'autobus et y mourut-il de faim ? Pourquoi, lorsque arriva le mois d'août, n'essaya-t-il pas une nouvelle fois de traverser la rivière ? À ce moment, elle aurait été bien plus basse et il aurait pu passer à gué en toute sécurité.

Intrigué par ces questions, et troublé, j'espère que la carcasse rouillée de l'autobus 142 me fournira quelques indices. Mais pour y aller, je dois moi aussi traverser la rivière, et la benne en aluminium est de l'autre côté.

Debout sur le toit de la tour, je me fixe au câble avec des mousquetons d'escalade et commence à me tirer en pratiquant ce que les alpinistes appellent une traversée tyrolienne. Cela s'avère plus difficile que je ne l'aurais cru. Vingt minutes après mon départ, je finis par me hisser sur la berge opposée, si épuisé que je peux à peine lever les bras. Après avoir enfin repris mon souffle, je monte dans la nacelle – un panier d'aluminium rectangulaire de 60 centimètres sur 1,20 mètre –, détache la chaîne et repars de l'autre côté pour prendre mes compagnons de route.

Le câble s'abaisse notablement au milieu de la rivière. Ce qui fait que, quand je largue les amarres, la nacelle accélère rapidement sous l'effet de son propre poids et roule de plus en plus vite le long du fil d'acier. Cela donne le frisson. Filant à 30 ou 40 kilomètres à l'heure au-dessus des rapides, je sens un cri d'effroi naître dans ma gorge, mais je prends conscience que je ne cours aucun danger et retrouve mon calme.

Après être passés tous les quatre de l'autre côté, il nous faut encore une demi-heure d'une marche difficile pour retrouver la piste Stampede. Sur les 16 kilomètres que nous avons déjà franchis – depuis nos véhicules jusqu'à la rivière –, la piste offre un chemin aisé, bien marqué et assez souvent emprunté. Mais les 16 autres kilomètres ont un caractère tout différent.

Comme très peu de gens franchissent la rivière au printemps et en été, la plus grande partie de la piste est presque indiscernable sous la végétation. Juste après la rivière, elle tourne vers le sud-ouest et remonte le long du lit d'un petit ruisseau rapide. Et comme les castors ont construit un réseau de barrages très élaborés sur ce ruisseau, la piste traverse directement une large étendue d'eau stagnante. Les nids de castors ne montent qu'à la hauteur de la poitrine, mais l'eau est froide et, lorsque nous pataugeons, nos pieds remuent sur le fond une vase en décomposition qui dégage une odeur de miasmes.

Au-delà du dernier nid, la piste s'élève sur une colline puis rejoint le lit rocailleux du ruisseau avant de monter à nouveau et de se transformer en une jungle dense. La progression n'est jamais excessivement difficile mais l'enchevêtrement des aulnes de 5 mètres de haut qui nous pressent des deux côtés produit une impression lugubre et étouffante. Des nuées de moustiques émergent de la chaleur collante. À brefs intervalles, leur bruit aigu est recouvert par le grondement du tonnerre qui roule là-bas au-dessus de la taïga depuis une masse de nuages sombres fuyant sur l'horizon.

Des buissons broussailleux laissent des lacérations sanglantes sur mes tibias. De nombreux ours s'enfuient à notre approche. À un endroit, une empreinte toute récente de grizzly me fait perdre mon sang-froid. Aucun d'entre nous n'a de fusil. « Hé, Grizzly ! hurlé-je en direction du sous-bois en espérant éviter une mauvaise rencontre, pas besoin de t'énerver, nous ne faisons que passer ! »

Je suis allé une vingtaine de fois en Alaska au cours des vingt dernières années, pour l'escalade, pour travailler comme charpentier, pêcheur de saumon ou journaliste, pour changer d'air, pour aller voir ici et là. Je suis souvent resté seul dans la nature au cours de ces nombreux séjours et généralement j'y ai trouvé du plaisir. En fait, mon intention était de venir seul à l'autobus, et cela m'a ennuyé que mon ami Roman s'invite lui-même et que les deux autres lui emboîtent le pas. Mais maintenant, je leur suis reconnaissant d'être avec moi. Il y a quelque chose d'inquiétant dans ce paysage gothique trop touffu. Il semble plus malveillant que bien d'autres endroits plus retirés que je connais – les pentes couvertes de toundra de la chaîne de Brooks, les forêts ténébreuses de l'archipel Alexander, et même les hauteurs gelées et venteuses du massif du Denali. Je suis vraiment très content de ne pas être ici tout seul.

21 heures. La piste tourne et là, au bord d'une petite clairière, il y a l'autobus. Une végétation rose recouvre les roues jusqu'au moyeu. Le 142 stationne auprès d'un groupe de trembles à 9 mètres du sommet d'une petite butte, sur une élévation de terrain qui domine le confluent de la Sushana et d'une rivière plus petite. C'est un lieu attrayant, ouvert et lumineux.

Nous nous arrêtons à quelque distance de l'autobus et le regardons un moment en silence. Sa peinture est ternie et s'écaille. Plusieurs vitres manquent. Des centaines de petits os jonchent le sol parmi des milliers de piquants de porcs-épics. Ce sont les restes du petit gibier qui constituait l'ordinaire de McCandless. On distingue un squelette bien plus grand, celui de l'élan qu'il a tiré et qui lui a ensuite donné tant de remords.

Quand j'avais interrogé Gordon Samel et Ken Thompson peu après la découverte du corps de McCandless, tous deux avaient affirmé catégoriquement que ce gros squelette était celui d'un caribou, et ils avaient tourné en dérision l'ignorance de ce jeunot qui n'avait même pas reconnu l'animal qu'il avait tué. Thompson m'avait dit : « Les loups ont un peu dispersé les os mais il est évident que c'était un caribou. Le gamin était complètement perdu ici. »

Samel avait ajouté avec mépris : « C'était effectivement un caribou. Quand j'ai lu dans le journal qu'il avait cru avoir tué un élan, cela m'a bien montré qu'il n'était pas de l'Alaska. Il y a une grande différence entre les deux bêtes, une très grande différence. Il faut être plutôt benêt pour ne pas les distinguer. »

Me fiant à ces deux vieux chasseurs de l'Alaska qui ont tué de nombreux élans et caribous, j'avais fait état de la méprise de McCandless dans mon article d'*Outside*. Ce qui confirmait l'opinion d'innombrables lecteurs que McCandless était ridiculement mal préparé et qu'il n'avait rien à faire dans cette nature sauvage, seul au milieu des forêts difficiles de la Dernière Frontière. Un correspondant de l'Alaska faisait remarquer : « Non seulement McCandless est mort parce qu'il était idiot, mais l'envergure de ses aventures est si minable qu'elle en devient pathétique. Il squatte un vieil autobus à quelques kilomètres de Healy, fait cuire des geais et des écureuils, confond un caribou avec un élan (chose pourtant difficile)... Un seul mot peut qualifier ce type : incompétent. »

Parmi les lettres qui critiquaient McCandless, presque toutes mentionnaient cette erreur d'identification comme preuve qu'il ne connaissait pas les rudiments de la survie dans l'arrière-pays. Mais ce que ces correspondants irrités ignoraient, c'est que l'ongulé tué par McCandless était exactement ce qu'il avait dit. Contrairement à ce que j'avais écrit, il s'agissait bien d'un élan. Un examen approfondi des restes ainsi que les photos prises par McCandless le confirment sans aucune espèce de doute. Le jeune homme fit quelques erreurs sur la piste Stampede, mais il n'avait pas confondu un élan et un caribou.

Je passe devant les os de l'élan, m'approche du véhicule et monte par la portière arrière. Contre la portière, il y a le vieux matelas sur lequel McCandless a expiré. Pour quelque obscure raison je suis surpris de trouver quelques-unes de ses affaires éparpillées sur la toile du matelas : une gourde verte en plastique, un petit flacon de comprimés pour purifier l'eau, un stick de pommade pour les lèvres, un pantalon de l'armée, comme ceux que l'on vend dans les surplus militaires, une édition de poche en mauvais état du best-seller *O Jérusalem !*, des moufles en laine, un flacon de Muskol (un répulsif pour insectes), une boîte d'allumettes pleine, une paire de bottes marron en caoutchouc portant le nom « Gallien » inscrit à l'encre noire sur le revers.

Malgré les vitres qui manquent, l'air est confiné, vicié. Roman fait remarquer : « Ça sent l'oiseau mort ici. » Peu après, je découvre la source de cette odeur : un sac poubelle rempli de plumes et d'ailes d'oiseaux coupées. Il semble que McCandless les mettait de côté pour rembourrer ses vêtements ou peut-être pour fabriquer un oreiller.

Vers l'avant de l'autobus, la vaisselle de McCandless est rangée sur une table en contreplaqué de fabrication artisanale à côté d'une lampe à kérosène. Un long fourreau en cuir porte, artistement repoussées, les initiales R. F. C'est celui de la machette que Ronald Franz a donnée à McCandless quand il a quitté Salton City.

La brosse à dents bleue du jeune homme est posée près d'un tube de dentifrice à moitié vide, d'une boîte de fil dentaire et de la couronne en or que, selon son journal, il a perdue trois semaines après son arrivée. À quelques centimètres, il y a un crâne de la grosseur d'une pastèque. De grands crocs ivoire jaillissent d'un maxillaire blanc. C'est le crâne d'un grizzly tué par un chasseur des années avant l'arrivée de McCandless. Un message de l'écriture soignée de Chris entoure le trou provoqué par la balle : « Que tous saluent l'ours-fantôme, la bête qui vit en nous. Alexandre Supertramp. Mai 1992. »

En levant les yeux, je remarque que les parois métalliques sont couvertes de graffitis laissés par les nombreux visiteurs au cours des années. Roman m'indique un message laissé par lui quatre ans auparavant à l'occasion d'une traversée de la chaîne de l'Alaska : « Mangeurs de nouilles en route pour le lac Clark, 8/89. » Tout comme Roman, la plupart des gens ont inscrit un nom, une date, guère plus. Le graffiti le plus long, le plus éloquent, est l'un de ceux que McCandless a tracés. C'est une déclaration de joie qui commence par une évocation de sa chanson favorite : « Depuis deux ans il parcourt la terre. Pas de téléphone, pas de piscine, pas d'animaux de compagnie, pas de cigarettes. Liberté ultime. Être extrémiste. Voyageur esthète dont le domicile est *la route...* »

Juste au-dessous de ce manifeste, il y a le poêle, fabriqué avec un fût d'huile rouillé. Un morceau de tronc d'épicéa épais de 36 centimètres est enfoncé dans l'ouverture et sur cette bûche sont disposés deux vieux jeans, comme s'ils avaient été mis à sécher. L'un est grossièrement rafistolé, l'autre a été rapiécé avec plus de soin au moyen de morceaux d'un dessus-de-lit délavé cousus sur les trous des genoux et des fesses. Ce pantalon porte également une ceinture fabriquée au moyen d'une bande de tissu de couverture. McCandless a dû être forcé de confectionner cette ceinture après avoir tellement maigri que son pantalon ne tenait plus.

Assis sur un lit en fer devant le poêle pour réfléchir à ce sinistre tableau, où que mon regard se porte, j'aperçois des signes de la présence de McCandless. Ici, il y a son coupe-ongles, là sa tente en Nylon vert est suspendue devant la fenêtre sans vitre de la porte avant. Ses chaussures de randonnée sont soigneusement rangées sous le poêle, comme s'il allait revenir bientôt pour les enfiler et reprendre la piste. Je me sens mal à l'aise. J'ai l'impression d'être entré par effraction ou d'être un voyeur qui s'est glissé dans la chambre de McCandless pendant son absence. Pris d'une soudaine nausée, je quitte l'autobus pour aller marcher le long de la rivière et respirer un peu d'air frais.

Une heure plus tard, nous faisons un feu dehors dans la lumière déclinante. Des averses ont chassé la touffeur de l'air et ont donné une forme précise aux collines. Au loin vers le nord-ouest, le ciel incandescent enflamme la base des nuages. Roman déballe des steaks d'un élan qu'il a tué en septembre dernier dans la chaîne de l'Alaska. Il les pose au-dessus du feu sur un gril noirci, celui-là même dont se servait McCandless pour faire griller son gibier. La graisse goutte et grésille sur les braises. Tout en mangeant la viande tendineuse avec nos doigts, nous écrasons des moustiques et nous parlons de ce garçon si particulier qu'aucun d'entre nous n'a connu, en essayant de comprendre pourquoi il s'est trouvé dans une situation critique et aussi pourquoi certains semblent tellement le mépriser d'être mort à cet endroit.

C'est à dessein que McCandless est venu ici avec des provisions insuffisantes. Il lui manquait également ce que beaucoup d'habitants de l'Alaska considèrent comme un équipement essentiel : une carabine de gros calibre, une carte et une boussole, une hache. Cela a été considéré non seulement comme de la bêtise mais, chose encore plus grave, comme de l'arrogance. Des esprits critiques ont même tracé un parallèle entre McCandless et le personnage le plus décrié de l'Arctique, Sir John Franklin, un officier de marine britannique dont le caractère suffisant et hautain a causé la mort de 140 personnes, y compris la sienne.

En 1819, l'Amirauté chargea Franklin de diriger une expédition dans les régions désertiques du nord-ouest du Canada. Ces hommes avaient quitté l'Angleterre depuis deux ans quand l'hiver les surprit au moment où ils progressaient dans une étendue de toundra si vaste et si vide qu'ils la baptisèrent le Barrens[1], nom qu'elle porte toujours. Ils finirent par manquer de nourriture. Comme le gibier était rare, Franklin et ses compagnons en furent réduits à manger du lichen qu'ils grattaient sur les rochers, du cuir de cerf, des os d'animaux, le cuir de leurs bottes et finalement de la chair humaine. Avant le terme de cette épreuve, au moins deux hommes avaient été tués et mangés, le meurtrier présumé avait été exécuté sommairement, et huit autres compagnons de Franklin étaient morts de maladie ou de faim. Franklin lui-même était sur le point de rendre l'âme

1. De l'adjectif anglais *barren* qui signifie « désertique ». (*N.d.T.*)

quand, avec les survivants, il fut sauvé par un groupe de métis.

Gentleman victorien affable, Franklin était considéré comme un brave empoté, obstiné et ignorant, avec les idéaux naïfs d'un enfant et un parfait dédain pour les méthodes de survie dans l'arrière-pays. Il avait été lamentablement peu préparé à la conduite d'une expédition arctique et, quand il retourna en Angleterre, on l'appela « l'homme qui a mangé ses chaussures ». Cependant ce sobriquet lui était plus souvent attribué avec respect que pour le tourner en ridicule. Il fut salué comme un héros national, promu par l'amirauté au rang de capitaine, bien rétribué pour rédiger un récit de ses épreuves et, en 1825, on le chargea de diriger une seconde expédition.

Ce fut un voyage presque sans histoire. Mais en 1845, espérant découvrir le mythique Passage du Nord-Ouest, Franklin commit l'erreur de retourner dans l'Arctique pour la troisième fois. Les 128 hommes qu'il commandait et lui-même disparurent à tout jamais. Grâce aux indices découverts par la quarantaine d'expéditions envoyées à sa recherche, on finit par établir qu'ils avaient tous péri, victimes du scorbut et du manque de nourriture, dans des souffrances indicibles.

Quand McCandless fut découvert mort, on le compara à Franklin, non pas simplement parce que tous deux étaient morts de faim mais aussi parce qu'on considérait que tous les deux avaient manqué d'humilité. Ils avaient montré un respect insuffisant pour le pays. Un siècle après la mort de Franklin, l'éminent explorateur Vilhjalmur Stefansson a fait remarquer que l'explorateur anglais n'avait jamais pris la peine d'étudier les méthodes de survie utilisées par les Indiens et les Esquimaux, alors que ces deux peuples,

« pendant des générations, ont élevé leurs enfants et soigné leurs anciens » dans le même pays qui a tué Franklin. (Stefansson, toutefois, oublie commodément d'indiquer que de très nombreux Indiens et Esquimaux sont morts de faim eux aussi dans les hautes latitudes.)

Toutefois, l'arrogance de McCandless n'était pas faite du même bois que celle de Franklin. Ce dernier considérait la nature comme un adversaire qui se soumettrait inévitablement à la force, à l'éducation et à la discipline victoriennes. Au lieu de vivre en accord avec le pays, de compter sur lui pour assurer sa subsistance, comme le faisaient les Indiens et les Esquimaux, il tenta de s'isoler de l'environnement nordique au moyen d'instruments et de traditions militaires inappropriés. McCandless, quant à lui, alla trop loin dans la direction opposée. Il tenta de vivre entièrement sur le pays, et il le fit sans se soucier d'apprendre auparavant à maîtriser tout le répertoire des techniques indispensables.

Mais c'est probablement une erreur de reprocher à McCandless d'avoir été mal préparé. Il était jeune, et il surestimait sa résistance, mais il était suffisamment expérimenté pour pouvoir tenir pendant seize semaines avec à peine plus que son intelligence et 5 kilos de riz. Et il était pleinement conscient en entrant dans la forêt que sa marge de manœuvre était dangereusement mince. Il connaissait parfaitement l'enjeu.

Il n'est pas rare qu'un jeune homme se lance dans une action considérée comme téméraire par ses aînés. Affronter le danger est un rite de passage dans notre culture comme dans la plupart des autres. Et puis, le risque a toujours eu un certain charme. C'est en grande partie la raison pour laquelle tant d'adolescents conduisent trop vite, boivent trop, prennent des drogues. C'est aussi pourquoi il a toujours été si facile de recruter des jeunes gens pour faire la guerre. On peut montrer également que la témérité de la jeunesse est un facteur adaptatif contenu dans nos gènes. McCandless, à sa manière, n'a fait que pousser à l'extrême la logique du risque.

Il éprouvait le besoin de se mettre à l'épreuve d'une façon « qui compte », comme il aimait à dire. Il avait de grandes – certains diront grandioses – ambitions spirituelles et, à ses yeux, conformément à l'absolutisme moral qui le caractérisait, un défi pour lequel le résultat est acquis d'avance n'était pas un défi.

Bien entendu, ce ne sont pas seulement les jeunes gens qui sont attirés par les entreprises périlleuses. On se souvient d'abord de John Muir comme d'un conservateur à l'esprit pratique et comme le président fondateur du Sierra Club, mais il était aussi un aventurier, un casse-cou, un escaladeur de pics, de glaciers et de chutes d'eau. Son livre le plus connu contient un récit fascinant d'une ascension du mont Ritter en Californie, en 1872, au cours de laquelle il faillit faire une chute mortelle. Dans un autre livre, Muir décrit avec ravissement comment, au cours d'une tempête dans la sierra, il a grimpé délibérément dans les plus hautes branches d'un sapin de Douglas :

Jamais auparavant je n'avais ressenti une si noble griserie de mouvement. Le mince sommet de l'arbre s'agitait et bruissait dans l'air déchaîné, il s'inclinait et se balançait d'arrière en avant, tournant encore et encore, traçant d'indescriptibles combinaisons de courbes verticales et horizontales, et pendant ce temps, je m'agrippais fermement à lui comme un petit oiseau à un roseau.

À cette époque, il avait trente-six ans. Il est probable qu'il n'aurait trouvé McCandless ni très étrange ni incompréhensible.

Même Thoreau, compassé et prude, célèbre pour avoir déclaré qu'il lui suffisait d'avoir « pas mal voyagé dans sa ville natale de Concord », se sentit obligé d'aller dans les régions alors inquiétantes et désertes du Maine et de faire l'escalade du mont Katahdin. Son ascension des contreforts « sauvages et terribles, bien que beaux » de la montagne fut pour lui une épreuve effrayante mais il en tira une sorte d'admiration. L'inquiétude qu'il éprouva sur les hauteurs granitiques du Katahdin lui a inspiré l'un de ses plus puissants écrits et a influencé par la suite sa façon de concevoir la terre dans ce qu'elle a de rude et d'indompté.

À la différence de Muir et de Thoreau, le premier but de McCandless n'était pas de réfléchir à la nature ou au monde dans son ensemble, mais plutôt d'explorer le domaine intérieur de son âme. Néanmoins, il découvrit bientôt ce que Muir et Thoreau savaient déjà, qu'un séjour prolongé dans la nature oriente inéluctablement notre attention vers l'extérieur autant que vers l'intérieur et qu'il est impossible de vivre dans une région sans en acquérir une subtile compréhension et sans que des liens affectifs puissants s'établissent avec elle et avec tout ce qui est en elle.

Le journal de McCandless contient peu de considérations abstraites sur la nature et d'ailleurs peu de ruminations sur quelque sujet que ce soit. Les descriptions de paysages sont rares. En fait, comme le remarque Andrew Liske, l'ami de Roman, après la lecture d'une photocopie du journal : « Ces notes portent presque uniquement sur ce qu'il a mangé. Presque tout ce qu'il écrit traite de la nourriture. »

Andrew n'exagère pas. Le journal est à peine plus qu'un pointage des plantes cueillies et du gibier tué. Ce serait pourtant une erreur d'en conclure qu'il n'appréciait pas la beauté du pays et que la puissance de ce paysage ne l'émouvait pas. Comme l'écologiste Paul Shepard l'a indiqué :

Le Bédouin n'est pas amoureux du paysage, il ne le peint pas, ne fait pas d'observations désintéressées sur la flore et la faune... Sa vie est si profondément en relation avec la nature qu'il n'y a guère de place pour une abstraction, une esthétique ou une « philosophie de la nature » qui soient séparées du reste de sa vie... La nature et sa relation à celle-ci sont un sujet d'importance vitale régi par les conventions, le mystère et le danger. Ses loisirs personnels sont éloignés de tout amusement insouciant et de tout ce qui s'écarte de la marche de la nature. Mais la conscience de la nature fait partie de sa vie, la conscience du terrain, du temps imprévisible, du bord étroit sur lequel il se tient.

On pourrait dire la même chose de McCandless pendant les mois qu'il passa près de la Sushana. Il serait trop facile d'appliquer un stéréotype à Christopher McCandless, de le confondre avec un de ces garçons sentimentaux et écervelés qui lisent trop et n'ont pas le moindre bon sens. Ça ne colle pas. Il ne faisait pas partie non plus de ces fainéants irresponsables, désaxés, égarés, que ronge un désespoir existentiel. Bien au contraire. Sa vie était chargée de signification et avait un but. Mais pour lui, la signification se trouvait au-delà des voies toutes tracées. Se méfiant de ce qu'on obtient trop facilement, il avait beaucoup exigé de lui-même – et finalement plus qu'il ne pouvait donner.

En essayant d'expliquer la conduite non orthodoxe de McCandless, certains ont tiré argument de ce qu'il était de petite taille, comme John Waterman, et qu'il avait dû souffrir du « complexe de l'homme petit ». Un sentiment fondamental d'insécurité l'aurait poussé à s'affirmer par des exploits physiques. D'autres ont avancé qu'un conflit œdipien non résolu avait pu être à l'origine de son odyssée fatale. Bien qu'il y ait peut-être un fonds de vérité dans l'une et l'autre hypothèse, cette sorte de psychanalyse posthume à l'emporte-pièce est douteuse, purement spéculative, et inévitablement réductrice pour l'analysé, lequel est de surcroît absent. Il ne semble pas qu'on apprenne grand-chose en ramenant l'étrange quête spirituelle de Chris McCandless à une série de désordres psychologiques.

Roman, Andrew et moi regardons les braises et poursuivons jusque tard dans la nuit notre conversation sur McCandless. Roman a trente-deux ans. Ouvert, curieux, doté d'une méfiance tenace envers la sagesse conventionnelle, il possède un doctorat en biologie de l'université de Stanford. Il a passé son adolescence dans les mêmes faubourgs de Washington que McCandless et les a trouvés tout aussi étouffants. Il est venu pour la première fois en Alaska à neuf ans lors d'une visite à des oncles qui travaillaient dans une mine de charbon à Usibelli, une grosse exploitation à ciel ouvert située à quelques kilomètres à l'est de Healy. Immédiatement, il s'éprit de tout ce qui concernait le Nord. Dans les années qui suivirent, il retourna à plusieurs reprises dans le 49e État. En 1977, son diplôme de fin d'études secondaires en poche (à seize ans, il avait obtenu les meilleures notes de sa classe), il s'installa à Fairbanks et, depuis lors, l'Alaska est resté son lieu de résidence principal.

Actuellement, Roman enseigne à l'université d'Anchorage et ses longues et périlleuses escapades dans l'arrière-pays lui ont valu une renommée locale. Parmi d'autres exploits, il a parcouru à pied et à la pagaie les 1 600 kilomètres de la chaîne de Brooks, il a effectué 400 kilomètres à ski à travers la réserve naturelle de l'Arctique dans les très basses températures de l'hiver, il a suivi les 1 000 kilomètres de la ligne de crête de la chaîne de l'Alaska, et a réalisé plus de 30 premières ascensions des pics du Nord. Roman ne voit pas une grande différence entre ses hauts faits, que tout le monde respecte, et l'aventure de McCandless. À cette différence près que ce dernier a eu la malchance de mourir.

Je mets en avant la démesure de McCandless et ses erreurs grossières – deux ou trois bévues facilement évitables qui, à la fin, lui ont coûté la vie. « Bien sûr, il a exagéré, répond Roman, mais je l'admire pour ce qu'il essayait de faire. Vivre complètement isolé, comme ça, mois après mois, c'est incroyablement difficile. Je ne l'ai jamais fait. Et je veux bien parier que, parmi ceux qui le traitent d'incompétent, très peu l'ont fait ne serait-ce qu'une semaine ou deux, peut-être même aucun. Rester seul dans la nature pendant une longue période, ne vivre que de chasse et de cueillette, la plupart des gens ne savent pas combien c'est dur. Et McCandless y est presque arrivé.

Je suppose que je ne peux pas m'empêcher de m'identifier à ce garçon, admet Roman tout en remuant les braises avec un bâton. Ça me déplaît de le dire, mais il n'y a pas si longtemps, j'aurais pu faire l'objet des mêmes jugements. Quand j'ai commencé à venir en Alaska, je ressemblais beaucoup à McCandless. J'étais jeune et passionné comme lui. Et je pense qu'il y a beaucoup de gens en Alaska qui avaient bien des points communs avec lui quand ils sont venus ici pour la première fois, y compris parmi ceux qui le critiquent. C'est peut-être pourquoi ils sont si sévères avec lui. Peut-être leur rappelle-t-il un peu trop ce qu'ils étaient alors ? »

La remarque de Roman souligne à quel point il est difficile, lorsqu'on est pris dans les préoccupations routinières de l'âge adulte, de se rappeler la force des passions et des espoirs de la jeunesse. Comme l'a dit le père d'Everett Ruess plusieurs années après la disparition de son fils : « L'adulte n'a pas conscience des envolées de l'âme de l'adolescent. Nous avons tous mal compris Everett. »

Roman, Andrew et moi restons éveillés bien au-delà de minuit, essayant de trouver un sens à la vie et à la mort de McCandless, mais ce qu'il était véritablement demeure insaisissable, vague, illusoire. Peu à peu la conversation s'étiole. Quand je m'écarte pour trouver un lieu où étendre mon sac de couchage, les premières teintes de l'aube commencent à éclaircir la bordure du ciel au nord-est. Cette nuit, les moustiques sont nombreux et je serais plus à l'abri dans l'autobus, mais je décide de ne pas me coucher dans le Fairbanks 142. Et je remarque, avant de sombrer dans un sommeil sans rêves, qu'aucun de mes compagnons ne l'a fait.

18

La piste Stampede

Il est presque impossible à l'homme moderne d'imaginer ce que c'est que de vivre de la chasse. L'existence d'un chasseur n'est qu'un pénible et continuel déplacement... C'est une constante inquiétude que la prochaine capture ne réussisse pas, que le piège ou la battue ne donnent rien, que les hardes ne se montrent pas cette saison-là. Mais surtout, l'existence d'un chasseur implique la menace de manquer de nourriture et de mourir de faim.

John M. Campbell, *L'Été de la faim.*

Qu'est-ce que l'histoire ? C'est l'exploration systématique de l'énigme de la mort au cours des siècles, avec la perspective de son triomphe. C'est pour cette raison qu'on découvre un infini mathématique et des ondes électromagnétiques, c'est pour cette raison qu'on écrit une symphonie. On ne peut s'engager dans cette voie sans une certaine foi. On ne peut faire de telles découvertes sans une armature spirituelle. Et la base de cette armature, ce sont les Évangiles. Que disent-ils ? Tout d'abord, d'aimer son prochain, *ce qui est la forme suprême de l'énergie vitale. Quand elle remplit le cœur d'un homme, elle déborde et se répand d'elle-même. Ensuite, on trouve en eux les deux idéaux fondamentaux de l'homme moderne – sans lesquels on ne peut le concevoir –, l'idée de* personnalité libre *et l'idée que* la vie est un sacrifice.

Boris Pasternak, *Le Docteur Jivago.*

Passage souligné dans l'un des livres trouvés parmi les affaires de Chris McCandless.

Sa tentative de quitter la forêt ayant été arrêtée par le niveau de la Teklanika, McCandless fut de retour à l'autobus le 8 juillet. Il est impossible de savoir ce qu'il pensait à ce moment-là car son journal ne révèle rien. Que le chemin du retour soit barré le laissait sans doute plutôt insouciant. Et, de fait, il n'y avait pas vraiment de raisons de s'inquiéter. C'était le plein été, le pays regorgeait de plantes et d'animaux, son approvisionnement alimentaire était suffisant. Il fit probablement la supposition que, s'il attendait jusqu'au mois d'août, la Teklanika aurait suffisamment baissé pour qu'il puisse la traverser.

Réinstallé dans la carcasse du Fairbanks 142, il reprit sa routine de chasse et de cueillette. Il lut la nouvelle de Tolstoï *La Mort d'Ivan Ilitch* et le roman de Michael Crichton *L'Homme terminal.* Il nota dans son journal qu'il pleuvait sans discontinuer depuis une semaine. Il semble qu'il y ait eu abondance de gibier. Dans les trois dernières semaines de juillet, il tua 35 écureuils, 4 grouses, 5 geais et piverts, et 2 grenouilles qu'il complétait avec des pommes de terre sauvages, de la rhubarbe sauvage, diverses sortes de baies et une grande quantité de champignons. Mais malgré cette apparente pléthore d'aliments, la quantité de viande était assez faible et il absorbait moins de calories qu'il n'en dépensait. Après avoir subsisté pendant trois mois avec un régime à peine suffisant, McCandless se trouvait en état de déficit calorique. Il était en équilibre instable. Puis, fin juillet, il commit l'erreur qui lui fut fatale.

Il venait de terminer *Le Docteur Jivago* dont il avait souligné plusieurs passages et rempli les marges de notes fébriles.

Lara suivit un chemin tracé par les pèlerins, puis elle le quitta pour entrer dans les champs. Là, elle s'arrêta et, fermant les yeux, respira profondément l'air au parfum de fleurs que lui apportait cette grande étendue autour d'elle. Cela lui était plus cher que sa famille, plus délicieux qu'un amant, plus instructif qu'un livre. Pendant un moment, elle redécouvrit le but de sa vie. Elle était sur la terre pour saisir la signification de son enchantement sauvage et pour appeler chaque chose par son nom véritable ou, si elle n'en avait pas le pouvoir, pour donner naissance, dans l'amour de la vie, à des successeurs qui le feraient à sa place.

« NATURE/PURETÉ », écrit-il en majuscules en haut de la page.

Oh ! comme on souhaite parfois échapper à l'absurde monotonie de l'éloquence humaine, à toutes ces périodes sublimes, pour se réfugier dans la nature, si muette en apparence, ou dans un long et épuisant labeur sans paroles, dans un sommeil profond, dans une musique véritable, ou encore dans une compréhension humaine rendue silencieuse par l'émotion !

McCandless cocha et mit ce paragraphe entre crochets. Il entoura à l'encre noire « se réfugier dans la nature ».

Juste après : « Et ainsi, il apparut que seule une vie semblable à la vie de ceux qui nous entourent, unie à elle sans un accroc, est la vie véritable, et que le bonheur non partagé n'est pas le bonheur… et c'était cela qui était le plus contrariant… », il a écrit : « Le bonheur n'est vrai que quand il est partagé. »

Il est tentant de considérer cette dernière note comme une preuve de plus que le long et solitaire séjour sabbatique de McCandless l'avait fait évoluer. On peut l'interpréter comme le signe qu'il était prêt à remiser une partie de l'armure dont il entourait son cœur, et qu'en retournant vers la civilisation, il avait l'intention d'abandonner sa vie de vagabond solitaire, de cesser de protéger si fortement son intimité, et de devenir membre de la communauté humaine. Mais nous ne le saurons jamais vraiment, car *Le Docteur Jivago* fut le dernier livre qu'il ait lu.

Deux jours après l'avoir terminé, le 30 juillet, on lit dans son journal ces mots inquiétants : « Extrêmement faible. À cause des graines de pom. Beaucoup de mal à tenir debout. Faim. Grave danger. » Avant cette note, rien n'indique dans son journal qu'il était dans une situation dangereuse. Il avait faim, et en raison de son régime insuffisant son corps ressemblait à celui d'une bête efflanquée qui n'a que la peau sur les os. Mais il paraissait en assez bonne santé. Puis, brusquement, le 30 juillet, sa condition physique s'effondra et, le 19 août, il était mort.

On a fait beaucoup d'hypothèses sur la cause d'un déclin si rapide. Dans les jours qui suivirent l'identification de la dépouille de McCandless, Wayne Westerberg se souvint vaguement que Chris avait pu acheter des graines dans le Dakota du Sud avant de partir, notamment, peut-être, des graines de pommes de terre, qu'il avait l'intention de planter après s'être installé dans le sous-bois. Selon une théorie, McCandless ne planta aucun jardin potager (je n'en ai pas observé la moindre trace dans les environs de l'autobus) et, fin juillet, il se trouva tellement affamé qu'il mangea les graines, lesquelles l'empoisonnèrent.

Les plantes de pomme de terre sont en fait modérément toxiques quand elles ont commencé à germer. Elles contiennent de la solanine, poison que l'on trouve dans les végétaux de la famille de la morelle. Elle provoque d'abord des vomissements, des diarrhées, des maux de tête et une léthargie, puis, si elle est consommée pendant plus longtemps, elle affecte gravement le rythme cardiaque et la tension artérielle. Cette théorie soulève néanmoins une objection importante. Pour que McCandless ait été gravement affecté par les graines de pomme de terre, il aurait fallu qu'il en consomme plusieurs kilos ; et, étant donné la légèreté de son sac quand Gallien le déposa, il est très peu probable qu'il ait eu plus de quelques grammes de graines de pomme de terre, si toutefois il en avait.

Mais d'autres scénarios font intervenir des graines de pomme de terre d'une variété toute différente, et ceux-là sont plus plausibles. Aux pages 126 et 127 de *La Botanique des Tanaina,* il y a la description d'une plante que les Indiens Dena'ina appellent « la pomme de terre sauvage » et dont ils cueillent la racine en forme de carotte. Cette plante, connue des botanistes sous le nom de *Hedysarum alpinum,* pousse dans les sols caillouteux de toute la région.

Selon *La Botanique des Tanaina,* « La racine de la pomme de terre sauvage constitue probablement la base de l'alimentation des Dena'ina, si l'on excepte les fruits sauvages. Ils la consomment de toutes sortes de façons – crue, bouillie, cuite au four ou frite – et ils l'apprécient tout particulièrement avec de l'huile ou du lard, dans lesquels d'ailleurs ils la conservent. » La suite précise que le meilleur moment pour la ramasser est « le printemps, lorsque le sol n'est plus gelé… Pendant l'été, elle se dessèche et devient dure ».

Priscilla Russell Kari, l'auteur de *La Botanique des Tanaina,* m'a expliqué que « le printemps était une saison vraiment difficile pour les Tanaina, surtout autrefois. Souvent, leur gibier habituel ne se montrait pas et les poissons ne commençaient pas encore à remonter les rivières. Alors ils dépendaient des pommes de terre sauvages comme provision de base jusqu'à l'arrivée du poisson à la fin du printemps. Elles ont un goût très doux. C'était, et c'est toujours, un aliment qu'ils apprécient beaucoup ».

Sur le sol, la plante se présente comme une herbe buissonneuse de 60 centimètres de haut avec des fleurs roses qui rappellent celles de pois de senteur miniatures. S'appuyant sur le livre de Kari, McCandless se mit à ramasser et à manger des racines de pomme de terre sauvage le 24 juin, sans effet néfaste, apparemment. Le 14 juillet, il commença à consommer aussi les graines, semblables à des pois, sans doute parce que les racines commençaient à devenir trop dures. Une photographie qu'il prit pendant cette période montre un sac en plastique de cinq litres rempli à ras bord de ces graines. Et puis, le 30 juillet, on lit sur son journal : « Extrêmement faible. À cause des graines de pom. »

Dans *La Botanique des Tanaina,* sur la page qui suit celle consacrée à la pomme de terre sauvage, le livre donne la description d'une espèce voisine, le pois de senteur sauvage, *Hedysarum mackenzii.* Bien que cette plante soit légèrement plus petite, elle ressemble tellement à la pomme de terre sauvage que même des botanistes de métier ont quelquefois du mal à les distinguer. Une seule caractéristique constitue un indice certain. Le dessous des petites folioles vertes de la pomme de terre sauvage a des veinules bien marquées, alors qu'elles sont invisibles sur les folioles du pois de senteur sauvage.

Le livre de Kari spécifie que le pois de senteur sauvage « est vénéneux. Il faut bien prendre soin de les identifier avant de consommer des pommes de terre sauvages. » Dans la littérature contemporaine, on ne trouve pas d'exemple de personne empoisonnée après avoir mangé *H. mackenzii,* mais les habitants du Grand Nord savent depuis des millénaires que le pois de senteur sauvage est toxique et veillent à ne pas le confondre avec la pomme de terre sauvage.

Pour trouver des documents relatifs à un empoisonnement par le pois de senteur sauvage, il m'a fallu remonter jusqu'aux annales des explorations arctiques du XIXe siècle. Je finis par trouver ce que je cherchais dans les notes de Sir John Richardson, célèbre chirurgien écossais, naturaliste et explorateur. Il avait fait partie des deux premières expéditions du malheureux Sir John Franklin et avait survécu aux deux. Ce fut Richardson qui exécuta d'un coup de fusil le présumé meurtrier cannibale au cours de la première expédition. Il se trouve qu'il fut également le premier botaniste à donner une description de *H. mackenzii.* C'est d'ailleurs lui qui attribua son nom scientifique à la plante. En 1848, alors qu'il dirigeait une expédition partie à la recherche de Franklin, Richardson effectua une comparaison entre *H. alpinum* et *H. mackenzii* :

> H. alpinum *possède des racines longues et flexibles, qui ont une saveur douce comme celle de la réglisse, et que les indigènes consomment en quantité au printemps ; mais, quand la saison avance, elle devient ligneuse et n'est plus juteuse ni craquante.* Hedysarum mackenzii, *moins élégant, est blanc et incliné, et ses fleurs sont plus grandes. Sa racine est vénéneuse. À Fort Simpson, elle a presque tué une vieille Indienne qui l'avait confondue avec l'espèce précédente. Heureusement, la plante s'avéra émétique, et l'estomac ayant rejeté ce que l'Indienne avait avalé, celle-ci recouvra la santé, bien qu'on ait craint un temps pour sa vie.*

Il était facile d'imaginer que Chris McCandless avait commis la même erreur que l'Indienne et s'était trouvé immobilisé comme elle. Tout laissait croire que McCandless, imprudent par nature, avait commis une bévue en confondant les deux plantes et qu'il en était mort. Dans l'article d'*Outside,* je rapportais comme certain que c'était *H. mackenzii* qui avait tué le jeune homme. À peu près tous les autres journalistes qui rendirent compte de cette tragédie aboutissaient à la même conclusion.

Mais à mesure que les mois passaient, je pus mieux réfléchir à la mort de McCandless et ce consensus me parut moins crédible. Pendant trois semaines, à partir du 24 juin, McCandless avait ramassé et consommé sans inconvénient des douzaines de racines de pomme de terre sauvage sans confondre *H. mackenzii* et *H. alpinum.* Alors pourquoi, le 14 juillet, quand il commença à récolter les graines au lieu des racines, aurait-il subitement pris une espèce pour l'autre ?

J'en vins à considérer avec une conviction croissante que McCandless avait soigneusement écarté le toxique *H. mackenzii* et ne mangea jamais ses graines ni toute autre partie de la plante. Il fut bien intoxiqué, mais ce ne fut pas le pois de senteur sauvage qui le tua. L'agent qui causa sa mort fut la pomme de terre sauvage, clairement présentée comme non toxique par *La Botanique des Tanaina.*

Le livre indique seulement que les racines de la pomme de terre sauvage sont comestibles. Il ne parle ni des graines des plantes comestibles, ni des graines toxiques. Pour être juste envers McCandless, il faut préciser que les graines de *H. alpinum* n'ont été présentées comme toxiques dans aucune publication. Un dépouillement approfondi de la littérature médicale et botanique ne fait apparaître aucune indication sur le caractère vénéneux d'une quelconque partie de *H. alpinum.*

Mais il se trouve que la famille des pois, à laquelle appartient *H. alpinum*, abonde en espèces qui produisent des alcaloïdes – composé chimique ayant un puissant effet pharmacologique sur l'animal et l'homme (la morphine, la caféine, la nicotine, le curare, la strychnine et la mescaline sont des alcaloïdes). Et de plus, dans nombre d'espèces qui produisent des alcaloïdes, la toxine est strictement localisée dans une partie de la plante.

« Ce qui se passe, explique John Bryant, chercheur en écologie chimique à l'université de Fairbanks, c'est que beaucoup de légumes concentrent l'alcaloïde dans l'enveloppe de la graine à la fin de l'été pour décourager les animaux de les manger. Selon la période de l'année, il n'est pas rare qu'une plante à racine comestible ait des graines vénéneuses. Si une espèce produit des alcaloïdes, lorsque l'automne approche, c'est dans les graines que la présence de toxine est le plus probable. »

Au cours de ma visite à la Sushana, j'ai cueilli des échantillons de *H. alpinum* à quelques mètres de l'autobus et je les ai envoyés à Tom Clausen, collègue du professeur Bryant au département de chimie de l'université d'Alaska. Une analyse spectrographique doit encore être entreprise, mais les premières analyses effectuées par Clausen et l'un de ses étudiants, Edward Treadwell, confirment que les graines contiennent des traces d'un alcaloïde. Il y a en outre de fortes chances pour que cet alcaloïde soit de la swainsonine, un composé bien connu des éleveurs et des vétérinaires comme l'agent toxique présent dans le locoweed.

Il existe quelque cinquante variétés de locoweed, dont la plupart appartiennent au genre astragale, lequel est très proche de *Hedysarum.* Les symptômes les plus apparents de l'empoisonnement par le locoweed sont de nature neurologique. Selon un article publié dans le *Journal of the American Veterinary Medecine Association,* les signes sont notamment « dépression, démarche lente et titubante, pelage rêche, yeux éteints avec regard fixe, amaigrissement, défaut de coordination musculaire, nervosité (surtout en cas de stress). Les animaux atteints peuvent aussi devenir solitaires et rétifs et avoir de la difficulté à manger et à boire. »

Grâce à la découverte de Clausen et Treadwell que les graines de pomme de terre sauvage peuvent contenir de la swainsonine ou un composé toxique similaire, on peut considérer que ce sont ces graines qui ont causé la mort de McCandless. Si c'est exact, cela veut dire qu'il n'était pas aussi téméraire et incompétent qu'on l'a dit. Il n'a pas confondu les deux espèces. On ne savait pas que la plante qui l'a empoisonné était toxique et, d'ailleurs, il en avait consommé les racines pendant des semaines. Dans l'état de dénutrition où il se trouvait, il commit seulement l'erreur de manger les graines. Une personne ayant une meilleure connaissance des principes de la botanique ne les aurait probablement pas mangées, mais c'était une erreur innocente. Elle fut néanmoins suffisante pour le tuer.

Les effets de la swainsonine sont chroniques – il est rare que les alcaloïdes tuent instantanément. La toxine agit insidieusement, indirectement, en inhibant une enzyme indispensable au métabolisme des glycoprotéines. Cela crée pour ainsi dire un gros bouchon de vapeur dans les vaisseaux du mammifère. Le corps ne peut plus transformer ce qu'il absorbe en énergie utile. Si on mange trop de swainsonine, on meurt de faim, quelle que soit la quantité de nourriture que l'on ingère.

Les animaux guérissent quelquefois d'un empoisonnement à la swainsonine consécutif à la consommation momentanée de locoweed. Mais uniquement lorsqu'ils sont en bonne condition. Pour permettre au composé toxique d'être éliminé dans l'urine, il faut d'abord lui associer des molécules de glucose ou d'aminoacide. Il est indispensable qu'un bon stock de protéines et de sucres soit présent dans le corps pour capter le poison et l'évacuer.

« Le problème, dit le professeur Bryant, c'est que si vous êtes maigre et affamé au départ, vous ne disposerez pas d'assez de protéines et de glucose. La toxine ne pourra pas être éliminée. Quand un animal affamé ingère un alcaloïde – même bénin comme la caféine – il sera atteint bien plus gravement à cause de l'absence de réserves en glucose. Il n'éliminera pas. L'alcaloïde va s'accumuler dans le système. Si McCandless a mangé une grande quantité de ces graines alors qu'il était déjà en état de dénutrition, les conditions étaient remplies pour qu'une catastrophe se produise. »

McCandless se rendit compte qu'il était brusquement beaucoup trop faible pour s'en aller et assurer son salut. Il était même trop faible pour chasser et par conséquent il s'affaiblit encore plus, glissant progressivement vers l'inanition. Il perdait le contrôle de sa vie à une vitesse effrayante.

Il n'y a rien dans le journal aux dates du 31 juillet et du 1er août. Le 2 août, on lit seulement : « Vent terrible. » L'automne approchait. La température descendait et les jours raccourcissaient. À chaque rotation de la terre, il y avait sept minutes de jour en moins, et sept minutes de plus de ténèbres et de froid. En l'espace d'une semaine, la nuit allongea de presque une heure.

« 100e jour ! Je l'ai fait ! note-t-il avec jubilation et fierté le 5 août, mais très faible. La mort se profile comme une menace sérieuse. Trop faible pour sortir, je suis littéralement piégé dans la forêt. Pas de gibier. »

Si McCandless avait possédé une carte topographique, il aurait appris l'existence d'une cabane du parc national près du cours supérieur de la Sushana, à moins de 10 kilomètres de l'autobus. Même gravement affaibli, il aurait pu l'atteindre. Cette cabane, située immédiatement en deçà de la limite du parc national du Denali, avait été pourvue d'une petite réserve de nourriture, de lits et de vivres de secours. Elle est destinée à la police montée pour ses patrouilles d'hiver dans l'arrière-pays. Il y a aussi deux autres cabanes, privées celles-là et non indiquées sur la carte, plus proches de l'autobus d'environ 3 kilomètres. L'une appartient à un couple d'éleveurs de chiens de traîneau bien connu, Will et Linda Forsberg ; l'autre est la propriété d'un employé du parc, Steve Carwile. Dans l'une et l'autre, il devait y avoir de la nourriture.

Le salut de McCandless semblait donc dépendre d'une marche de trois heures en amont de la rivière. Cela fut noté avec une triste ironie après sa mort. Mais même s'il avait été informé de l'existence des cabanes, elles ne l'auraient pas tiré d'affaire. Vers la mi-avril, au moment où le dégel rendait problématique l'usage des traîneaux et des autoneiges, quelqu'un s'introduisit dans les trois cabanes et les saccagea complètement. La nourriture fut exposée aux intempéries et abandonnée aux animaux.

Ce n'est que fin juillet qu'un biologiste, Paul Atkinson, découvrit les cabanes au terme d'une randonnée éprouvante. Il fut interloqué et choqué devant cette imbécile destruction. « Manifestement, ce n'était pas l'œuvre d'un ours. En tant que spécialiste des ours, je connais les dégâts qu'ils causent. On aurait dit que quelqu'un était entré dans les cabanes avec un pied-de-biche et avait démoli tout ce qu'il voyait. Les matelas avaient été jetés dehors et d'après la taille de l'herbe qui se trouvait au-dessous, il était évident que cet acte de vandalisme avait été commis bien des semaines auparavant. »

« Tout ce qui n'était pas cloué avait été détruit, dit Forsberg en parlant de sa cabane. Toutes les lampes et la plupart des fenêtres avaient été brisées. Les lits, les matelas avaient été jetés dehors et mis en tas, les planches du plafond arrachées, les bidons de mazout percés, le poêle à bois enlevé, un grand tapis avait même été tiré dehors pour qu'il pourrisse. Et toute la nourriture avait disparu. Ainsi, les cabanes n'auraient pas été d'un grand secours à Alex, même s'il les avait trouvées. Mais peut-être les avait-il déjà trouvées ? »

Forsberg voit dans McCandless le suspect numéro un. Il croit qu'il est tombé sur les cabanes par hasard, dans la première semaine de mai, peu après son arrivée. Cette intrusion de la civilisation dans sa précieuse expérience de vie sauvage l'a mis en rage et il a tout détruit systématiquement. Cependant, cette théorie ne dit pas pourquoi il n'a pas détruit également l'autobus.

Carwile soupçonne lui aussi McCandless. « Ce n'est qu'une intuition, explique-t-il, mais c'était le genre de type à vouloir "libérer la nature". La destruction des cabanes aurait été une façon d'y contribuer. Ou bien c'était à cause de sa haine du gouvernement. Il a vu la marque du parc sur les cabanes, en a déduit qu'elles appartenaient au gouvernement et a décidé de donner une gifle à Big Brother. Cela me semble tout à fait possible. »

Pour leur part, les autorités ne pensent pas que McCandless ait été le vandale. Ken Kehrer, le chef de la police montée du parc, indique : « On ne sait absolument pas qui a pu faire ça. Mais McCandless n'est pas considéré par nous comme suspect. » En fait, rien dans son journal ou sur ses photographies ne suggère qu'il soit allé vers les cabanes. Quand il a quitté l'autobus au début du mois de mai, les photos indiquent qu'il est parti vers le nord, en aval de la Sushana, dans la direction opposée à celle des cabanes. Et même s'il les avait découvertes par hasard, on l'imagine mal les détruisant et ne s'en vantant pas ensuite dans son journal.

Il n'y a rien dans le journal aux dates des 6, 7 et 8 août. Le 9, il note qu'il a tiré sur un ours mais l'a manqué. Le 10, il a vu un caribou mais ne l'a pas tiré, et il a tué cinq écureuils. Mais si une certaine quantité de swainsonine s'était déjà accumulée dans son corps, l'aubaine représentée par ce petit gibier n'avait dû lui apporter que peu de nutriment. Le 11, il tua et mangea un lagopède. Le 12 août, il se traîna hors de l'autobus pour aller cueillir des baies après avoir apposé son appel à l'aide dans l'hypothèse improbable où quelqu'un viendrait pendant son absence. Il le signait : « Chris McCandless. Août ? » Comprenant la gravité de son état, il avait abandonné le surnom audacieux dont il avait usé pendant deux ans, Alexandre Supertramp, pour revenir au nom que ses parents lui avaient donné à sa naissance.

De nombreux habitants de l'Alaska se sont demandé pourquoi, dans la situation désespérée où il se trouvait, il n'avait pas mis le feu à la forêt en guise de signal de détresse. Il y avait presque huit litres de carburant pour le poêle dans l'autobus. Il aurait été facile de provoquer un incendie suffisamment important pour attirer l'attention des avions, ou au moins de tracer un SOS géant par combustion.

Mais, contrairement à une opinion répandue, l'autobus n'est pas situé dans un couloir aérien. Très peu d'avions le survolent. Pendant les quatre jours que j'ai passés sur la piste Stampede, je n'ai pas vu un seul avion hormis les appareils commerciaux qui volent très haut. Il est vrai qu'un avion privé passe à proximité de l'autobus de temps en temps, mais, pour l'alerter, il aurait fallu provoquer un assez grand feu de forêt. Et, comme le remarque Carine : « Chris n'aurait jamais intentionnellement mis le feu à une forêt, pas même pour sauver sa vie. Quiconque suggère le contraire ne comprend rien à mon frère. »

La mort par dénutrition n'est pas une mort agréable. Lorsque le corps commence son travail d'autodévoration, on ressent des douleurs dans les muscles, des troubles cardiaques, les cheveux tombent, on a des vertiges et on s'essouffle, on devient très sensible au froid et l'on est épuisé physiquement et mentalement. La peau se décolore. En l'absence des nutriments de base, un déséquilibre chimique grave affecte le cerveau, entraînant des convulsions et des hallucinations. Des personnes qui ont été ramenées à la vie racontent que, vers la fin, la sensation de faim disparaît et la douleur est remplacée par une sublime euphorie, par un grand calme accompagné d'une lucidité presque transcendante. On aimerait penser que McCandless a connu une extase semblable.

Le 12 août, il écrivit ce qui serait sa dernière notation dans son journal : « Belles myrtilles. » Du 13 au 18 août, le journal ne fait qu'indiquer la date du jour. Au cours de cette semaine, il déchira la dernière page des Mémoires de Louis L'Amour, *L'Éducation d'un homme errant.* Sur un côté, il y a quelques lignes d'un poème de Robinson Jeffers cité par L'Amour, « Les sages dans leurs mauvaises heures » :

La mort est une fière alouette des prairies,
Mais ceux qui meurent en ayant voulu égaler
[les siècles
Par des œuvres qui vont au-delà de la chair
[et des os
N'ont fait que chercher un abri
[pour leur faiblesse.
Les montagnes sont des pierres mortes.
Les uns admirent, les autres haïssent
Leur stature et leur tranquillité insolente.
Elles n'en sont ni attendries ni troublées
Et bien peu de mourants,
[dans leurs pensées, les imitent.

Sur le côté non imprimé de la page, McCandless rédigea un bref billet : « J'ai eu une vie heureuse et en remercie le Seigneur. Adieu, et que Dieu vous bénisse tous ! »

Puis il se glissa dans le sac de couchage que sa mère avait confectionné pour lui et sombra dans l'inconscience. Il mourut probablement le 18 août, soit cent douze jours après son arrivée dans la forêt et dix-neuf jours avant qu'on ne découvre son corps dans l'autobus.

L'une de ses dernières actions fut de prendre une photo de lui. Il est près de l'autobus sous le grand ciel de l'Alaska. Dans une main, il tient son dernier billet, l'autre main est levée en signe d'adieu. Son visage est affreusement maigre, presque squelettique. S'il éprouva de la pitié pour sa personne au cours de ces heures difficiles – parce qu'il était jeune, parce qu'il était seul, parce que son corps l'avait trahi, parce que sa volonté l'avait abandonné –, cela n'apparaît pas sur la photo. Il sourit, et son regard ne trompe pas : il était en paix avec lui-même, serein comme un religieux allant vers Dieu.

Épilogue

Le dernier souvenir triste flotte autour de moi et parfois me recouvre comme de la brume, effaçant la lumière du soleil et jetant un froid sur l'évocation des temps heureux. Il y a eu des joies trop profondes pour être décrites avec des mots, et des douleurs que je n'ai pas osé regarder en face. C'est en pensant à elles que je dis : grimpez, si vous le voulez, mais souvenez-vous que le courage et la force ne sont rien sans la prudence et qu'une négligence momentanée peut détruire le bonheur d'une vie. Ne faites rien à la hâte. Portez votre attention à chaque pas. Et dès le départ, pensez à ce que peut être la fin.

Edward Whymper, *Escalades dans les Alpes.*

Nous dormons bercés par l'orgue de Barbarie du temps, puis nous nous éveillons – si toutefois nous le faisons – au silence de Dieu. Ensuite, quand nous nous éveillons aux rives profondes du temps incréé, quand les ténèbres aveuglantes s'entrouvrent au-dessus de la rive lointaine du temps, alors il faut vite rejeter un certain nombre de choses, comme notre raison et notre volonté, car il est grand temps de se précipiter chez soi.

Annie Dillard, *Holy the Firm.*

L'hélicoptère s'élève lentement sur le flanc du mont Healy dans un bruit de rotor. L'aiguille de l'altimètre frôle 1 500 mètres, nous passons au-dessus d'un plissement couleur de boue puis la terre s'éloigne et une étendue de taïga à couper le souffle emplit le Plexiglas du pare-brise. Au loin, je distingue la piste Stampede, une étroite bande peu marquée qui serpente à travers le paysage.

Billie McCandless est devant, sur le siège du passager ; Walt et moi sommes à l'arrière. Dix mois pénibles se sont écoulés depuis que Sam est apparu sur le seuil de leur maison de Chesapeake Beach pour leur apprendre la mort de Chris et, maintenant, ils ont décidé que le moment était venu de voir de leurs propres yeux l'endroit où leur fils avait vécu ses derniers instants.

Walt a passé les dix derniers jours à Fairbanks dans le cadre d'un contrat de travail avec la NASA. Il doit mettre au point un radar aéroporté, destiné à des missions de secours, qui permettra de retrouver l'épave d'un avion dans les milliers de kilomètres carrés d'un pays recouvert de forêts. Depuis plusieurs jours, il est distrait, irritable, sur les nerfs. Billie, arrivée en Alaska voici deux jours, m'a confié qu'il a accepté avec difficulté l'idée de se rendre à l'autobus. Aussi étonnant que ce soit, elle me dit qu'elle se sent calme et concentrée et que cela fait déjà quelque temps qu'elle pense à ce voyage.

L'hélicoptère est une idée de dernière minute. Billie tenait beaucoup à suivre la piste Stampede, comme Chris l'avait fait. Récemment, elle avait pris contact avec Butch Killian, le mineur de Healy qui était présent lors de la découverte du corps de Chris, et il avait accepté de conduire Walt et Billie dans son véhicule tout-terrain. Mais hier, il a téléphoné à leur hôtel pour leur dire que la Teklanika était trop haute pour qu'on puisse la traverser, même dans son Argo amphibie. D'où l'hélicoptère.

Sept cents mètres sous les patins de l'aéronef, un tissu vert de marais et de forêts d'épicéas recouvre le sol vallonné. La Teklanika semble un long ruban marron jeté sur le sol. Un objet anormalement clair apparaît au confluent de deux cours d'eau plus petits. C'est l'autobus de Fairbanks 142. Il nous a fallu quinze minutes pour franchir la distance que Chris a parcourue en quatre jours.

L'hélicoptère se pose avec fracas, le pilote arrête le moteur et nous sautons sur le sol sablonneux. Un peu plus tard, l'engin décolle dans un ouragan et nous laisse seuls, environnés par un grand silence. Tandis que Walt et Billie, à 10 mètres de l'autobus, regardent cette épave insolite sans un mot, un trio de geais babille dans un arbre.

« Il est plus petit que je ne l'aurais cru », dit Billie qui se tourne ensuite pour regarder autour d'elle. « Quel endroit charmant ! C'est incroyable comme ça me rappelle le paysage de mon enfance. Oh, Walt, cela ressemble vraiment à la péninsule supérieure ! Chris devait être content d'être ici. »

« J'ai des tas de raisons de ne pas aimer l'Alaska, répond Walt d'un air renfrogné, mais j'admets que cet endroit a une certaine beauté. Je comprends pourquoi il a plu à Chris. »

Pendant la demi-heure qui suit, Walt et Billie marchent tranquillement autour du véhicule, se promènent le long de la Sushana, vont dans les bois environnants.

Billie est la première à entrer dans l'autobus. Walt revient de la rivière. Il la trouve assise sur le matelas où Chris est mort, en train d'examiner le triste intérieur. Pendant un long moment, elle regarde les chaussures de son fils sous le poêle, ses inscriptions, sa brosse à dents. Mais elle ne pleure pas. Prenant quelque chose dans le fouillis qui est sur la table, elle se penche sur une cuiller dont le manche est orné d'un motif floral et dit : « Regarde, Walt, c'est le service en argent que nous avions à Annandale. »

À l'avant, Billie prend un vieux jean rapiécé et, fermant les yeux, elle l'approche de son visage. « Sens, dit-elle à son mari, il a encore l'odeur de Chris. » Puis, après un long intervalle, comme si elle se parlait à elle-même : « Il a dû être très courageux et très fort, à la fin, pour ne pas se tuer. »

Pendant les deux heures qui suivent, Walt et Billie se promènent aux alentours et reviennent à l'autobus. Walt fixe à l'intérieur de la porte une simple plaque de cuivre avec quelques mots. Billie dispose au-dessous un bouquet d'herbes sauvages et de rameaux d'épicéa. À l'arrière de l'autobus, sous le matelas, elle place une mallette de survie et un mot : « Appelez vos parents dès que possible. » La mallette contient aussi la bible que Chris avait quand il était petit, même si, avoue-t-elle : « Je n'ai pas prié depuis que nous l'avons perdu. »

Walt a l'air songeur. Il parle peu, mais il semble plus à l'aise qu'il ne l'a été depuis longtemps. « Je ne savais quel effet cela me ferait, dit-il avec un geste vers l'autobus, mais, maintenant, je suis content que nous soyons venus. » Il ajoute que cette visite rapide lui a permis de comprendre un peu mieux pourquoi son fils est venu ici. Il y a encore beaucoup de choses chez Chris qui le déconcertent et qui le déconcerteront toujours, mais, à présent, il le comprend un tout petit peu mieux. Et pour cela, il exprime sa reconnaissance.

« Cela fait du bien de savoir que Chris était ici, explique Billie, de savoir avec certitude qu'il a séjourné auprès de cette rivière, qu'il s'est tenu sur ce petit bout de terrain. Si souvent, au cours des trois dernières années, quand nous étions dans un endroit, nous nous sommes demandé si Chris y était passé. C'était terrible de ne pas savoir, de ne rien savoir du tout. Beaucoup de gens m'ont dit qu'ils admiraient Chris pour ce qu'il avait entrepris. S'il avait survécu, j'aurais été d'accord avec eux. Mais ce n'est pas le cas, et il n'y a aucun moyen de le faire revenir. On peut admettre beaucoup de choses, mais pas ça. Je ne vois pas comment on peut surmonter ce genre de perte. Le fait que Chris soit parti à jamais est une douleur aiguë que je ressens chaque jour. C'est vraiment dur. Certains jours sont un peu meilleurs que les autres, mais cela va être une épreuve tous les jours, pendant tout le reste de ma vie. »

Brusquement, le calme est rompu par le bruit de l'hélicoptère qui descend des nuages en tournant et se pose sur l'herbe. Nous montons. L'appareil s'élève dans le ciel, file pendant un moment avant de s'incliner fortement vers le sud-est. Pendant quelques minutes, on peut encore voir le toit de l'autobus au milieu des arbres chétifs, minuscule reflet blanc dans une grande mer verte, il devient de plus en plus petit, puis il disparaît.

Postface

Cela fait maintenant plus de vingt ans que le débat sur la cause de la mort de Chris McCandless et la question annexe de savoir s'il mérite notre admiration se tient et par moments s'enflamme. Peu de temps après la première parution de cet ouvrage, en janvier 1996, deux chimistes de l'université de l'Alaska, Edward Treadwell et Thomas Clausen, réduisirent à néant ma thèse selon laquelle la mort de McCandless avait été provoquée par un alcaloïde toxique présent dans les graines de pomme de terre sauvage, le *Hedysarum alpinum*. Lorsqu'ils procédèrent aux analyses chimiques des graines que je leur avais envoyées, ils ne trouvèrent pas trace de composé toxique. « J'ai analysé cette plante de manière approfondie, expliqua le Dr Clausen dans *Men's Journal* en 2007. Elle ne contenait aucune toxine, aucun alcaloïde. J'aurais pu en manger. »

En m'appuyant sur les conclusions de Treadwell et Clausen, selon lesquelles les graines de *H. alpinum* n'étaient pas toxiques, je proposai une nouvelle explication à la disparition de McCandless, que je fis figurer dans une réédition de mon livre en 2007. Ce n'étaient pas les graines qui avaient tué McCandless, mais plutôt une moisissure qui se forme sur les graines en produisant un alcaloïde toxique.

Cependant, je ne disposais d'aucune preuve intangible pour étayer cette hypothèse. C'est pourquoi je poursuivis ma quête d'une information qui permettrait de concilier le passage sans équivoque du journal intime de McCandless – indiquant qu'il s'était beaucoup affaibli et se trouvait en grand danger parce qu'il avait consommé des graines de pomme de terre sauvage – avec les résultats, eux aussi apparemment sans équivoque, des analyses chimiques effectuées par Treadwell et Clausen. Les résultats de ces analyses furent confirmés en 2008 avec la publication, dans la revue *Ethnobotany Research & Applications*, d'un article revu par des pairs ayant pour titre : « Le *Hedysarum mackenzii* [« pois de senteur sauvage »] est-il vraiment toxique ? » Treadwell et Clausen écrivaient que, après avoir effectué « une comparaison exhaustive de la chimie secondaire des deux plantes [*H. alpinum* et *H. mackenzii*] ainsi qu'une recherche de la présence de métabolites renfermant de l'azote (alcaloïdes) dans les deux espèces, aucune base chimique de toxicité n'avait pu être trouvée ».

En août 2013, je découvris par hasard un article de Ronald Hamilton intitulé « Le feu silencieux : l'ODAP et la mort de Christopher McCandless », qui semblait résoudre l'énigme. L'essai de Hamilton, publié sur Internet, présentait la preuve, méconnue jusqu'alors, que la pomme de terre sauvage était en réalité hautement toxique, contrairement aux affirmations de Treadwell et Clausen et, semblait-il, de tous les experts qui s'étaient penchés sur la question. Selon Hamilton, l'agent toxique contenu dans le *H. alpinum* n'était pas un alcaloïde, comme je l'avais supposé, mais un acide aminé. Telle était la véritable cause de la mort de McCandless.

Hamilton n'est ni botaniste ni chimiste ; c'est un écrivain qui, jusqu'à une période récente, travaillait comme relieur à la bibliothèque de l'Indiana University en Pennsylvanie. Ainsi qu'il l'explique, il prit connaissance de l'histoire de McCandless en 2002 lorsqu'il eut entre les mains un exemplaire de *Into the Wild*. Il le parcourut et se dit soudain : « Je sais pourquoi ce type est mort. » Son intuition venait d'une de ses lectures sur un camp de concentration peu connu appelé Vapniarca situé en Ukraine, occupée par les Allemands pendant la Seconde Guerre mondiale.

« J'ai appris l'existence de Vapniarca dans un livre dont j'ai oublié le titre depuis longtemps, me dit Hamilton. Vapniarca était simplement évoqué dans l'un des chapitres… Mais, après avoir lu *Into the Wild*, j'ai trouvé sur Internet un texte sur Vapniarca. » Plus tard, il apprit que vivait en Roumanie le fils d'un employé de l'administration du camp. Il se mit en relation avec celui-ci, qui lui envoya une mine d'informations et de documents.

En 1942, un officier de Vapniarca s'était livré à une sinistre expérimentation qui consistait à nourrir les prisonniers juifs avec du pain et de la soupe faite de graines de *Lathyrus sativus*. Ce pois est une légumineuse commune, connue depuis Hippocrate pour sa toxicité.

Voici ce qu'écrit Hamilton dans « Le feu silencieux » :

« Un médecin juif détenu dans le camp, le Dr Arthur Kessler, comprit très rapidement ce que cela impliquait, surtout lorsque, en quelques mois, des centaines de jeunes détenus du camp se mirent à boiter, devant se servir de bâtons en guise de béquille pour se déplacer. Dans certains cas, les détenus furent rapidement réduits à se traîner sur leur postérieur pour traverser le camp. […] Quand les détenus avaient ingéré une certaine quantité de la plante incriminée, c'était comme si on avait allumé un feu silencieux à l'intérieur de leur corps. Il n'y avait pas de possibilité de revenir en arrière. Une fois ce feu allumé, il brûlait jusqu'à ce que la personne qui avait ingéré les pois devienne invalide. [...] Plus ils en avaient mangé, plus graves étaient les conséquences, mais de toute façon, une fois que les effets commençaient à se manifester, on ne pouvait tout simplement pas les inverser. [...]

« Aujourd'hui encore, le *Lathyrus sativus* empoisonne des gens [et] les rend invalides. [...] On estime généralement que [au cours du XXe siècle] plus de 100 000 personnes dans le monde [ont été frappées] d'une paralysie irréversible due à la consommation de cette plante. La maladie porte le nom de "neurolathyrisme" ou, plus couramment, de "lathyrisme".

« Le Dr Arthur Kessler, qui [...] fut le premier à comprendre quelle funeste expérience était conduite à Vapniarca, fut l'un de ceux qui échappèrent à la mort pendant cette terrible période. À la fin de la guerre, il s'installa en Israël, où il ouvrit une clinique afin d'étudier, de soigner et de tenter de guérir les nombreuses victimes du lathyrisme provoqué à Vapniarca, car beaucoup de personnes détenues dans ce camp s'étaient établies elles aussi en Israël. »

Il s'avéra que la substance nocive était une neurotoxine, l'acide diaminopropionique beta-N-oxalyl-L-alpha-beta, un composé appelé couramment beta-ODAP ou simplement ODAP. D'après Hamilton, l'ODAP « affecte les gens de manière différente selon leurs particularités individuelles, leur sexe et leur âge. Mais même à l'intérieur d'une classe d'âge, les sujets sont atteints différemment. [...] Cependant, la seule constante de l'empoisonnement à l'ODAP est, pour le dire simplement, que ceux qui sont le plus sévèrement touchés sont toujours des jeunes hommes entre 15 et

25 ans qui souffrent de la faim ou absorbent très peu de calories, qui se livrent à des activités physiques éprouvantes et qui manquent d'oligoéléments à cause d'une nourriture pauvre et peu variée ».

L'ODAP fut identifié en 1964. Il provoque la paralysie en stimulant excessivement les récepteurs nerveux, ce qui entraîne leur destruction. Ainsi que l'explique Hamilton :

« On ne comprend pas bien pourquoi, mais les neurones les plus atteints dans cette affection catastrophique sont ceux qui commandent le mouvement des jambes. [...] Et quand une certaine quantité de neurones meurent, la paralysie s'installe. [...] [La condition du patient] ne s'améliore jamais ; elle ne fait qu'empirer. Les mouvements deviennent de plus en plus faibles et finissent par cesser. Les victimes éprouvent "la plus grande difficulté ne serait-ce qu'à rester debout". Beaucoup deviennent rapidement trop faibles pour marcher. La seule chose qu'ils puissent encore faire à ce stade, c'est ramper. [...] »

Quand Hamilton eut lu *Into the Wild* et qu'il se fut convaincu que l'ODAP était la cause de la triste fin de McCandless, il se mit en relation avec le Dr Jonathan Southard, adjoint du titulaire de la chaire de biochimie à l'Indiana University en Pennsylvanie, et il le persuada de charger l'une de ses étudiantes, Wendy Gruber, de rechercher la présence d'ODAP à la fois dans les graines de *H. alpinum* et dans celles de *H. mackenzii*. En 2004, ses essais accomplis, Gruber indiqua que l'ODAP semblait présent dans les deux espèces de *Hedysarum*, mais que les résultats ne permettaient pas une conclusion définitive. « Pour pouvoir affirmer que l'ODAP est réellement présent dans les graines, écrivait-elle, il faudrait procéder à un autre type d'analyse, probablement par HPLC-MS – chromatographie en phase liquide à haute performance. » Mais Gruber n'avait ni les connaissances ni les moyens d'effectuer une telle analyse, ce qui fait que l'hypothèse de Hamilton ne put être vérifiée.

C'est avec l'espoir de savoir s'il fallait accorder crédit à Hamilton que, en août 2013, j'expédiai 150 g de graines de pomme de terre sauvage fraîchement récoltées à l'Avomeen Analytical Services, situé à Ann Arbor, dans le Michigan, afin de les soumettre à une HPLC. Celle-ci montra que les graines contenaient 0,394 % d'ODAP par unité de poids, une concentration suffisante pour provoquer le lathyrisme chez les humains. Le 12 septembre 2013, je rendis compte des résultats d'Avomeen dans un article intitulé « Comment mourut Chris McCandless » qui fut publié sur le site Web du *New Yorker*.

Cinq jours plus tard, un journaliste de Fairbanks, Dermot Cole, fit paraître sur le site de l'*Alaska Dispatch* un article qui avait pour titre : « L'extravagante théorie de Krakauer sur McCandless discrédite la science ». Cole écrivait :

Krakauer devrait suivre le conseil de Tom Clausen, ancien professeur de chimie organique à l'UAF, qui a consacré la plus grande partie de sa carrière à l'étude des plantes de l'Alaska et à leurs propriétés.

Clausen affirme que, en l'absence d'une recherche scientifique soumise à un examen collégial, il ne tirerait aucune conclusion de ce qui est une question scientifique complexe et hautement technique.

La différence entre un compte rendu destiné à un large public et un article de revue scientifique est qu'un chef de service, voire deux, peut éventuellement vérifier le premier tandis que le second fera l'objet d'un examen critique destiné à en confirmer la rigueur scientifique.

Clausen déclare qu'il ne dispose d'aucun élément lui permettant de réfuter les conclusions de Ron Hamilton et de Krakauer sur la présence d'ODAP. « Cela dit, permettez-moi d'ajouter que je suis très sceptique sur toute cette histoire, écrit Clausen dans un e-mail. [...] *Je serais plus convaincu si je lisais le rapport d'un professionnel crédible évalué par ses pairs. »*

Je compris que Clausen avait raison : je ne pouvais pas être absolument certain que les graines étaient toxiques avant d'avoir procédé à des analyses plus poussées et d'en avoir publié les résultats dans une revue réputée et soumise à un comité d'experts. C'est ainsi que je m'engageai dans un nouveau cycle d'expérimentation.

Je commençai par demander à Avomeen d'analyser les graines au moyen d'une chromatographie en phase liquide couplée à la spectrométrie de masse (LC-MS). Cet essai mit en évidence un composé majeur de la graine avec une masse moléculaire de 176, ce qui est la masse moléculaire de l'ODAP et corrobore les résultats antérieurs de la HPLC. Puis Avomeen suggéra que nous portions l'analyse à une précision supérieure en utilisant la LC-MS/MS, la chromatographie en phase liquide couplée à la spectrométrie de masse en tandem. Le résultat confirma que la masse du composé en question était de 176, mais le modèle de ion-fragmentation, ou « empreinte digitale » de ce composé, ne coïncidait pas avec l'empreinte ion-fragmentation d'un échantillon d'ODAP pur qui fut également analysé. En d'autres termes, l'ODAP n'était pas présent dans les graines de *H. alpinum*. La LC-MS/MS infirmait définitivement l'hypothèse de Hamilton.

Néanmoins, l'analyse par LC-MS/MS suggérait la possibilité qu'un composé structurellement similaire à l'ODAP pût être présent en concentration significative dans les graines. J'entrepris donc de me replonger dans la littérature scientifique, de manière encore plus complète cette fois, lisant chaque article que je pouvais trouver sur les acides aminés toxiques non protéiques de masse moléculaire 176. Finalement, à ma grande surprise, je découvris l'article d'un scientifique nommé B. A. Birdsong, publié dans l'édition 1960 du *Canadian Journal of Botany*. Il indiquait que les graines de *H. alpinum* contenaient un acide aminé toxique appelé L-canavanine. La masse de celui-ci se trouve être de 176.

Mes recherches antérieures avaient manqué cet article parce que je cherchais un alcaloïde toxique et non pas un acide aminé toxique. Cet article avait également échappé à Clausen et à Treadwell.

Birdsong et ses coauteurs avaient établi la présence de L-canavanine dans les graines au moyen d'une technique appelée analyse chromatographique sur papier et dosage colorimétrique de pentacyanoammonioferrate trisodique, ou PCAF. Étant donné l'ampleur de la controverse, et parce que les méthodes d'analyse des constituants des plantes avaient progressé significativement durant les cinquante-quatre années qui nous séparaient des travaux de Birdsong, je demandai à Avomeen de rechercher la présence de L-canavanine dans les graines au moyen d'une LC-MS/MS, la technique qui avait prouvé l'absence d'ODAP. Quand les scientifiques d'Avomeen eurent réalisé leur travail, ils établirent que les graines de *H. alpinum* contenaient effectivement une concentration significative de L-canavanine, à savoir 1,2 % en poids.

Il apparut que la L-canavanine est un antimétabolite présent dans les graines de nombreuses espèces de légumineuses qui se défendent ainsi des prédateurs, et sa toxicité pour l'animal est bien documentée dans la littérature scientifique. On a observé de nombreux cas d'intoxication de troupeaux à la suite de la présence sur leur lieu de pâturage de haricots sauvages, *Canavalia ensiformis*, dont la teneur en L-canavanine est de 2,5 % en poids sec ; les symptômes comprenaient une raideur de l'arrière-train, un affaiblissement progressif, de l'emphysème et des hémorragies des glandes lymphatiques. Bien qu'il y ait eu peu d'études cliniques ou épidémiologiques d'intoxication par la L-canavanine chez les humains, il est arrivé que l'on fasse état de ses effets toxiques chez des gens qui avaient ingéré des graines de haricots sauvages. Un article publié dans la prestigieuse revue allemande *Die Pharmazie* fait remarquer que « les quelques rapports relatifs à un empoisonnement par cette plante ne représentent pas son incidence réelle dans la pratique agricole parce que son effet causal est très difficile à établir ».

Les Drs Jonathan Southard, Ying Long, Andrew Kolbert, Shri Thanedar et moi-même cosignâmes un article intitulé « La présence de L-canavanine dans le *Hedysarum alpinum* et son rôle possible dans la mort de Chris McCandless », qui fut publié dans la revue scientifique *Wilderness & Environmental Medecine* en octobre 2014. Dans la conclusion de cet article, nous écrivions :

Nos résultats ont confirmé la présence de L-canavanine (un antimétabolite dont la toxicité sur les mammifères a été démontrée) en tant que composant significatif des graines de H. alpinum. [...] *Dans le cas de Christopher McCandless, nous avons la preuve que le* H. alpinum *constituait une part importante de son maigre régime alimentaire pendant la période qui a précédé sa mort. En nous appuyant sur ce fait et sur ce que nous savons des effets toxiques de la L-canavanine, nous en tirons la conclusion logique que, dans ces conditions, il est hautement probable que l'ingestion d'une quantité relativement importante de cet antimétabolite fut un facteur ayant contribué à sa mort.*

Que la mort de Chris McCandless serve d'avertissement aux cueilleurs : même quand certaines parties d'une plante sont connues pour leur comestibilité, d'autres parties de la même plante peuvent contenir des concentrations dangereuses de composés toxiques. De surcroît, il peut y avoir des variations saisonnières ou locales de concentration de L-canavanine dans différentes populations de H. alpinum. *Il convient d'effectuer d'autres études afin de déterminer pour chacune leur niveau de concentration de L-canavanine. Étant donné les propriétés toxiques reconnues de la L-canavanine et sa présence avérée dans les graines de* H. alpinum, *il serait prudent de prendre des précautions avant de consommer ces graines, surtout lorsqu'elles constituent une part importante du régime alimentaire.*

Bien que Ron Hamilton se soit trompé sur le rôle de l'ODAP dans la mort de McCandless, il avait raison de penser que les graines de *H. alpinum* sont toxiques et que sa toxicité est due à un acide aminé plutôt qu'à un alcaloïde. Je lui suis extrêmement reconnaissant d'avoir publié « Le feu silencieux : l'ODAP et la mort de Christopher McCandless », parce que, s'il ne l'avait pas fait, il est peu probable que je sois tombé sur l'article de Birdsong, et ainsi je n'aurais jamais connu la présence de L-canavanine dans les graines de *H. alpinum*. Peu avant la fin de son article, Hamilton fait le commentaire suivant :

On peut dire que Christopher McCandless est bien mort de faim dans une région sauvage de l'Alaska, mais seulement parce qu'il a été empoisonné et que le poison l'avait trop affaibli pour qu'il puisse aller chasser ou cueillir de quoi se nourrir, et que vers la fin il se sentait « extrêmement faible », « trop faible pour sortir » et éprouvant « une grande difficulté à se lever ». Dans son état, il n'est pas vraiment mort de faim, au sens technique. [*Mais*] *ce ne fut pas l'arrogance qui le tua, ce fut l'ignorance* [...] *qu'il faut pardonner, car les faits qui menèrent à sa mort devaient rester ignorés de tous, savants aussi bien que profanes, pendant des décennies.*

Il est peu probable que la confirmation que des graines toxiques étaient, en partie au moins, responsables de la mort de McCandless incite les habitants de l'Alaska à le considérer sous un jour plus charitable, mais cela peut éviter à d'autres randonneurs de s'empoisonner accidentellement. Si son guide des plantes comestibles l'avait averti que les graines de *H. alpinum* contenaient une « substance secondaire hautement toxique », comme la littérature scientifique décrit la L-canavanine, Chris McCandless aurait pu quitter la forêt à la fin d'août sans plus de difficultés qu'il n'en avait eu pour y arriver en avril.

Il aurait aujourd'hui quarante-six ans.

Jon Krakauer
Avril 2015

Remerciements

Il m'aurait été impossible d'écrire ce livre sans l'aide considérable que m'a apportée la famille de Chris McCandless. Ma dette est grande envers Walt McCandless, Billie McCandless, Carine McCandless, Sam McCandless, et Shelly McCandless Garcia. Ils m'ont permis d'avoir librement accès aux papiers, aux lettres et aux photographies de Chris et m'ont accordé de longs entretiens. Aucun des membres de la famille n'a essayé d'exercer un contrôle sur le contenu du livre ou de modifier son orientation, bien qu'ils aient su que certains matériaux de l'enquête pourraient leur causer une grande douleur une fois rendus publics. À la demande de la famille, 20 % des droits d'auteur de ce livre seront versés à une fondation qui porte le nom de Chris McCandless.

Ma reconnaissance va également à Doug Stumpf, qui a retenu le manuscrit pour le compte des éditions Villard Books/Random House, et à David Rosenthal et Ruth Fecych qui l'ont édité avec soin et compétence après le départ prématuré de Doug. J'adresse aussi mes remerciements à Annik LaFarge, Adam Rothberg, Dan Rembert, Dennis Ambrose, Laura Taylor, Diana Frost, Deborah Foley et Abigail Winograd, de Villard/Random House, pour l'aide qu'ils m'ont apportée.

Ce livre a pour origine un article du magazine *Outside*. J'aimerais remercier Mark Bryant et Laura Hohnhold de m'en avoir chargé et de l'avoir ensuite mis en forme avec tant d'adresse. Adam Horowitz, Greg Cliburn, Kiki Yablon, Larry Burke, Lisa Chase, Dan Ferrara, Sue Smith, Will Dana, Alex Heard, Donovan Webster, Kathy Martin, Brad Wetzler et Jaqueline Lee ont également collaboré à cet article.

Je dois une gratitude particulière à Linda Mariam Moore, Roman Dial, David Roberts, Sharon Roberts, Matt Hale et Ed Ward pour m'avoir dispensé des conseils et des critiques de grande valeur ; à Margaret Davidson pour avoir dessiné les splendides cartes du livre ; et aussi à John Ware, mon inégalable agent.

J'ai aussi bénéficié des importantes contributions de Dennis Burnett, Chris Fish, Eric Hathaway, Gordy Cucullu, Andy Horowitz, Kris Maxie Gillmer, Wayne Westerberg, Mary Westerberg, Gail Borah, Rod Wolf, Jan Burres, Ronald Franz, Gaylord Stuckey, Jim Gallien, Ken Thompson, Gordon Samel, Ferdie Swanson, Butch Killian, Paul Atkinson, Steve Carwile, Ken Kehrer, Bob Burroughs, Berle Mercer, Will Forsberg, Nick Jans, Mark Stoppel, Dan Solie, Andrew Liske, Peggy Dial, James Brady, Cliff Hudson, feu Mugs Stump, Kate Bull, Roger Ellis, Ken Sleight, Bud Walsh, Lori Zarza, George Dreeszen, Sharon Dreeszen, Eddie Dickson, Priscilla Russell, Arthur Kruckeberg, Paul Reichart, Doug Ewing, Sarah Gage, Mike Ralphs, Richard Keeler, Nancy J. Turner, Glen Wagner, Tom Clausen, John Bryant, Edward Treadwell, Lew Krakauer, Carol Krakauer, Karin Krakauer, Wendy Krakauer, Sarah Krakauer, Andrew Krakauer, Ruth Selig et Peggy Langrall.

Je me suis servi des travaux des journalistes suivants : Johnny Dodd, Kris Capps, Steve Young, W. L. Rusho, Chip Brown, Glenn Randall, Jonathan Waterman, Debra McKinney, T. A. Badger et Adam Biegel.

Pour m'avoir apporté inspiration, hospitalité, amitié et sages conseils, je remercie Kai Sandburn, Randy Babich, Jim Freeman, Steve Rottler, Fred Beckey, Maynard Miller, Jim Doherty, David Quammen, Tim Cahill, Rosalie Stewart, Shannon Costello, Alison Jo Stewart, Maureen Costello, Ariel Kohn, Kelsi Krakauer, Miriam Kohn, Deborah Shaw, Nick Miller, Greg Child, Dan Cauthorn, Kitty Calhoun Grissom, Colin Grissom, Dave Jones, Fran Kaul, David Trione, Dielle Havlis, Pat Joseph, Lee Joseph, Pierret Vogt, Paul Vogt, Ralph Moore, Mary Moore et Woodrow O. Moore.

10/18, une marque d'Univers Poche,
est un éditeur qui s'engage pour
la préservation de l'environnement
et qui utilise du papier fabriqué à partir
de bois provenant de forêts gérées
de manière responsable.

Imprimé en France par CPI

N° d'impression : 3039055
X04830/22